Italo Calvino

O BARÃO TREPADOR

Italo Calvino

O BARÃO TREPADOR

Romance

Tradução de
José Manuel Calafate

D.QUIXOTE

Título: *O Barão Trepador*
Título original: *Il barone rampante*
© 2002, The Estate of Italo Calvino
© 2016, Publicações Dom Quixote
Edição: Cecília Andrade
Revisão: Clara Joana Vitorino

Este livro foi composto em Rongel,
fonte tipográfica desenhada por Mário Feliciano
Capa: Maria Manuel Lacerda
Paginação: Leya S.A.
Impressão e acabamento: CEM

1.ª edição nas Publicações Dom Quixote: janeiro de 2016
Depósito legal n.º 401 944/15
ISBN: 978-972-20-5919-0
Reservados todos os direitos

Publicações Dom Quixote
Uma editora do Grupo Leya
Rua Cidade de Córdova, n.º 2
2610-038 Alfragide · Portugal
www.dquixote.pt
www.leya.com

Este livro segue o Novo Acordo Ortográfico de 1990.

I
〰

Foi a 15 de junho do ano de 1767 que Cosimo Piovasco di Rondò, meu irmão, se sentou pela última vez entre nós. Lembro-me como se fosse hoje. Estávamos na sala de jantar da nossa *villa* de Ombrosa e a janela emoldurava a frondosa ramaria do enorme álamo do parque. Era meio-dia e, seguindo uma velha tradição, a nossa família sentava-se à mesa sempre àquela hora, não obstante se tivesse espalhado já entre a nobreza a moda, originária da pouco madrugadora corte de França, de almoçar a meio da tarde. Lembro-me de que soprava uma leve brisa vinda do mar e as folhas buliam. Cosimo teimou: – Já disse que não quero e não quero! –, afastando, com um gesto, o prato de caracóis. Não havia memória de mais grave desobediência.

À cabeceira da mesa sentava-se o barão Arminio Piovasco di Rondò, nosso pai. A longa cabeleira, já antiquada, como tantas outras coisas nele, cobria-lhe as orelhas, à moda de Luís XIV. Entre mim e meu irmão ficava o abade Fauchelafleur, esmoler da nossa família e aio dos rapazes. Diante de nós, a generala Corradina di Rondò, nossa mãe, e a seu lado nossa irmã Battista, a monja da casa. À outra cabeceira da mesa, vestido à turca, defronte do barão, o cavaleiro-advogado Enea Silvio Carrega, administrador e engenheiro hidráulico encarregado das nossas propriedades, nosso tio natural, já que irmão ilegítimo do barão nosso pai.

Havia poucos meses, desde que Cosimo completara doze anos e eu oito, que tínhamos sido admitidos à mesma mesa que ocupavam

7

os nossos pais; desta maneira, eu viera beneficiar prematuramente do mesmo privilégio concedido ao meu irmão, já que não tinham querido deixar-me só à hora das refeições. Dizer que viera beneficiar é talvez uma força de expressão: na realidade, tanto eu como Cosimo recordávamos com saudade as refeições tomadas no nosso pequeno aposento, a sós com o abade Fauchelafleur. O abade era um velhinho seco e enrugado, que tinha fama de jansenista e, na verdade, havia fugido do Delfinado, seu torrão natal, para escapar a um processo da Inquisição. Mas o carácter rigoroso que habitualmente todos nós lhe louvávamos e a interior severidade que a si e aos outros impunha cediam constantemente o lugar a uma sua vocação peculiar para a indiferença, para o «deixar correr», como se as suas prolongadas meditações, de olhos fixos no vago, o levassem apenas a um grande enfado e indolência, e em todas as dificuldades, ainda que mínimas, descortinasse o sinal de uma fatalidade a que não valia a pena opor--se. As nossas refeições em companhia do abade principiavam após demoradas orações, com movimentos da colher muito compostos, rituais, silenciosos, e um «ai de vós!» a quem quer que erguesse os olhos do prato ou fizesse o mínimo ruído enquanto sorvia a sopa; todavia, ainda mal terminado o caldo, o abade encontrava-se já fatigado, aborrecido, olhando o vago e estalando a língua a cada novo gole de vinho, como se apenas as mais superficiais e caducas sensações conseguissem atingi-lo; ao primeiro prato podíamos já comer com as mãos e entretínhamo-nos a arrancar os caroços das peras, enquanto o abade deixava cair, de quando em quando, um dos seus preguiçosos: – ... *Ooo bien!... Ooo alors!*[1]

Agora, em lugar de tudo aquilo, sentados à mesa com a família, sentíamos formularem-se os rancores familiares, triste capítulo da infância. O pai e a mãe sempre ali presentes, o ter de empregar talheres para comer galinha, o «ponha-se direito!» e o «tire os cotovelos de cima da mesa!», continuamente, e ainda por cima a presença da antipática da nossa irmã Battista. Foi o início de uma série de repreensões, de castigos e de teimosias até ao dia em que

---

[1] Oh, bom!... Oh, então! (*Todas as notas são do tradutor.*)

Cosimo recusou o prato de caracóis e decidiu separar do nosso o seu destino.

Só mais tarde vim a tomar consciência desta acumulação de ressentimentos familiares: tinha, então, oito anos apenas e tudo me parecia um jogo. A nossa guerra de crianças contra os adultos era idêntica à de todas as outras crianças e não compreendi, naquela altura, que a obstinação de que Cosimo dera provas ocultava algo de mais profundo.

O barão nosso pai era um homem enfadonho, é certo, ainda que não fosse mau: enfadonho porque toda a sua vida era dominada por pensamentos e ideias confusas, como tão frequentemente acontece nas épocas de transição. A agitação dos tempos imbui em muitos uma necessidade de se agitarem também, mas completamente ao contrário, em direções totalmente diversas: assim também o barão nosso pai, que se vangloriava das suas pretensões ao título de duque de Ombrosa e pensava tão-somente em genealogias, sucessões, rivalidades e até em alianças com os potentados vizinhos e distantes.

Por isso também, vivia-se em nossa casa como se ininterruptamente se estivesse a proceder ao ensaio geral do que devíamos fazer se tivéssemos sido convidados para a corte, não sei se a corte da imperatriz da Áustria, se a do rei Luís ou até se a dos montanheses de Turim. Quando se servia o peru, meu pai fitava-nos, para verificar se o sabíamos trinchar e descarnar segundo todas as regras e preceitos cortesãos, e o abade quase não provava, para não se arriscar a ser apanhado em falta, ele que sempre devia manter a sua cumplicidade com todos os ralhos e observações que o nosso pai nos dirigia. Depois, tínhamos conseguido descobrir o fundo falso da alma do cavaleiro-advogado Carrega: fazia desaparecer, sob as largas abas da sua samarra turca, coxinhas inteiras de peru, que depois ia comer com pequenas dentadinhas, como lhe agradava, sentado a bom recato entre os vinhedos; e teríamos jurado (conquanto nunca tivéssemos conseguido surpreendê-lo em flagrante, a tal ponto era lesto nos seus movimentos) que, ao vir para a mesa, trazia consigo um saquinho cheio de ossos já descarnados, que colocava no prato em lugar dos quartos de peru surripiados. Nossa mãe, a generala, não contava para nós, porque até mesmo à mesa conservava, ao servir-se, aqueles seus modos bruscos, quase militares: – *So! Noch ein wenig! Gut!*[1] –, que a ninguém provocavam vontade de rir e troçar; connosco fazia questão, se não já de etiqueta, pelo menos de disciplina e auxiliava o barão com as suas ordens, que dir-se-iam gritadas numa praça de armas: – *Sitz' ruhig!*[2] – Limpem a boca! – A única que se sentia à vontade era Battista, a monja da casa, que descarnava os frangos com um encarniçamento minucioso, fibra a fibra, com certas faquinhas aguçadas, parecidas com lancetas de cirurgião e que era a única a possuir. O barão, muito embora julgasse também necessário chamá-la a exemplo, não ousava fazê-lo nem sequer olhá-la, porque, tal como nós, sentia também um certo receio daqueles olhos retorcidos sob as abas da touca engomada e dos dentes aguçados na carinha de rato. Compreende-se, assim, por que motivo era a mesa o lugar onde vinham a lume todos os antagonismos, todas as incompatibilidades que entre nós existiam e até mesmo todas as nossas pequenas loucuras e hipocrisias e também por que motivo fora à mesa que se determinara a rebelião de Cosimo. Por isso me alongo a contar tudo, já que mesas postas é algo que, com toda a certeza, nunca mais iremos encontrar na vida do meu irmão.

Mas a mesa era também o único local onde nos encontrávamos com os adultos. O resto do dia passava-o minha mãe encerrada nos seus aposentos, a fazer renda, bordados e filé, porque, na verdade, a generala apenas sabia ocupar-se destes trabalhos tradicionalmente femininos e só neles também afogava a sua paixão guerreira. Eram rendas e bordados que, habitualmente, representavam mapas geográficos; estendidos por cima de almofadas ou tecidos alcatifados, eram por nossa mãe pontilhados de alfinetes e bandeirinhas, assinalando os planos de batalha da Guerra da Sucessão, que conhecia perfeitamente. Outras vezes bordava canhões, com as várias trajetórias dos projéteis que saíam da boca de fogo e as forquilhas de tiro e até mesmo os sinais da triangulação, porque era muito competente

---

[1] Bem. Mais um bocado!
[2] Estejam quietos!

em matéria de balística e, além disso, tinha ainda à sua disposição toda a biblioteca do general seu pai, onde encontrava tratados completos de arte militar, tábuas de tiro e alças diversos. Nossa mãe era uma Von Kurtewitz, Konradine von Kurtewitz, filha do general Konrad von Kurtewitz, que vinte anos atrás havia ocupado as nossas terras comandando as tropas de Maria Teresa de Áustria. Órfã de mãe, o general levava-a sempre consigo para as campanhas; não se tratava, porém, de nada de romanesco. Viajavam bem equipados, acomodavam-se nos melhores castelos e arrastavam consigo uma autêntica legião de criados. Konradine passava os dias a fazer renda de bilros; todas as histórias que se contam e que rezam que ela tomava também parte nas batalhas, montada a cavalo, não passam de pura fantasia: foi sempre uma jovem de pele rosada e nariz arrebitado, como nós a recordamos, se bem que tivesse herdado de seu pai aquela paixão militar que ainda conservava, talvez como forma de protesto contra o marido.

O nosso pai era um dos poucos nobres que, da nossa parte, tinham dispensado bom acolhimento aos imperiais durante aquela guerra: recebera de braços abertos, no seu feudo, o general von Kurtewitz, pusera os seus homens à disposição deste e, para melhor ainda demonstrar a sua profunda dedicação à causa imperial, casara-se com Konradine; e tudo isto sempre na mira do ducado. Porém, uma vez mais os factos lhe foram adversos, porque breve os imperiais foram desbaratados e os genoveses sobrecarregaram-no de impostos. Em compensação, tinha ganhado uma esplêndida esposa, a generala, como tem sido chamada desde a altura em que o pai morreu, na expedição à Provença. E a imperatriz Maria Teresa enviou-lhe um cordão de ouro sobre uma almofada de damasco; tinha ganhado, na verdade, uma esplêndida esposa, com quem quase sempre esteve de acordo, ainda que ela, educada em acampamentos militares, não pensasse noutra coisa além de exércitos e batalhas e o repreendesse por não passar de um desafortunado taverneiro.

Mas, no fundo, ambos se tinham ficado no tempo da Guerra da Sucessão: a generala com a mente cheia de ideias de artilharia, o barão com as suas árvores genealógicas; ela sonhando com um posto num exército qualquer era coisa que pouco importava para nós, seus filhos; ele que, em vez disso, nos imaginava já casados com qualquer grã-duquesa eleitora do Império... Apesar de tudo, foram ótimos pais, mas a tal ponto distraídos dos filhos que pudemos crescer praticamente entregues a nós próprios. Foi um mal ou um bem? E quem poderá responder a esta pergunta? A vida de Cosimo foi tão fora do comum e a minha tão regular e modesta que seria difícil acreditar-se que tivéssemos passado juntos a infância, indiferentes ambos às zangas e questões dos adultos, procurando para nós próprios caminhos bem diversos dos normalmente percorridos pelas gentes.

Trepávamos às árvores (sinto agora na memória como estes primeiros jogos inocentes se carregam de uma luminosidade dir-se-ia de iniciação, de presságio... mas naquela altura nem pensávamos nisso), remontávamos os ribeiros, saltitando de um escolho para outro, explorávamos cavernas sobranceiras ao mar e escorregávamos pelos balaústres em mármore das escadarias da *villa*. Foi aquando de uma destas alturas em que Cosimo escorregava pelo balaústre que teve origem uma das mais graves razões de queixa da parte de meu irmão em relação aos nossos pais, porque foi injustamente punido. Desde então reteve e passou a alimentar um rancor contra a família (ou contra a sociedade? Ou contra o mundo em geral?) que mais tarde se viria a expressar na sua decisão do 15 de junho.

Para dizer a verdade, já desconfiávamos um bocado das descidas vertiginosas pelos balaústres em mármore das escadarias, não por medo de partir uma perna ou um braço, porque os nossos pais nunca se preocuparam com isso, e foi por esse motivo que – julgo eu – nunca partimos nada; mas porque, crescendo e aumentando de peso, podíamos, nas descidas, derrubar alguma das estátuas de antepassados que o nosso pai mandara colocar em cima das pequenas pilastras terminais dos balaústres em todas as escadarias. Com efeito, Cosimo já uma vez fizera ruir um trisavô bispo, com mitra e tudo; nessa altura, como tivesse sido castigado, aprendeu a travar um instante antes de atingir o fim do balaústre e a saltar no momento preciso em que parecia ir embater na estátua. Por meu lado, aprendi também a fazer o mesmo, porque em tudo imitava o meu irmão. Simplesmente, sendo, como sempre fui, mais modesto e prudente, saltava a meio da descida ou então deixava-me escorregar aos poucos, com travagens contínuas. Certo dia em que meu irmão vinha deslizando pelo balaústre como uma flecha, imaginai quem descia as escadarias naquele momento? O abade Fauchelafleur em pessoa, que vagabundeava por ali com o breviário aberto diante de si, mas com o olhar fixo no vazio, tal qual o de uma galinha. Antes estivesse num dos seus habituais estados de modorra! Mas não. O abade encontrava-se num daqueles momentos que, muito embora raramente, lhe aconteciam e durante os quais alimentava uma extrema atenção e apreensão para todas as coisas. Repara em Cosimo, pensa: balaústre, estátua, choque inevitável; é certo que se zangam comigo também (porque a qualquer travessura da nossa parte era ele igualmente repreendido, por não saber vigiar-nos), e lança-se para o balaústre, na intenção de deter Cosimo. O meu irmão choca com o abade, arrasta-o consigo pelo balaústre (o abade era um velhinho pele e osso), não consegue travar, adquirem redobrado impulso, embatem na estátua do nosso antepassado Cacciaguerra Piovasco, cruzado na Terra Santa, e despenham-se todos no sopé da escadaria: Cosimo, o abade e o cruzado, todo feito em cacos, porque era de gesso. Sucederam-se repreensões intermináveis, açoites e reclusões a pão e sopa fria. E Cosimo, que se sentia inocente, porque a culpa não tinha sido sua, mas do abade, sai-se com aquela invetiva feroz: – Pouco se me dão todos os vossos antepassados, senhor meu pai! –, o que já anunciava a sua vocação de rebelde.

No fundo, o mesmo se passava com nossa irmã. Também ela, apesar do isolamento em que vivia e que lhe fora imposto pelo barão nosso pai depois da história passada com o pequeno marquês della Mela, fora, desde sempre, uma alma rebelde e solitária. Como teria acontecido o incidente passado com o marquesinho foi coisa que nunca se apurou convenientemente. Filho de uma família que nos era declaradamente hostil, por que processo teria ele conseguido introduzir-se em nossa casa? E para quê? Para seduzir, pior, para violentar a nossa irmã, foi o que se disse no demorado litígio que opôs as duas famílias. Com efeito, nunca conseguimos imaginar aquele toleirão sardento como um sedutor, e muito menos tratando-se de minha irmã, que era muito mais forte do que ele e famosa por competir em vigor até com estalajadeiros. Além disso, por que motivo teria sido ele quem gritou? E como se justifica que, quando o barão nosso pai acorreu, seguido de uma multidão de criados, ao ouvir gritos, tivesse ido encontrá-lo com as calças em farrapos, como se tivessem sido dilaceradas pelas garras de um tigre? Os della Mela nunca quiseram sequer admitir que o filho tivesse atentado contra a honra de Battista, nem jamais consentiram no matrimónio. Por isso, a nossa irmã acabou fechada em casa, envergando os hábitos de monja, se bem que nunca tivesse tomado os votos, nem sequer de terciária, dada a sua dúbia vocação...

Mas era sobretudo na cozinha que a sua alma tristonha se explicava. Era famosíssima a cozinhar, porque não lhe faltavam diligência nem engenho, dotes essenciais de toda a cozinheira. Onde ela metia a mão, não se sabia nunca que coisa poderia vir parar à mesa: certa vez arranjara até umas torradinhas com paté, aliás esplêndidas, para lhe fazer justiça, preparadas com fígado de rato, e só depois de as termos comido e declarado boas é que ela nos disse como as fizera e de quê; isto para não falar das patas traseiras de gafanhoto, sequinhas e serrilhadas, que certa vez espalhara em mosaico sobre uma torta e dos rabinhos de porco assados, como se fossem roscas; doutra vez cozinhou um porco-espinho inteiro, com os picos todos, sabe Deus com que fim... certamente só para causar uma certa impressão ao levantar a tampa da terrina coberta, porque nem mesmo Battista, que comia sempre qualquer mixórdia que tivesse sido ela a preparar, quis provar a iguaria, conquanto se tratasse de um porco-espinho ainda infante, rosadinho, e certamente muito tenro. Na verdade, muitos destes seus hediondos cozinhados eram produzidos apenas com mira na aparência, e não pelo simples prazer de nos obrigar a comer, com ela, manjares de sabor horripilante. Estes pratos preparados por Battista eram obras-primas de finíssima ourivesaria animal ou vegetal: olhos de couve-flor com orelhas de lebre colocadas sobre um colar de pelo da mesma; ou uma cabeça de porco de cuja boca emergia, como uma língua estendida, uma lagosta vermelha que entre as suas pinças ostentava, como se a tivesse arrancado, a língua do leitão. Depois os caracóis: tinha conseguido decapitar uns tantos caracóis e espetara-lhes nas cabeças, naquelas cabeças muito moles, que pareciam de cavalicoques, uns palitinhos aguçados de tal maneira que, ao serem servidas, mais pareciam uma multidão de pequeníssimos cisnes. Mas, mais ainda do que à simples visão de semelhantes manjares, sentíamo-nos impressionados só de pensar na ferocidade muito zelosa que certamente Battista experimentara ao preparar os caracóis, com as suas mãos subtis desmembrando pacientemente os corpinhos dos animais.

Esta maneira por que os caracóis conseguiam excitar a macabra imaginação da nossa irmã levou-nos, a Cosimo e a mim, a uma rebelião, que era simultaneamente uma afirmação de solidariedade com os pobres bichos, desgosto e asco pelo sabor dos caracóis cozinhados e intolerância por tudo e por todos, de tal maneira que não é de admirar que tenha sido essa a causa de Cosimo haver matutado bem no seu gesto e nas consequências que dele lhe advieram.

Tínhamos arquitetado um plano. De cada vez que o cavaleiro--advogado trazia para casa uma alcofa cheia de caracóis comestíveis, estes eram colocados na adega, dentro de uma barrica, para que se mantivessem durante um certo tempo em jejum, comendo apenas farelo e, deste modo, se purgassem. Quando se retiravam as tábuas que tapavam a barrica, surgia à vista um espécie de inferno, onde os caracóis se moviam pelas aduelas com uma lentidão, que era já um presságio de agonia, entre restos de farelo, estrias de baba opaca já coagulada e excrementos de caracol, coloridos ainda, memória dos bons tempos do ar livre e das ervas bem verdes. Alguns havia que estavam já todos fora da casca, de cabeça muito tesa e pauzinhos espetados, outros todos encerrados em si mesmos, arriscando-se apenas a revelar as antenas desconfiadas, outros todos juntos, como se se tratasse de um grupo de alcoviteiras, outros adormecidos e metidos para dentro da casca e outros ainda mortos, de casca voltada para baixo. Para os salvarmos de um encontro fatal com a sinistra cozinheira e para nos salvarmos a nós próprios dos preparados de

Battista, fizemos um furinho no fundo da barrica, e a partir dele traçámos, com fiozinhos de mel e pequenos caules de erva, uma estrada, o mais possível escondida, que passava por detrás dos tonéis e outros trastes acumulados na adega e que, atraindo os caracóis para o caminho da liberdade, os levava diretamente a uma janelinha que dava para um canteiro inculto e cheio de ervas daninhas.

No dia seguinte, quando descemos à adega a fim de controlar os efeitos do nosso plano e, à luz da candeia, inspecionávamos os muros e recantos, exclamando: – Olha um aqui!... E outro aqui!... E olha para este até onde chegou! –, já uma fila de caracóis percorria, a curtos intervalos e em direção à janela, o caminho por nós definido, cobrindo o pavimento e os muros. – Depressa, caracóis! Andem depressa, fujam! – não podíamos impedir-nos de lhes dizer, vendo como os bichos andavam devagar, muito devagar, não sem se desviarem do seu curso em ociosas excursões pelas paredes rugosas da adega, atraídos por ocasionais depósitos e manchas de bolor ou até por pequenas fendas; mas a adega era escura e acidentada e estava cheia de trastes; tínhamos esperança de que ninguém conseguisse descobri-los e que tivessem tempo para fugir todos.

Mas aquela alma sem paz que era a nossa irmã Battista tinha o hábito de, à noite, percorrer a casa toda dando caça aos ratos, com uma candeia nas mãos e espingarda debaixo do braço. Deu-lhe, nessa noite, para passar pela adega e a luz da candeia iluminou um caracol tresmalhado, perdido no teto, com uma esteira de baba prateada atrás de si. Ressoou pela casa uma autêntica fuzilaria. Pulámos todos na cama, mas, habituados como estávamos às caçadas noturnas da monja da casa, voltámos a afundar a cabeça nos travesseiros. Mas Battista, uma vez destruído o caracol e tendo arrancado, com aquele tiroteio desaustinado, um pedaço de estuque do teto, desatou a gritar com a voz estrídula:

– Socorro! Estão todos a fugir! Socorro!

Acorrem os criados, ainda seminus, o nosso pai, brandindo um sabre, o abade sem cabeleira e o cavaleiro-advogado, antes mesmo de ter compreendido o que se passava, temendo algum contratempo, fugiu para os campos e foi passar a noite a um palheiro.

À luz dos archotes, começou então uma caçada implacável aos caracóis, por toda a adega, ainda que a ninguém aquilo desse prazer. Mas, uma vez acordados em sobressalto, não queriam, por simples amor próprio, admitir que tivessem sido perturbados sem motivo. Descobriram o buraco no fundo da barrica e, de súbito, deram conta de que tínhamos sido nós. O nosso pai veio buscar-nos à cama, empunhando o chicote do cocheiro. Acabámos, todos cheios de riscos roxos nas costas, nas nádegas e nas pernas, fechados no quartito miserável que nos servia de cárcere.

Ali ficámos durante três dias, a pão, água, salada, peles de boi e sopa fria (que, felizmente, nos agradava). Depois, seguiu-se a primeira refeição em família, em que todos procederam exatamente como de habitual, fingindo que nada se tinha passado. Era meio-dia de 15 de junho: e que tinha Battista, superintendente das cozinhas, preparado para o almoço? Sopa de caracóis e um prato de caracóis. Cosimo afirma que não toca nem sequer numa casca.

– Comam se não querem que vos fechemos outra vez no quarto!

Eu acedi e comecei a tragar, com muito custo, alguns dos moluscos. (Foi uma vileza da minha parte, o que fez com que meu irmão se sentisse mais só, de modo que a sua recusa era um protesto contra mim também, porque o tinha desiludido; mas, nessa altura, eu tinha apenas oito anos e, aliás, de que vale comparar a minha força de vontade, pior: a força de vontade que poderia ter naquela altura com a sobre-humana obstinação que caracterizou a vida do meu irmão?)

– E então? – perguntou nosso pai a Cosimo.

– Não e não! – disse Cosimo, afastando o prato.

– Saia imediatamente desta mesa!

Mas Cosimo já nos tinha voltado as costas e saía da sala de jantar.

– Onde vai?

Víamo-lo, através da porta envidraçada, no vestíbulo, enquanto pegava no tricórnio e na espadinha.

– Sei muito bem para onde vou! – e correu para o jardim.

Daí a pouco, vimo-lo, através da janela, trepar para o álamo. Estava vestido e ornado com grande propriedade, como o nosso pai gostaria que ele viesse para a mesa, não obstante os seus doze anos: cabelos empoados, presos atrás com uma fita, tricórnio, gravata de rendas, casaca verde de abas largas, calções cor de malva e longas polainas de pele clara até meio da coxa, única concessão a um modo de trajar mais consoante com a nossa vida de campo. (Eu, como tinha apenas oito anos, estava isento de empoar os cabelos, a não ser em ocasiões de gala, bem assim como de usar espadinha, que, todavia, me teria agradado usar.) Assim vestido, Cosimo trepava para a árvore nodosa, movimentando braços e pernas pelo meio dos ramos, com a segurança e rapidez que uma longa prática a que ambos nos havíamos dedicado lhe tinha concedido.

Já tive ocasião de frisar que era nosso costume passar horas seguidas em cima das árvores, e isto não com objetivos interesseiros, como os da maioria dos rapazes, que trepam às árvores apenas para roubar fruta ou ninhos de pássaros, mas pelo puro prazer de superar as saliências difíceis dos troncos e as forquilhas, de atingir o ponto mais alto que fosse possível e de descobrir locais onde pudéssemos instalar-nos observando o mundo, lá em baixo, e fazendo gestos e caretas a quem quer que passasse sob as árvores. Não é, por conseguinte, de admirar que o primeiro pensamento de Cosimo tivesse sido o de trepar ao álamo, árvore que nos era tão familiar e que, erguendo os seus frondosos ramos à altura da janela da sala, impunha à vista de toda a família a atitude desdenhosa e ofendida de meu irmão Cosimo.

– *Vorsicht! Vorsicht!*[1] Ai que lá vai cair, o pobrezinho! – exclamou ansiosamente a nossa mãe, que de boa vontade nos teria visto arriscar a vida sob uma chuva de metralha, mas que se sentia cheia de medo pelas consequências de todas as nossas brincadeiras.

Cosimo içou-se até à forquilha de um ramo bastante grosso, onde se podia instalar comodamente, e ali se sentou, de pernas pendentes, braços cruzados, com as mãos sob as axilas, cabeça metida para dentro dos ombros e tricórnio puxado para a testa.

O nosso pai apareceu à sacada da janela.

---

[1] Cuidado! Cuidado!

– Quando estiveres farto de aí estar, logo mudareis de ideias! – gritou-lhe.

– Jamais mudarei de ideias – respondeu, do ramo onde se encontrava, o meu irmão.

– Quando desceres logo te ensino!

– E eu nunca mais descerei daqui! – replicou Cosimo. E manteve a palavra dada.

II

Cosimo estava em cima da árvore. Os ramos estendiam-se, altas pontes sobre a terra. Soprava uma brisa muito suave; havia sol. O sol brilhava por entre a folhagem e nós, para conseguirmos ver Cosimo, colocávamos a mão, em pala, sobre os olhos. Da árvore, Cosimo olhava o mundo: vistas dali de cima, todas as coisas surgiam diversas, e isto mesmo era já uma diversão. O vale adquiria uma outra perspetiva e, com ele, os canteiros de flores, as próprias flores, as hortênsias e camélias, e até a mesinha de ferro forjado onde se tomava café no jardim. Mais além, os cumes das árvores desfaleciam e as hortas pareciam pequenos retalhos de terreno, escalonados, sustentados por muros de pedra; a encosta era escura de oliveiras e, atrás dela, o povoado de Ombrosa estendia pelos campos os seus telhados de tijolo desmaiado e ardósia; do local onde devia ser o porto despontavam flâmulas nos mastros dos navios. Ao fundo, até ao horizonte, estendia-se o mar e um veleiro passava, lentamente.

O barão e a generala desciam ao jardim, depois do café tomado em casa. Observavam uma roseira, fazendo questão de não olhar para Cosimo. Davam o braço, mas depois, subitamente, paravam, para discutir e gesticular. Pelo meu lado, eu aproximara-me do álamo até ficar bem debaixo dele, fingindo que brincava sozinho, mas, na realidade, procurando com as minhas atitudes atrair a atenção de Cosimo; ele, porém, guardava-me ainda um certo rancor e continuava no mesmo lugar, fitando um ponto longínquo no horizonte.

Em vista disso, desisti e fui colocar-me atrás de um banco, para poder observá-lo sem ser visto.

O meu irmão parecia estar de atalaia a qualquer coisa. Observava tudo e tudo era para ele como se fosse nada. Uma mulher passava, com um cesto, por entre os limoeiros. De uma curva vinha saindo um arneiro, agarrado à cauda de uma mula. Não se viam um ao outro; a mulher, ao ouvir o ruído dos cascos ferrados, voltou-se, dirigindo-se para a estrada, mas já não o fez a tempo. Então, pôs-se a cantar, mas o arneiro, que já tinha passado a curva, apurou o ouvido, fez estalar o chicote e disse para a mula: – Aah! – E tudo ficou por ali. Cosimo via tudo, nada lhe escapava.

Pelo jardim, de breviário aberto diante de si, passou o abade Fauchelafleur. Cosimo tirou uma coisa qualquer do ramo e deixou--lha cair em cima da cabeça; não distingui o que era, mas talvez um aranhiço ou um pedacito de casca de árvore; mas o abade não deu por isso. Com a espadinha, Cosimo começou a remexer num buraco que havia no tronco. Zumbindo, dele saiu uma vespa excitada, mas Cosimo enxotou-a abanando o tricórnio e seguiu, com o olhar aguçado, o voo do inseto, que foi pousar numa planta com frutos, onde se deixou ficar. Veloz como sempre, o cavaleiro-advogado saiu de casa, desceu as escadinhas do jardim e perdeu-se entre as filas de vinhedos; curioso de ver para onde ele se dirigia, Cosimo mudou de ramo. Aí, de entre a folhagem, ouviu-se então um bater de asas e, voando, um melro abandonou o seu poiso. Cosimo deu mostras de aborrecimento, porque, durante todo o tempo em que ali estivera, não tinha dado conta da existência do pássaro. Olhou por momentos contra o sol, para ver se havia outros. Mas não, não havia.

O álamo ficava junto de um ulmeiro; os topos das duas árvores quase se tocavam. Um ramo de ulmeiro passava meio metro acima de um ramo da outra árvore; para meu irmão foi fácil passar de um para o outro e assim conquistar o topo do ulmeiro, que nunca tínha-mos explorado, por ser muito alto e difícil de trepar diretamente do solo para ele. No ulmeiro, sempre procurando qualquer ramo que estivesse perto da ramagem de outra árvore, passou para uma

alfarrobeira e daí para uma amoreira. Assim eu via Cosimo, avançando de um ramo para outro, caminhando suspenso sobre o jardim.

Alguns ramos da enorme amoreira atingiam e ultrapassavam até
o muro fronteiriço da nossa *villa*, e do lado de lá ficava o jardim dos
d'Ondariva. Nós, se bem que vizinhos, nada sabíamos dos marqueses d'Ondariva e fidalgos de Ombrosa, porque, gozando eles, desde
há algumas gerações, de certos direitos feudais de que o nosso pai
reclamava a propriedade, um ódio recíproco separava as duas famílias, tal como o muro que dividia as nossas *villas*, e que não sei se teria
sido mandado erguer pelo nosso pai ou pelo marquês. Acrescente-se
ainda que os d'Ondariva eram extremamente ciosos do seu jardim,
onde cresciam, segundo se dizia, plantas das espécies mais raras. Na
verdade, já o avô dos atuais marqueses, que fora discípulo de Lineu,
se servira da vasta parentela que tinha espalhada pelas cortes de
França e Inglaterra para conseguir as mais preciosas raridades botâ-
nicas, mandadas vir das colónias; durante anos, os navios tinham des-
carregado em Ombrosa sacos repletos de sementes, feixes de estacas,
arbustos em vasos e, por fim, até árvores inteiras, com enormes sacos
de terra em volta das raízes; finalmente, os marqueses tinham conseguido criar naquele jardim – ao que se dizia – uma mistura de
florestas das Índias e das Américas, se não até da Nova Holanda.

Tudo o que nós conseguíamos ver era, junto ao muro, a folhagem
escura de uma árvore recentemente importada das colónias ameri-
canas, a magnólia, que, por entre os ramos escuros, deixava entrever
uma flor branca e carnuda. Cosimo passou da nossa amoreira para o
muro que separava os dois jardins e, dando alguns passos em equilíbrio, estendeu os braços e penetrou no lado de lá, entre a folhagem
e a flor da magnólia. Aí já não me era possível vê-lo; e o que agora
contarei, aliás como muito do que aqui narro acerca da vida de meu
irmão, foi-me dito por ele próprio ou, outras vezes, fui eu mesmo
que o recolhi da boca de várias testemunhas ou que concluí até pelo
desenrolar dos acontecimentos.

Cosimo estava em cima da magnólia. Se bem que pouco ramosa,
esta árvore era bastante acessível para um rapaz como meu irmão,
perito em toda a espécie de árvores; e os ramos resistiam ao peso,

conquanto não fossem muito grossos e possuíssem um lenho tenro, que a ponta dos sapatos de Cosimo feria, abrindo brancas feridas na escuridão da casca; a árvore envolvia o meu irmão num fresco perfume de folhas novas, brandamente embaladas pelo vento, exibindo as páginas de um verde ora opaco ora brilhante.

Não era só a magnólia que rescendia, mas todo o jardim, e, se bem que Cosimo não pudesse abarcá-lo com um só olhar, de tal maneira estava irregularmente plantado, explorava-o contudo com o olfato e procurava distinguir os variados aromas que contudo já havíamos aspirado quando, trazidos pelo vento até ao nosso jardim, nos pareciam aí apenas um dos muitos mistérios que velavam o segredo daquela *villa*. Depois, olhava as ramarias frondosas e via folhas novas, algumas delas grandes e brilhantes, como que vistas através de um veio de água, outras minúsculas e penadas e troncos lisos ou todos escamados.

Fazia um silêncio muito grande. Um bando de pequeníssimos passarinhos levantou voo, chilreando. Ouviu-se, então, uma vozinha que cantava:

– *Oh là là là! La ba-la-nçoire...*[1]

Cosimo olhou naquela direção. Suspenso de um ramo da árvore vizinha, um baloiço ondeava suavemente, com uma garota dos seus dez anos nele sentada.

Era uma garotinha loura, com um penteado alto, um pouco ridículo para a idade dela, um vestido azul, também demasiado grande, e uma saia que, agitada pelo movimento do baloiço, deixava entrever finas rendas. A garotinha, de olhos semicerrados e narizito levantado, como que de há muito acostumada àquela atitude senhoril, comia, com pequenas dentadas, uma maçã que tinha segura pela mão que, simultaneamente, devia segurar o fruto e agarrar-se à corda do baloiço. De cada vez que o baloiço passava pelo ponto mais baixo do largo arco que descrevia, os pezinhos, fincando-se na terra, davam novo impulso, enquanto ela deitava fora os pequenos fragmentos de casca de maçã mordiscada, cantando: – *Oh là là là! La ba-la-nçoire...* – como qualquer garotinha que não pensasse já no baloiço, nem na

[1] Oh lá lá lá! O baloiço...

24

canção, nem na maçã (se bem que nesta pensasse talvez um pouco mais do que no resto) e cuja mente estivesse ocupada já por outros pensamentos.

Cosimo, que se instalara na magnólia, descera até aos ramos mais baixos e, de pernas afastadas, com cada um dos pés bem assentes na ramificação de uma forquilha, observava-a, com os cotovelos apoiados à sua frente, como se estivesse debruçado no peitoril de uma varanda. Os movimentos do baloiço faziam com que a garotinha passasse muito perto do seu rosto.

Ela, porém, não tinha ainda prestado atenção nem dera conta da presença dele ali. Mas, de repente, vê-o muito direito em cima da árvore, de tricórnio e polainas.

– Oh! – exclamou.

A maçã caiu-lhe da mão e rolou para o pé da magnólia. Cosimo desembainhou a espadinha, baixou-se até ao último ramo, alcançou o fruto com a ponta da espadinha e, espetando-o, estendeu-o à garotinha, que entretanto tinha feito um percurso completo de baloiço e se encontrava de novo ali.

– Tome-a. Não se sujou. Está apenas ligeiramente amassada deste lado.

A garotinha loura estava já arrependida de ter evidenciado tanta surpresa pela aparição ali, sobre a magnólia, de um rapaz desconhecido e voltara a cantar gravemente a sua canção, de narizito levantado.

– Sois um ladrão? – perguntou.

– Um ladrão? – disse Cosimo, ofendido; mas, pensando um pouco, decidiu que, de qualquer modo, a ideia lhe agradava. – Sim, sou – condescendeu, puxando o tricórnio para a testa. – Há alguma dificuldade?

– E que viestes roubar?

Cosimo olhou a maçã presa à ponta da espadinha, lembrou-se subitamente de que sentia fome e de que, desde que abandonara a mesa, não tinha comido ainda praticamente nada.

– Esta maçã – respondeu, e começou a descascá-la com a espadinha, que trazia sempre afiadíssima, a despeito das proibições familiares.

– Então sois um ladrão de fruta – disse a garotinha.

Meu irmão pensou imediatamente nos bandos de rapazes miseráveis do povoado de Ombrosa, que se encavalitavam nos muros e sebes e roubavam os pomares, raça de rapazes que sempre lhe haviam ensinado a desprezar e evitar a companhia; e, pela primeira vez, pensou também em como aquela vida devia ser livre e invejável. Ali estava, finalmente, algo curioso: talvez pudesse tornar-se um deles e viver da mesma maneira daí para o futuro. Tendo talhado a maçã em várias partes, pôs-se a comê-la.

– Sim, sou – aquiesceu.

A garotinha deu uma gargalhada que durou todo um percurso do baloiço, para lá e para cá.

– Ora! Conheço muito bem os rapazes que roubam fruta! São todos meus amigos! Mas esses andam sempre descalços, desgrenhados e em mangas de camisa. Não usam polainas e cabeleira!

Meu irmão fez-se vermelho como a pele da maçã. Ser apanhado em falso não só por causa da cabeleira empoada, a que não tinha particular afeto, mas também pelas polainas, que estimava muitíssimo, ser julgado de aspeto inferior a qualquer ladrão de fruta e, sobretudo, descobrir que esta donzela, que parecia ser senhora dos jardins dos d'Ondariva, era amiga de todos os ladrões de fruta, mas não sua amiga, tudo isto junto serviu para o encher de despeito, vergonha e inveja.

– *Oh là là là...* De polainas e cabeleira! – cantarolava a garotinha, baloiçando-se.

Cosimo sentiu-se invadido por uma centelha de orgulho.

– Não sou um ladrão vulgar, desses que vós conheceis! – gritou. – Na verdade, tão-pouco sou um ladrão. Disse-o apenas para não vos assustar; porque, se soubésseis quem sou na realidade, poderíeis morrer de medo: sou um salteador! Um terrível salteador!

A garotinha continuava, entretanto, a passar-lhe várias vezes sob o nariz, dir-se-ia que com o intuito de apenas o aflorar com a ponta dos pés.

– Ora! E onde tendes vós a espingarda? Todos os salteadores têm espingarda! Ou então uma clavina! Eu já os vi! Nas viagens que fazemos, do castelo para cá, já fomos cinco vezes assaltados!

– Mas o chefe não! Eu sou o chefe! O chefe dos salteadores não usa espingarda! Usa só uma espada! – e, dizendo isto, exibe a sua espadinha.

A garotinha encolheu os ombros.

– O chefe dos salteadores – explicou, com ar entendido – é um tal que se chama João dos Bosques e que nos traz sempre presentes em sendo Páscoa ou Natal!

– Ah! – exclamou Cosimo di Rondò, tomado por uma onda de facciosidade familiar. – É então verdade o que dizia meu pai ao afirmar que o marquês d'Ondariva é o protetor de toda a gatunagem e dos contrabandistas desta zona!

A garotinha passava nesse momento junto ao solo mas, em lugar de tomar novo impulso, travou a marcha do baloiço com um movimento rápido e saltou para o chão. O baloiço abandonado continuou o seu movimento.

– Descei imediatamente donde vos encontrais! Como ousastes penetrar nas nossas propriedades? – disse, apontando um dedo contra o rapaz, numa atitude severa.

– Não entrei e não desço daqui – retorquiu Cosimo com igual calor. – Nunca pisei terreno vosso nem jamais o farei, ainda que para isso me ofereçam todo o ouro do Mundo!

Então a garotinha, aparentando uma grande calma, tomou na mão um leque que se encontrava pousado numa poltrona de vime e, ainda que não estivesse muito calor, principiou a abanar-se, enquanto passeava de um lado para o outro.

– Nesse caso – ameaçou, muito calmamente –, chamarei os criados e farei com que vos prendam e açoitem. Aprendereis assim a não penetrar nos nossos terrenos!

A garotinha mudava constantemente a intonação da voz e, de cada vez que tal sucedia, aumentava a surpresa de meu irmão.

– O local onde me encontro não é terreno, e tão-pouco vos pertence! – proclamou Cosimo, sentindo-se preso da tentação de acrescentar: «Além de que eu sou o duque de Ombrosa, senhor de todo o território!» Mas conteve-se, porque não lhe agradava repetir os mesmos argumentos que o pai usava, uma vez que tinha abandonado a mesa e reinava entre si e a família uma declarada hostilidade; não lhe agradava nem sequer julgava justo, até porque aquelas pretensões ao ducado sempre lhe tinham parecido uma ideia fixa do pai; deveria portanto ele, Cosimo, adquirir a mesma ideia fixa e reclamar igualmente o título de duque? Mas, sobretudo, não queria desmentir-se e continuou o discurso conforme lhe ia vindo à cabeça:

– O local onde me encontro não vos pertence – repetiu – porque vosso é tão só o terreno. Se eu lá pousasse nem que fosse a ponta de um pé, teríeis razão em afirmar que eu penetrava nas vossas proprie-dades. Mas aqui não. Desde que não seja esse o caso, poderei ir para onde me agradar.

– Sim, então aí em cima é tudo teu...

– Certamente! Território só meu, tudo cá por cima é meu – e fez um gesto largo, que abrangia os ramos, as folhas recortando-se contra o sol da tarde e até o próprio céu. – Sobre os ramos das árvores, todo o território me pertence. Ora experimentai mandar-me prender. Logo vereis se alguma vez conseguirão!

Após tantas bravatas, esperava porém que ela conseguisse apanhá--lo, não sabia bem como. Mas, em vez disso, a garotinha mostrou-se imprevisivelmente interessada.

– Ah sim? E que ponto atinge o teu território?

– Até onde se conseguir andar por cima das árvores. Para cá, para lá, depois dos muros, os olivais, a colina, a outra encosta da colina, o bosque, as terras do bispo...

– Até França?

– Até à Polónia e à Saxónia – disse Cosimo, que de geografia sabia apenas os nomes revelados por nossa mãe ao falar da Guerra da Sucessão. – Mas eu não sou egoísta como tu. Convido-te a visitar o meu território. – Tinham começado a tratar-se por tu, mas fora ela quem começara.

– E o baloiço a quem pertence? – perguntou ela, sentando-se com o leque aberto nas mãos.

– O baloiço é teu – estabeleceu Cosimo –, mas como está ligado a este ramo, depende sempre de mim. Portanto, quando bates com os pés na terra para dar impulso, apoias-te em território teu, mas quando andas pelo ar estás em meu território.

A garotinha deu um impulso e o baloiço ondeou, enquanto ela se agarrava fortemente às cordas. Da magnólia, Cosimo saltou para o grosso ramo que suportava o baloiço e, agarrando as cordas, empurrou também a cadeirinha. O baloiço ondeava cada vez mais alto.

– Tens medo?

– Eu? Não! Como é que te chamas?

– Eu chamo-me Cosimo... E tu?

– Violante. Mas tratam-me por Viola.

– A mim também me tratam por Mino, porque Cosimo é nome de velhos.

– Não gosto.

– De Cosimo?

– Não, de Mino.

– Ah... podes tratar-me por Cosimo.

– Nem pensar nisso é bom! Ouve, temos de assentar as coisas.

– Que dizes? – perguntou ele, que continuava a deixar-se ficar sempre mal.

– Quero dizer: posso penetrar no teu território e sou sempre uma hóspeda sagrada, está bem? Entro e saio quando me apetecer. Tu és sagrado e inviolável enquanto continuares em cima das árvores, no teu território, mas, apenas toques o solo do meu jardim, ficas sendo meu escravo e és posto a ferros.

– Não. Nunca descerei para o teu jardim. Nem para o meu. Para mim, são ambos território inimigo, sem distinção. Se quiseres, podes vir para cima das árvores, com os teus amigos que roubam fruta e talvez até com o meu irmão Biagio, se bem que seja um bocado velhaco. Todos juntos organizaremos um exército em cima das árvores e chamaremos à razão a terra e os seus habitantes.

– Não, não, nada disso. Deixa-me explicar-te como é que as coisas devem ser. A ti pertence-te o senhorio das árvores, está bem?, mas, se alguma vez puseres pé em terra, perdes o teu reino e tornas-te o último dos escravos. Percebeste? Mesmo que se quebre um ramo e caias ao chão. Tudo perdido nesse caso.

– Nunca na minha vida caí de uma árvore.

– É certo. Mas, se caíres, tornas-te em cinzas que o vento espalhará.

– Isso são histórias. Se não desço das árvores para a terra é simplesmente porque não me apetece fazê-lo.

– Oh, és tão aborrecido!

– Não, não, brinquemos. Por exemplo, poderei descer até ao baloiço e servir-me dele?

– Só se conseguires sentar-te sem tocar no chão.

Perto do baloiço de Viola havia um outro, preso ao mesmo ramo, mas recolhido com um nó numa das cordas, para que não chocassem um com o outro. Agarrando-se a uma das cordas, Cosimo desceu do ramo e escorregou pela corda, exercício em que era perito, porque nossa mãe obrigava-nos a realizar muitas provas de ginástica; chegou ao nó, desfê-lo, pôs-se de pé sobre o baloiço e, para dar impulso, dobrou os joelhos, atirando o peso do corpo para diante. Deste modo conseguia subir cada vez mais. Os dois baloiços giravam, um num sentido e o outro em sentido oposto, atingindo enfim ambos a mesma altura e cruzando-se a meio do percurso.

– Se te sentares e deres um empurrãozinho com os pés, sobes ainda mais alto – insinuou Viola.

Cosimo fez-lhe uma careta.

– Vá, sê bom, anda para baixo e dá-me um empurrão – disse ela, sorrindo-lhe, com ar gentil.

– Não, não. Já disse que não descia para terra por preço nenhum... – e Cosimo começava a não compreender bem a intenção dela.

– Vá lá, sê amável...

– Não.

– Ah, ah! Estiveste quase a cair! Se tivesses posto um pé em terra, tinhas perdido tudo! – Viola desceu do baloiço e pôs-se a dar pequenos empurrões ao baloiço de Cosimo. – Uh! – Subitamente, agarrara-se com todas as forças à tábua do baloiço onde se encontrava meu irmão e tentava voltá-la. Felizmente, Cosimo estava firmemente agarrado às cordas. Caso contrário, teria caído ao chão como um saco!

– Traidora! – gritou, e subiu, agarrado às cordas. Mas a subida era muito mais difícil que a descida, sobretudo por causa da garotinha loura, que, num dos seus momentos de maldade, agitava as cordas, lá em baixo, puxando-as em todas as direções.

Finalmente, alcançado o ramo largo e grosso, encavalitou-se nele. Tinha a gravata de rendas e o rosto completamente perlados de suor.

– Ah! ah! Não conseguiste o que querias!

– Por um pouco!

– Mas eu julgava que eras minha amiga!

– Julgavas!... – e recomeçou a abanar-se com o leque.

– Violante! – chamou naquele momento uma voz feminina, de intonações agudas. – Com quem estás a falar?

Na escadaria branca que dava acesso *à villa* dos d'Ondariva surgiu nesse momento uma senhora alta, magra, de saias muito largas; olhava através de um lornhão. Cosimo, intimidado, escondeu-se entre a folhagem da árvore.

– Com um jovem, *ma tante* – respondeu a garotinha –, com um jovem que nasceu em cima das árvores e que, por virtude de um encanto, não pode pôr pé em terra.

Cosimo, enrubescido, perguntando a si próprio se a garota falava daquela maneira para troçar dele diante da tia, ou para troçar da tia diante dele, ou somente para continuar a brincadeira, ou ainda porque não queria saber dele, nem da tia, nem do jogo, sentia-se varrido pelo olhar da senhora, que o fitava através do lornhão como se contemplasse um papagaio exótico.

– *Uh, mais c'est un des Piovasques, ce jeune homme, je crois. Viens, Violante.*[1]

Cosimo ardia de humilhação: terem-no reconhecido com um ar assim tão natural, nem sequer inquirindo por que motivo ele se encontrava ali, e o terem chamado para dentro a garotinha, com firmeza, mas sem severidade, e o próprio facto de Viola, docilmente, sem se voltar, ter obedecido à tia, tudo enfim parecia disposto de maneira a fazer crer que ele era pessoa de nenhuma importância, cuja existência era praticamente ignorada. Deste modo, aquela

---

[1] Mas é um dos Piovascos, este jovem, se não me engano! Vem, Violante.

tarde extraordinária afundava-se cada vez mais numa nuvem de vergonha.

Mas a garotinha fez um sinal à tia. Esta baixou a cabeça e Viola murmurou-lhe qualquer coisa ao ouvido. A tia voltou a fitar Cosimo através do lornhão.

– Quereis tomar connosco uma chávena de chocolate? – perguntou. – Poderemos assim travar conhecimento – e, olhando de viés para Viola, acrescenta: – Já que, ao que parece, sois amigo da família.

Por momentos, Cosimo permaneceu imóvel, olhando tia e sobrinha com os olhos esbugalhados. O coração batia-lhe rapidamente. Finalmente, tinha sido convidado pelos d'Ondariva e d'Ombrosa, a família mais importante das redondezas. A humilhação do momento anterior transformava-se em desforra e vingava-se de seu pai ao ser acolhido por adversários que sempre o tinham olhado de alto. Além de que Viola tinha intercedido a seu favor e ele era agora oficialmente aceite como amigo de Viola e poderia brincar com ela naquele jardim tão diferente de todos os outros conhecidos. Tudo isto Cosimo experimentava, de mistura, todavia, com um sentimento oposto, se bem que confuso: um sentimento feito de timidez, orgulho, solidão e capricho; e, prisioneiro de todos estes sentimentos contraditórios, meu irmão agarrou-se ao ramo que se encontrava imediatamente acima da cabeça, içou-se, meteu-se no local mais frondoso e, passando para outra árvore, desapareceu da vista.

III
∾

Era uma tarde que parecia interminável. Por vezes, ouvíamos um baque ou qualquer outro murmúrio no jardim e, esperando que fosse ele, que fosse Cosimo que finalmente se tivesse decidido a descer, saíamos para fora de casa. Mas não. Subitamente, viu-se oscilar o cimo da magnólia, com a flor branca recortando-se contra a escuridão dos ramos, e Cosimo apareceu do lado de lá do muro, trepando para cima deste.

Corri para baixo da amoreira, ao encontro dele. Ao ver-me, contudo, pareceu contrariado; notava-se que mantinha ainda a sua irritação para comigo. Sentou-se num ramo da amoreira, bem por cima de mim, e pôs-se a esburacar a casca da árvore com o espadim, como se não quisesse dirigir-me a palavra.

– Anda-se bem pela amoreira – arrisquei eu, apenas para quebrar o silêncio –, antigamente nunca aí tínhamos estado...

Cosimo continuou a espetar o ramo com a lâmina e depois disse, amargamente:

– E então? Souberam-te bem os caracóis?

Mostrei-lhe um cestinho que trouxera comigo.

– Olha, Mino, trouxe-te dois figos secos e uma fatia de torta...

– Foram *eles* que te mandaram? – disse ele, sempre distante, mas olhando já o cestinho, com água na boca.

– Não, se soubesses... tive de me esconder para escapar do abade! – disse eu, à pressa. – Queriam que eu estivesse a tarde toda a dar lição,

33

para não poder comunicar contigo, mas o velhote adormeceu! A mamã anda cheia de medo de que possas cair e queria que te procurassem, mas o pai, como não te viu em cima do álamo, disse que devias ter descido e provavelmente estavas escondido num canto qualquer, a pensar no mal que tinhas feito e que, portanto, não havia motivo para receios.

– Eu nunca desci! – disse o meu irmão.

– Estiveste no jardim dos d'Ondariva?

– Sim, mas passando sempre de uma árvore para outra, sem nunca pôr pé em terra!

– Porquê? – perguntei; foi aquela a primeira vez em que o ouvi enunciar este princípio, mas Cosimo falara como se se tratasse de algo que entre nós já tivesse sido estabelecido, como se procurasse tranquilizar-me, porque não tinha transgredido o nosso pacto; por esse motivo, também não ousei insistir mais no meu pedido de explicações.

– Sabes? – disse ele, em lugar de me responder –, as terras dos d'Ondariva haviam de levar muitos dias antes que conseguíssemos explorá-las completamente! Com árvores das florestas da América, calcula! – Mas depois lembrou-se de que estava zangado comigo e de que, por conseguinte, não deveria encontrar prazer algum em contar-me as suas descobertas, interrompeu-se, bruscamente: – Mas comigo é que nunca virás. Daqui para diante, bem podes ir passear mais a Battista e o cavaleiro-advogado!

– Não, Mino, leva-me contigo – pedi. – Não deves ficar zangado comigo por causa dos caracóis. Eram nojentos, mas eu não podia ouvi-los gritar durante mais tempo!

Cosimo comia gostosamente a torta.

– Muito bem: vou pôr-te à prova – declarou. – Terás de demonstrar que estás da minha parte, e não da deles.

– Diz-me tudo o que quiseres que faça.

– Arranja-me cordas, fortes e compridas, porque, para vencer certas passagens, preciso de estar bem amarrado; depois, vê também se me consegues uma roldana, ganchos e pregos dos bem grandes…

– Mas o que é que queres fazer? Um guindaste?

– Temos ainda de transportar cá para cima imensas coisas. Ora vejamos: tábuas, canas...

– Queres construir uma cabana em cima da árvore! É isso... mas onde?

– Logo se vê. Depois escolheremos o lugar. Entretanto, sempre que quiseres estar comigo, deves procurar-me naquele carvalho ramalhudo, além. Arriarei o cestinho e meter-lhe-ás dentro tudo aquilo de que eu tiver necessidade.

– Mas porquê? Falas como se pretendesses continuar escondido até sabe-se lá quando... Não acreditas que eles acabarão por te perdoar?

Cosimo corou.

– Que me importa a mim que perdoem ou não? E, além do mais, não estou escondido: não tenho medo de ninguém! E tu tens medo de me ajudar?

Por essa altura eu tinha já percebido muito bem que meu irmão se recusava a descer das árvores, pelo menos por enquanto, mas fingia não o ter compreendido, para o forçar a pronunciar-se, a dizer expressamente: «Sim, continuarei em cima das árvores até à hora da merenda, ou até ao pôr do Sol, ou até à hora do jantar, ou até se fazer escuro», qualquer coisa que, em suma, assinalasse um limite, uma proporção, ao seu ato de protesto... Mas, em vez disso, Cosimo nem sequer falava em tal, e confesso que eu próprio experimentava já um certo receio.

De lá de baixo, ouviram-se vozes que chamavam. Era o barão nosso pai que gritava:

– Cosimo! Cosimo! – e depois, persuadido já de que Cosimo não lhe responderia: – Biagio! Biagio! – Chamava por mim desta feita.

– Vou ver o que é que querem. Depois venho logo contar-te – prometi eu, à pressa. Admito que a esta necessidade instante de informar meu irmão de tudo o que se passasse se acrescentava uma ansiedade que eu sentia de me escapar daquele local, para não ser apanhado a conversar com Cosimo, que continuava encarrapitado na amoreira, e, desse modo, partilhar com ele as punições que lhe estavam reservadas. Mas Cosimo não deu mostras de ter conseguido ler-me no rosto estes sintomas de cobardia: deixou-me ir, não sem primeiro ter ostentado, com um encolher de ombros, a indiferença que sentia por tudo o que nosso pai pudesse porventura ter a comunicar-lhe.

Quando regressei, ainda lá estava; encontrara um bom local para se sentar, em cima de um tronco semidecepado. Tinha o queixo apoiado nos joelhos e os braços apertados em volta das pernas.

– Mino! Mino! – chamei eu, trepando, já sem fôlego. – Perdoaram-te! Estão à tua espera! A merenda está na mesa. O pai e a mãe estão sentados e começaram a pôr fatias de torta nos pratos. Hoje há uma torta de creme e chocolate, mas não foi a Battista quem a fez, sabes? A Battista teve de ficar fechada no quarto, verde de bílis! Eles fizeram-me festas na cabeça e disseram-me: «Vai dizer ao pobrezito do Mino que fazemos as pazes e não se fala mais nisso!» Depressa, vamos!

Cosimo mordiscava uma folha. Não moveu um único músculo.

– Ouve – disse ele –, vê se me arranjas um cobertor, sem que te vejam, e depois trá-lo cá. Aqui à noite deve fazer frio.

– Mas com certeza não queres passar a noite em cima das árvores!

Ele não respondeu. De queixo apoiado nos joelhos, mordiscava a folha e olhava para a frente. Segui o seu olhar, que acabava no muro do jardim dos d'Ondariva, no preciso local onde furtivamente espreitava a branca flor da magnólia. O vento norte soprava brandamente.

Assim se fez noite. Os criados andavam de um lado para o outro, pondo a mesa; na sala haviam-se já acendido os candelabros. Da árvore onde se encontrava, Cosimo devia ver tudo; e o barão Arminio, embrulhado nas sombras, do lado de fora da janela, gritou:

– Se teimares em continuar aí por cima, morrerás de fome!

Nessa noite, pela primeira vez, sentámo-nos à mesa sem Cosimo. Este tinha-se encavalitado num ramo alto do álamo, de lado, de modo que apenas conseguíamos ver-lhe as pernas, que bamboleavam. Aliás, víamo-lo apenas quando chegávamos ao peitoril da janela e perscrutávamos as sombras do jardim, porque a sala estava iluminada e lá fora cerrara-se a noite.

Por fim, o cavaleiro-advogado sentiu também que era seu dever dar sinal de si e dizer qualquer coisa; mas, como de costume, apenas conseguiu pronunciar algumas incoerências, sem formular qualquer juízo sobre o caso. Murmurou:

– Ooooh... ramo vigoroso... Dura um século... – e acrescentou algumas palavras turcas, provavelmente o nome da árvore; parecia que a questão girava à volta do álamo, e não propriamente de Cosimo.

A nossa irmã Battista evidenciava, todavia, uma espécie de inveja por Cosimo, como se, habituada a manter a família sempre com a respiração presa devido às suas estranhezas, tivesse encontrado agora alguém que conseguia superá-la. E roía as unhas, continuamente (roía-as não erguendo um dedo à altura da boca, mas baixando-o, com a mão voltada e o cotovelo para cima).

A generala lembrou-se de certos soldados que eram postos de vigia em cima das árvores num dos acampamentos onde estivera, não me lembro já se na Pomerânia ou na Eslavónia, e que, graças a isso, tinham conseguido avistar o inimigo a tempo de evitar uma embos-cada. Imediatamente esta recordação a fez regressar, de perdida que andava nas suas preocupações maternais, ao clima militar, que era seu favorito, e, como se súbita e finalmente tivesse resolvido dar razão a seu filho, tornou-se mais tranquila e até mesmo quase orgu-lhosa. Ninguém lhe prestou atenção, salvo o abade Fauchelafleur, que assentiu gravemente ao episódio militar e ao paralelo que minha mãe estabelecera entre Cosimo e os soldados, até porque o abade estava desejando agarrar-se a qualquer argumento que procurasse dar uma aparência de naturalidade ao que estava a acontecer, afastando mais responsabilidades e preocupações.

Após o jantar, éramos logo mandados para a cama, e nem mesmo naquela noite se alterou o horário. De resto, os nossos pais estavam decididos a não dar a Cosimo a satisfação de o vigiarem, esperando que a fraqueza, a incomodidade e o frio da noite fossem o suficiente para o desalojar do seu poiso. Todos se retiraram para os seus apo-sentos e, na fachada da casa, as chamas brilhantes dos candelabros acesos pareciam olhos de ouro na tela da noite. Que nostalgia, que memória de calor devia apresentar aquela casa, tão próxima e evi-dente, aos olhos de meu irmão, que pernoitava ao relento! Assomei à janela do nosso quarto e imaginei a sombra de Cosimo aconchegada a um nicho do álamo, entre ramos e troncos, envolta no cobertor e – julgo eu – com a corda várias vezes amarrada à sua volta, para não cair.

A Lua nasceu tarde nessa noite, e brilhava por entre a folhagem. Nos ninhos, aconchegadas como meu irmão, dormiam as toutinegras. Na noite, ao ar livre, o silêncio do parque era quebrado por mil rumores e murmúrios longínquos e pelo soprar do vento. De quando em quando, um sussurro remoto: a voz do mar. À janela, eu apurava o ouvido para escutar estes rumores intermitentes e procurava imaginar como seriam, ouvidos sem o zumbido familiar dos murmúrios da casa a envolvê-los, como os devia ouvir quem se encontrava a poucos metros da *villa*, em cima de um ramo de árvore, completamente confiante em si mesmo, com apenas a noite à sua volta; alguém que, como único objeto amigo a que se abraçar, tinha apenas um tronco de árvore, de casca áspera, sulcado por milhentas galeriazinhas intermináveis onde, naquele momento, as larvas dormiam também.

Deitei-me, mas não apaguei o candelabro. Talvez aquela luz na janela do quarto pudesse fazer um pouco de companhia a meu irmão. Tínhamos um quarto comum, com duas caminhas de rapaz. Eu olhava ora a cama intacta de Cosimo ora a escuridão, para além da janela, em que ele se devia encontrar envolto, e revolvia-me entre os lençóis, experimentando, quem sabe se pela primeira vez, a satisfação de me encontrar despido, de pés nus, num leito morno e branco, mas imaginando, simultaneamente, o desejo que meu irmão devia sentir, lá no alto, no seu assento incómodo, com as pernas apertadas pelas polainas e sem se poder mexer, com os ossos doridos. Foi um sentimento que, desde aquela noite, nunca mais me abandonou: a consciência da felicidade que é ter-se um leito, lençóis lavados e um colchão bem fofo! E, com esta sensação, os meus pensamentos, durante tantas horas projetados naquele que era agora objeto de todas as nossas preocupações, desceram como um manto sobre mim, e adormeci.

IV

⁓

Eu não sei se é verdade aquilo que se lê nos livros: que nos tempos de antanho um macaco que partisse de Roma, saltando de árvore para árvore, podia alcançar a Espanha sem jamais pôr pé em terra. No meu tempo, locais assim repletos de arvoredo havia só o golfo de Ombrosa, arborizado de uma ponta a outra, bem assim como o vale e até a encosta dos montes; por isso, os nossos poisos eram escolhidos um pouco por toda a parte.

Agora, a região está irreconhecível. Tudo começou com a chegada dos franceses, que principiaram a devastar os bosques, completamente, como se fossem prados que todos os anos são ceifados e voltam a crescer. As árvores desta região, porém, não voltaram a crescer. Na altura aquilo parecia ser apenas uma consequência da guerra, da existência de Napoleão, um episódio daqueles tempos, passageiro: mas não. As árvores nunca mais voltaram a crescer. Os campos estão tão nus que nós, os que os conhecemos antigamente, ficamos impressionados só de os ver assim.

Outrora havia sempre, para onde quer que fôssemos, ramos e folhas entre nós e o céu. A única zona de vegetação mais rasteira eram os pomares de limoeiros, mas até mesmo aí havia figueiras de ramos contorcidos pelo meio que, mais adiante, cobriam o céu das hortas com as suas cúpulas de folhas pesadas. Ou, quando não havia figueiras, eram cerejeiras de folhagem morena ou marmeleiros de tenras folhas, pessegueiros, amendoeiras, pereiras ainda jovens, ameixoeiras pródigas e depois sorveiras e alfarrobeiras, se não até uma ou outra amoreira ou ainda alguma nogueira de tronco e ramos nodosos. Mais além, terminadas as hortas, estendiam-se os olivais, de cor cinzenta de prata, nuvem que se diluía a meio da encosta. Ao fundo, a aldeia, amontoada entre o porto, que ficava lá em baixo, e as alturas de rochedos; e mesmo aí, entre a multidão de telhados, era possível descortinar copas de árvores: álamos, plátanos e até carvalhos, uma vegetação mais espalhada e alta, que por vezes se elevava acima dos tetos, como que para poder respirar, na zona onde os nobres tinham construído as vedações com cancelas e os parques das suas *villas*.

Para além dos olivais começava o bosque. Outrora os pinheiros deviam ter reinado em toda a região, porque ainda agora se infiltravam pelas campinas e havia tufos do bosque que desciam pela vertente, prolongando-se até à praia. Os carvalhos eram mais frequentes do que hoje, porque foram a primeira e mais prezada vítima do machado. Mais acima, os pinheiros cediam lugar aos castanheiros, e o bosque saía pela montanha e não se lhe descobriam limites. Este era o universo de linfa entre o qual vivíamos nós, habitantes de Ombrosa, quase sem repararmos nele.

O primeiro que compreendeu bem tudo aquilo foi Cosimo. Descobriu que, estando as árvores e plantas assim tão dispersas e inclinadas, podia, passando de um ramo para o outro, deslocar-se algumas milhas sem necessidade de descer a terra. Por vezes, uma clareira obrigava-o a fazer desvios muito longos, mas depressa aprendeu todos os itinerários possíveis e passou a medir as distâncias não já segundo os nossos padrões, mas tendo em mente os traçados distorcidos que, caminhando por cima das árvores, teria de seguir. E, quando nem com um salto conseguia alcançar os ramos mais próximos, começou a servir-se da sua inteligência; mas disto falarei mais adiante; por enquanto, estamos ainda na madrugada em que, ao acordar, Cosimo deu consigo em cima de um álamo, entre os primeiros cantos dos estorninhos, todo molhado pelo orvalho frio da noite, tiritando, com ossos moídos e formigueiros nos braços e nas pernas e em que, feliz, se deixou levar pela descoberta de um mundo novo.

Trepou para a última árvore do parque, um plátano. Em baixo, via o vale sob um céu coroado de nuvens e fumo, que se elevava mansamente de alguns telhados de ardósia, e casebres escondidos atrás das ribanceiras, semelhantes a pequenos montículos de calhaus; pairando no ar, uma cúpula de folhas de figueiras e cerejeiras, pessegueiros e ameixoeiras, mais baixas, estendiam ao sol os ramos torcidos; tudo era perfeitamente visível, até a própria erva, folhinha por folhinha. Somente a terra, completamente coberta pela folhagem indolente das abóboras e pelas extensões verdes das sementeiras de alfaces e couves, permanecia fora da vista; assim era a paisagem que se estendia por ambos os lados do imenso V, no fundo do qual se espreguiçava o vale, correndo para o mar, que, ao fundo, em forma de funil, parecia pôr termo às extensões do campo.

E nesta paisagem algo corria como uma onda, invisível e inaudível – a não ser durante algumas raras vezes –, mas aquilo que se ouvia era o suficiente para espalhar a inquietação: subitamente, um coro de gritos agudos e, depois, como que um ruído de queda, ou talvez de ramos quebrados, e novos gritos, mas agora diferentes, gritos de vozes furiosas, convergindo para o local onde primeiramente se tinha elevado o coro de exclamações agudas. Depois nada, uma sensação feita de nada, como a de um fluir, de algo que seria de esperar não ali, mas em qualquer outra parte, e, na verdade, logo recomeçava o conjunto de vozes e rumores, e os locais donde provavelmente vinham os sons eram, ou de um ou de outro lado do vale, sempre os sítios onde se moviam, agitadas molemente pelo vento, as folhas serrilhadas das cerejeiras. Por isso Cosimo, com aquela parte da sua mente que velejava distraída – outra parte dele mesmo sabia, porém, e compreendia tudo com antecipação –, formulava o seguinte pensamento: as cerejeiras falam.

Era para a cerejeira mais próxima, ou antes, para uma fila de altas cerejeiras de um belo verde frondoso, que Cosimo se dirigia. As cerejeiras estavam carregadas de cerejas negras, mas meu irmão não tinha ainda a vista de tal modo apurada que pudesse distinguir imediatamente entre a folhagem o que na verdade havia ou não havia ali. Chegado lá, parou: ainda há pouco ouviam-se rumores, mas não agora. Encontrava-se em cima dos ramos mais baixos e sentia em cima dos ombros o peso de todas as cerejas que se encontravam acima de si, não sabia explicar como; e as cerejas pareciam todas convergir sobre ele, como se a árvore tivesse, em vez de frutos, olhos.

Cosimo ergueu o olhar e uma cereja demasiado madura caiu-lhe em cima da testa, com um «flac»! Estreitou as pálpebras para poder olhar contra o sol (para o local onde o Sol parecia nascer entre as folhas) e notou então que aquela e todas as árvores vizinhas estavam repletas de rapazes empoleirados.

Ao constatarem que tinham sido vistos, abandonaram a imobilidade em que se tinham recolhido e, com vozes agudas, se bem que abafadas, diziam qualquer coisa parecida com: – Olha para ele, como está bonito! – e, afastando as folhas diante de si, desceram todos dos ramos onde se encontravam instalados para os mais baixos, onde surgira Cosimo, de tricórnio na cabeça. Os outros estavam de cabeça nua ou com chapéus de palha todos esfrangalhados, e alguns deles com sacos na cabeça; vestiam calças e camisas esfarrapadas; a maior parte estava descalça, mas havia alguns que traziam em volta dos pés tiras de pano enroladas e outros traziam os tamancos pendurados ao pescoço, para melhor poderem trepar às árvores; constituíam o bando enorme dos ladrões de fruta, de quem eu e Cosimo – obedecendo, neste ponto, às instruções familiares – sempre nos tínhamos mantido bem afastados. Nessa manhã, porém, meu irmão parecia não procurar outra coisa, sem que, todavia, ele próprio tivesse bem a certeza do que pretendia com isso.

Manteve-se firme, esperando-os, enquanto eles desciam dos ramos, apontando-o com o dedo e atirando-lhe, naquelas suas vozes de falsete, com tom amargo, chistes tais como: – Que vem este aqui cheirar? –, jogando-lhe até à cara alguns caroços de cereja ou mesmo as cerejas bichosas ou com bicadas dos melros, depois de as terem feito voltear, presas pelos pedúnculos, com movimentos de fundibulários.

– Uuuuh! – fizeram eles, subitamente. Tinham descoberto o espadim que ele trazia à cintura. – Estás a ver o que ele tem? – E depois risadas. – Um bate-nalgas!

Depois, calaram-se e começaram a sufocar o riso, porque estava prestes a acontecer uma coisa que lhes proporcionaria muito mais diversão: dois daqueles bandidecos tinham-se içado, muito silenciosamente, para um ramo que ficava mesmo por cima de Cosimo e desciam lentamente a boca de um saco de maneira a poderem enfiá-lo na cabeça de meu irmão (era um daqueles sacos nojentos que certamente serviam para transportar estrume e que, uma vez vazios, eles punham nas cabeças, semelhantes a capuzes que lhes desciam até aos ombros).

Por pouco meu irmão ter-se-ia visto ensacado sem saber como nem porquê e eles poderiam tê-lo atado como um salame e carregá-lo de pancadas.

Cosimo farejou o perigo, ou talvez não tenha farejado nada, afinal; sentindo-se escarnecido por causa do espadim, desembainhou-o, por uma questão de honra. Brandiu-o bem alto e a lâmina perfurou o saco. Cosimo descobriu então a manobra e, com um gesto largo, arrancou o saco das mãos dos ladroetes, fazendo-o voar para bem longe.

Foi um movimento em cheio. Os outros fizeram um «oh», simultaneamente de desapontamento e admiração, e os dois que tinham perpetrado aquela trama, e finalmente viam o saco escapar-se-lhes das mãos, romperam em insultos:

– Palermão! Bonitinho!

Mas Cosimo não teve tempo de gozar o seu sucesso. Desta vez, a fúria adversária desencadeava-se a partir da terra: ouviam-se ladridos, calhaus voavam pelo ar, de mistura com gritos: – Desta vez é que não escapam, malditos ladrões! –, e alçavam em direção a eles pontas de forcados. Espalhou-se a confusão entre os ladroetes empoleirados nos ramos e foi um retirar de pernas e cotovelos dos ramos mais baixos. Fora o burburinho que se gerara em redor de Cosimo que despertara a atenção dos agricultores, sempre alerta.

O ataque fora preparado em completa força. Fartos de que lhes roubassem a fruta enquanto amadurecia, alguns dos pequenos proprietários e foreiros do vale tinham-se aliado; porque à tática dos ladrões de fruta, que atacavam todos juntos uma árvore, roubavam

43

e fugiam para outro lado, fazendo o mesmo, e dali ainda para um outro, havia que opor uma tática semelhante, isto é, reunirem-se todos num pomar onde mais tarde ou mais cedo eles apareciam e depois apanhá-los a meio do saque. Os cães desatrelados ladravam, raspando o tronco das amoreiras com as bocas eriçadas de dentes e, no ar, agitavam-se os forcados de recolher o feno. Dois ou três dos ladrões saltaram para terra mesmo a tempo de ficarem com as costas espicaçadas pelas pontas dos tridentes e o fundo das calças dilacerado pelos dentes dos cães, e fugiram como setas, gritando estridentemente, pelos carreiros dos vinhedos. Vendo isto, mais nenhum deles ousou descer das árvores: tanto eles como Cosimo se haviam encarrapitado nos ramos mais altos. Os agricultores encosta-ram escadas aos ramos das cerejeiras e começaram a subir, precedidos pelas pontas dos forcados.

Foram precisos alguns minutos a Cosimo para que compreen-desse que assustar-se pelos mesmos motivos que o bando de ladroe-tes tinha para estar assustado era algo que não fazia sentido, como também não fazia sentido que os outros fugissem e ele se dei-xasse ficar. O facto de terem sido apanhados ali, como estúpidos, era já uma prova: como esperariam eles escapar, espalhando-se pelas árvores em redor? O meu irmão, em vez disso, podia sair dali pelo mesmo processo que utilizara para lá chegar; deste modo, puxou o tricórnio para a testa, procurou o ramo que lhe tinha ser-vido de ponte, passou da última cerejeira para uma alfarrobeira; pendurando-se num ramo da alfarrobeira, deixou-se cair sobre uma ameixoeira e, assim, conseguiu afastar-se. Os outros, ao verem Cosimo caminhar pelos ramos como se passeasse numa praça, compreenderam subitamente que deviam segui-lo. De outro modo, sabe-se lá quanto tempo teriam levado antes que conseguissem escapar-se; e seguiram-no, calados, de gatas, através daquele iti-nerário sinuoso. Entretanto, Cosimo, trepando para uma figueira, ultrapassou a sebe do campo e passou para um pessegueiro de ramos tão frágeis que só podia passar um de cada vez. O pessegueiro servia apenas para que se pudesse abraçar ao tronco retorcido de uma oliveira que se debruçava por cima de um muro; da oliveira passava-se, com um salto, para um carvalho que alongava um ramo vigoroso sobre um ribeiro, permitindo, desta maneira, que se transitasse para as árvores da outra margem.

Os homens dos forcados, que julgavam ter finalmente conseguido apanhar os ladrões de fruta, viam-nos fugir pelos ares, como se fossem pássaros. Seguiram-nos por terra, acompanhados pelos cães, que ladravam continuamente, mas tiveram de rodear a sebe, depois o muro, e finalmente descobriram que não havia qualquer ponte naquele local do ribeiro; para encontrarem um sítio onde pudessem passar a vau perderam imenso tempo, e os gaiatos já iam longe, a correr.

Corriam como cristãos, batendo a terra com os pés. Em cima dos ramos ficara apenas o meu irmão.

– Onde ficou aquele figurão das polainas? – perguntavam, entre si, como não o vissem. Ergueram então o olhar e viram-no, passando de uma oliveira para outra.

– Eh lá, tu! Já podes descer que agora eles não conseguem agarrar-nos!

Mas Cosimo não desceu. Saltando de ramo para ramo, passou de uma oliveira para outra e desapareceu da vista, entre as folhas prateadas.

O bando de pequenos vagabundos assaltava agora, com sacos enfiados na cabeça a servir de capuz, certas cerejeiras que havia no fundo do vale. Trabalhavam metodicamente, saqueando ramo após ramo, quando, empoleirado na árvore mais alta com as pernas entrelaçadas arrancando com dois dedos os pedúnculos das cerejas e metendo-os no tricórnio pousado em cima dos joelhos, quem veem eles? O rapaz das polainas!

– Eh lá, donde vens tu? – perguntaram-lhe, arrogantes. Mas ficaram mal dessa vez, porque para chegar ali sem ter sido visto por eles só voando.

Entretanto, meu irmão ia tirando as cerejas do tricórnio, uma a uma, e levava-as à boca como se fossem rebuçados. Depois cuspia o caroço com um sopro dos lábios, com cuidado, para não manchar o colete.

– Este papa-gelados – disse um deles – que quererá de nós? Porque é que vem meter-se connosco? Porque é que não vai comer as cerejas do jardim dele? – Mas estavam um pouco intimidados porque tinham compreendido que o outro era mais ágil a andar por cima das árvores que todos eles juntos.

– Às vezes – disse um outro – entre estes papa-gelados nasce, por engano, um mais fixe: vejam a morgadinha...

Ao ouvir este nome misterioso, Cosimo apurou o ouvido e, sem ele próprio saber porquê, sentiu-se corar.

– A morgadinha traiu-nos! – exclamou um outro.

– Mas, para uma papa-gelados como ela era também, foi sempre fixe. Se tivesse sido ela esta manhã a dar o alarme, não teríamos sido apanhados.

– Um papa-gelados pode ser dos nossos, se quiser, já se sabe!

Cosimo compreendeu então que papa-gelados queria dizer habitante das *villas*, ou nobre, ou qualquer outra pessoa de alta condição.

– Ouve lá – disse-lhe um dos ladroetes –, vamos a esclarecer uma coisa: se quiseres ser dos nossos, tens de fazer as batidas connosco e ensinar-nos todos os lugares que conheces.

– E deixas-nos entrar no parque do teu pai! – disse um outro.

– A mim, uma vez, atiraram-me com sal!

Cosimo ouvia-os, mas como que absorto nos seus pensamentos. Depois inquiriu:

– Digam-me uma coisa: quem é a morgadinha?

Então os maltrapilhos todos, espalhados pelos ramos, desataram a rir, a rir, a rir tanto que alguns deles por pouco não caíam da cerejeira e outros deixavam-se cair para trás, só com as pernas presas aos ramos; outros ainda penduraram-se pelos braços, sempre rindo e gritando.

Com aquela barulheira toda, voltaram ao ataque os perseguidores. Deviam estar ali todos escondidos, porque, num momento, romperam os ladridos e surgiram todos os homens, armados de forcados. Simplesmente, desta vez, tendo aprendido pela experiência, ocuparam primeiramente as árvores em redor, trepando para elas com escadas de mão, e daí começaram a apertar o cerco, com forcados e ancinhos. Em terra, os cães, como os homens se tivessem espalhado pelas árvores, não sabiam em que ponto ficar e vagueavam um pouco por toda a parte, ladrando, de focinho no ar. Assim, os ladroetes conseguiram atirar-se a salvo para o chão e fugir em diferentes direções, no meio dos cães desorientados, e, se algum deles apanhou ainda uma mordidela nas nádegas ou uma bastonada, ou ainda uma pedrada, a maior parte conseguiu safar-se do campo a são e salvo.

Em cima da árvore ficou apenas Cosimo.

– Desce! – gritavam-lhe os outros, fugindo. – Que estás a fazer? Andas a dormir? Salta para o chão e desaparece!

Mas ele, com os joelhos apertando o ramo, desembainhou o espadim. Das árvores vizinhas os agricultores estendiam os forcados amarrados a varas compridas para conseguirem atingi-lo e Cosimo, brandindo o espadim, afastava-os, até que conseguiram apontar-lhe um forcado ao peito, forçando-o a encostar-se ao tronco da árvore.

– Parem! – gritou então uma voz. – É o baronete de Piovasco! Mas que fazeis aqui, senhor? Como vos haveis misturado com esta gentalha?

Cosimo reconheceu Giuà della Vasca, um feitor de nosso pai.

Os forcados recuaram. Muitos dos homens tiraram o chapéu da cabeça. Até mesmo meu irmão ergueu o tricórnio com dois dedos e inclinou-se, correspondendo às saudações.

– Eh, vocês lá em baixo, amarrem os cães! – gritaram os outros. – Façam-no descer! Podeis descer, meu senhor, mas tomai cuidado que a árvore é bastante alta! Esperai! Vamos colocar uma escada! Depois, eu próprio vos acompanharei a casa.

– Não, obrigado, obrigado – respondeu meu irmão. – Não quero que vos incomodeis. Conheço muito bem o meu caminho, o meu próprio caminho!

Desapareceu atrás do tronco e voltou a surgir sobre um outro ramo mais alto, voltou a desaparecer atrás do tronco e reapareceu noutro ramo mais acima ainda. Novamente voltou a passar atrás do tronco, e desta feita só se lhe conseguiram voltar a ver os pés, num ramo muito alto, porque lá em cima as ramarias eram frondosas, e depois desapareceu completamente de vista.

– Onde se meteu? – perguntavam, uns aos outros, os homens, sem saberem para onde olhar, se para cima, se para baixo.

– Ei-lo! – Estava em cima de uma outra árvore, já distante, e voltara a reaparecer.

– Ei-lo! – Estava já em cima de outra, ondeava como se fosse levado pelo vento. E, de súbito, deu um salto.

– Caiu! Não! Vai além! – Sobre o despontar da verdura, viam-se-lhe tão-somente o tricórnio e o cabelo atado atrás com a fita.

– Mas que espécie de patrão tens tu? – perguntavam os homens a Giuà della Vasca. – É um homem ou um animal selvagem? Ou é o diabo em pessoa?

Giuà della Vasca não tinha palavras com que lhes responder. Benzeu-se.

Ouviu-se então o canto de Cosimo, uma espécie de grito, mas com modulações musicais:

– Oh, a mor-ga-diii-nhaaaa...

V

A morgadinha: a pouco e pouco, ouvindo as conversas dos ladroetes, Cosimo foi aprendendo muitas coisas acerca desta personagem.
Por aquele nome designavam eles uma garotinha das *villas* que passeava montada num potro branco, travara amizade com o bando de
farroupilhas e, durante um certo tempo, os tinha protegido e até,
dado o seu temperamento autoritário, comandado. Corria estradas
e atalhos sempre montada no seu potro branco e, quando via fruta
madura nos pomares sem vigilância, advertia-os, acompanhando
o assalto montada a cavalo, como um oficial observando as suas
tropas. Pendurada ao pescoço usava sempre uma trompa de caça;
e, enquanto eles saqueavam marmeleiros ou pereiras, ela cavalgava
de um lado para o outro no seu potro, correndo encostas e arredores e locais donde se dominava inteiramente o campo, e mal lobrigava movimentos suspeitos dos donos dos pomares ou dos feitores,
que podiam descobrir os ladrões e cair-lhes em cima, soprava a sua
trompa. Ao ouvirem aquele som, os assaltantes saltavam das árvores e
fugiam; assim, enquanto a garotinha continuara ao lado deles, nunca
tinham sido surpreendidos.

O que sucedera depois era mais difícil de compreender: aquela
«traição» que a morgadinha tinha cometido para com eles parecia,
por um lado, ter sido o facto de, certa vez, os ter atraído à sua *villa*
para que também aí roubassem fruta e, uma vez o bando lá, tê-los
mandado açoitar pelos seus criados; por outro, talvez tivesse sido o

facto de, a certa altura, haver demonstrado especial predileção por um deles, um tal Bel-Loré, que, graças a isso, ainda hoje era alvo de mofas e escárnio. Ao mesmo tempo, fizera idêntico jogo com outro de entre eles, um tal Ugasso, e voltara-os um contra o outro por sua causa; parecia ainda que o episódio da punição aplicada pelos criados da morgadinha não se passara aquando de uma expedição para roubo de fruta, mas de certa vez em que os dois benjamins ciumentos, aliados finalmente contra ela, haviam resolvido invadir a propriedade da morgadinha; falava-se ainda de umas determinadas tortas que repetidas vezes ela prometera oferecer ao bando, mas que à data do cumprimento da promessa havia embebido em óleo de rícino de tal maneira que o grupo andou uma semana com as mãos na barriga, cheio de dores. Qualquer destes episódios, ou outro deste género, ou ainda todos juntos, havia determinado a rutura de relações entre a morgadinha e a quadrilha, e atualmente todos falavam dela com um certo rancor, em que se adivinhava, todavia, uma nota de saudade.

Cosimo escutava todos estes pormenores de orelha afilada, anuindo como se todos os detalhes se aliassem para, no seu espírito, darem forma a uma imagem que já tinha em mente. E, finalmente, decidiu-se a perguntar:

– Mas em que *villa* mora essa morgadinha?

– Como? Queres dizer que não a conheces? Mas vocês são vizinhos! É a morgadinha da *villa* dos d'Ondariva!

Cosimo não teria necessitado daquela confirmação para adquirir a certeza de que a amiga dos vagabundos era Viola, a menina do baloiço. O empenho que Cosimo pusera em descobrir o bando devia-se – julgo eu – ao facto de ter sido ela própria a afirmar-lhe que conhecia todos os ladrões de fruta dos arredores. Todavia, naquele momento, a impaciência que o agitava, se sempre fora um tanto ou quanto indeterminada, tornou-se mais aguda. Ora pensava em levar consigo o bando, para lançar a saque a *villa* dos d'Ondariva, ora em pôr-se ao serviço de Viola contra eles, talvez incitando-os primeiro a aborrecê-la para depois a poder defender, ora ainda em cometer feitos de uma bravura tal que, ainda que indiretamente, lhe chegassem aos ouvidos; mergulhado nestes pensamentos, seguia sempre a quadrilha de ladroetes e, quando estes desciam das árvores, ficava só ele lá em cima. Pelos olhos passava-lhe então um véu de melancolia, semelhante a uma nuvem atravessando-se diante do Sol.

Depois, subitamente, dava um salto e, ágil e esbelto como um gato, passava de ramo para ramo, percorria pomares e jardins, cantarolando entre dentes sabe-se lá o quê, um cantarolar nervoso, quase mudo, de olhos tão fixos à sua frente que parecia não ver mais nada e manter-se em equilíbrio apenas por instinto próprio, como os felinos.

Preso deste mesmo arrebatamento o vimos passar, várias vezes, pelo nosso jardim.

– Eh lá! Eh lá! – desatávamos a gritar, porque ainda agora, por mais que tentássemos fazer, o nosso pensamento continuava sempre preso a ele e contávamos as horas e os dias que Cosimo passava em cima das árvores.

– Está doido! Está possesso! – dizia nosso pai, e intimava o abade Fauchelafleur: – O que há a fazer é exorcizá-lo! Que esperais, vós, sim, vós, *mon abbé*, que estais para aí a fazer de mãos cruzadas? O meu filho tem o demónio no corpo! Não compreendeis isso, *sacré nom de Dieu?*

O abade parecia sobressaltar-se de súbito e dir-se-ia que a palavra «demónio» lhe despertava na mente uma precisa concatenação de pensamentos, porque imediatamente iniciava uma prédica teológica muito complicada, como se estivesse justamente aceite a presença do demónio no corpo do meu irmão. Tão-pouco se conseguia, no meio de tudo aquilo, saber se ele pretendia contradizer o meu pai ou se se limitava a falar de um modo geral; em suma, não se pronunciava sobre o facto de saber se se poderia reputar possível, ou deveria excluir-se, *a priori*, a hipótese.

O barão impacientava-se, o abade perdia o fio à meada e eu aborrecia-me. Em nossa mãe, porém, o estado de ansiedade materna, de sentimento fluido que tudo supera e minimiza, consolidara-se fortemente – seguindo, aliás, um hábito seu que tendia a fazer o mesmo com todos os sentimentos –, levando-a a tomar decisões práticas e a realizar buscas de instrumentos adequados e convenientes à situação, precisamente do mesmo modo por que um general procuraria resolver as suas preocupações. Tinha desencantado um velho óculo de campanha, muito comprido e com um tripé; a ele aplicava a vista, e assim passava horas intermináveis no terraço da *villa*, regulando continuamente as lentes, para ter sempre debaixo de mira o rapaz imerso no mar de folhas. E conseguia-o, até mesmo quando já nós jurávamos que ele desaparecera de vista.

– Consegues ainda vê-lo? – perguntava-lhe, do jardim, o barão nosso pai, que andava impacientemente de um lado para o outro, debaixo das árvores, sem conseguir jamais lobrigar Cosimo, a não ser quando este estava mesmo por cima da sua cabeça. A generala fazia sinal que sim, que conseguia ainda vê-lo, e acompanhava o seu sinal com gestos a ordenar silêncio, pedindo que não a perturbassem, como se, através do óculo, estivesse a seguir movimentos de tropas sobre uma das colinas. Era claro que, por vezes, não conseguia avistá-lo de maneira alguma, mas adquirira a ideia fixa, sabe Deus porquê, de que Cosimo deveria voltar a aparecer num determinado ponto, e não noutro qualquer, e mantinha o óculo apontado para aí. De quando em vez, era forçada, contudo, a admitir de si para si que se tinha enganado e, então, afastava a vista das lentes e punha-se a examinar um mapa de cadastro que tinha aberto em cima dos joelhos, com uma das mãos fechada sobre a boca, em atitude meditativa, e a outra seguindo os hieróglifos da carta até que, finalmente, acabava por estabelecer as coordenadas do local onde o filho deveria certamente aparecer. E, calculada a angulação, apontava o óculo para uma árvore qualquer, no meio daquele oceano de folhas, focava cuidadosamente as lentes e, quando, daí a pouco, víamos assomar--lhe aos lábios um sorriso vitorioso, compreendíamos, por fim, que o tinha avistado, que era novamente Cosimo que se encontrava ao alcance do óculo!

Então, a generala deitava mão a certas bandeirolas coloridas que tinha junto se si, aos pés do escabelo onde se achava sentada, e desfraldava ora uma ora outra, movimentando-as com gestos decididos, rítmicos, como se transmitisse mensagens em linguagem convencional. (Da primeira vez que tal vi, experimentei até um certo despeito, pois não sabia que nossa mãe possuía aquelas bandeirolas e, para mais, fosse hábil e manejá-las, pensando que teria sido esplêndido se ela nos tivesse ensinado a brincar com as bandeirinhas, sobretudo mais cedo, quando nós dois éramos ainda pequenos; mas a generala não tinha especial predileção por jogos, o que, aliás, já era de esperar.)

Devo dizer que, apesar de toda a sua experiência de batalhas, não deixava por isso de ser menos maternal, sempre com o coração à boca e torcendo um lencinho entre os dedos; mas a verdade é que as suas atitudes de generala a descansavam e o viver aquelas preocupações com um ar de generala, continuando todavia a ser uma simples mãe, protegia-a de angústias ainda maiores, precisamente porque era uma senhora delicada, que como única defesa possuía apenas aquele estilo militar herdado dos Von Kurtewitz.

Vimo-la agitar uma das suas bandeirolas, enquanto continuava a olhar pelo óculo, e, subitamente, o seu rosto iluminou-se todo num sorriso. Compreendemos que Cosimo lhe tinha respondido. Como não sei, mas talvez acenando com o chapéu ou com um ramo. É bem verdade que, desde então, nossa mãe mudou por completo, não mais aparentando a mesma apreensão que anteriormente manifestava e, se todavia o seu destino de mãe foi totalmente diverso do de todas as outras, com um filho a tal ponto estranho e perdido da habitual vida dos afetos, não é menos verdade que foi ela a primeira a aceitar, antes de todos nós, aquela excentricidade da parte de Cosimo, como se, agora, se sentisse recompensada com aquelas saudações que, de lá e um tanto ou quanto imprevisivelmente, meu irmão lhe enviava e com as silenciosas mensagens que trocavam.

O mais curioso é que nossa mãe jamais fez alusão alguma a que Cosimo, pelo facto de ter correspondido aos seus sinais, desse com isso a entender que estava disposto a pôr termo à sua fuga e a regressar para entre nós. Era antes meu pai quem vivia eternamente num estado de alma semelhante, e toda e qualquer novidade que dissesse respeito a Cosimo era o bastante para o fazer magicar:

– Ah, sim? Viram-no? E então? Sempre volta?

Mas nossa mãe, a mais distante dele, parecia, no entanto, ser a única que conseguia aceitá-lo tal como ele era, talvez até porque nem sequer procurava uma explicação para ele ou para as suas atitudes.

Mas voltemos àquele dia em que o deixámos. A seguir à nossa mãe, Battista pensou também em dar um ar da sua graça, ela que nunca procurava evidenciar-se! Com ar suave, estendeu um prato cheio de umas papas que ela própria tinha preparado e, erguendo uma colherinha, ofereceu:

– Cosimo... Queres?

Como único resultado da sua iniciativa apanhou um bofetão de meu pai e regressou a casa. Sabe Deus que hedionda mixórdia teria preparado dessa vez. Cosimo voltara a desaparecer da vista.

Eu pensava em segui-lo, sobretudo agora, que o sabia participante nas empresas daquele bando de pequenos maltrapilhos e que me parecia ter aberto as portas de um reino completamente novo, que devia ser encarado não já como uma suspeita atemorizada, mas antes com um entusiasmo solidário. Icei-me para um lanço situado entre o terraço e uma trapeira, bastante alta, donde podia espiar o cume das árvores, e daí, mais com o ouvido do que propriamente com o olhar, seguia a algazarra que o bando fazia pelas hortas, via o cimo das cerejeiras agitar-se; de vez em quando lobrigava o despontar de uma mão, que logo se recolhia, ou de uma cabeça desgrenhada ou com um saco enfiado até aos ombros; por entre a confusão de vozes distinguia a de Cosimo, enquanto, para comigo mesmo, me interrogava: «Mas como terá ele conseguido já ali chegar? Ainda há pouco aqui estava, no parque! Será que atingiu já a agilidade dos esquilos?»

Estava, lembro-me, sobre as ameixoeiras rubras da Vasca Grande quando o som da trompa rompeu os ares. Até mesmo eu o ouvi, mas, não sabendo do que se tratava, não liguei atenção ao caso. Mas eles! Mais tarde meu irmão contou-me que tinham ficado emudecidos e, com a surpresa de tornarem a ouvir a trompa, não se lembraram de que era o sinal de alarme e limitavam-se a perguntar tão-somente a si próprios se tinham ouvido bem, se na verdade era a morgadinha que voltava a cavalgar as estradas, montada no seu potro branco, para os advertir do perigo. E, de repente, abandonaram as árvores de fruto, fugindo, não já com o receio de serem apanhados, mas para a procurarem, para irem ao encontro dela.

Apenas Cosimo se deixou ficar no mesmo local, com o rosto vermelho como uma chama. Mas, apenas viu os farroupilhas correrem ao encontro de Viola, atirou-se também para diante, saltando sobre os ramos com tal impetuosidade que, a cada passo, se arriscava a quebrar o pescoço.

Viola estava parada junto da curva da estrada, muito quieta, com uma das mãos, que segurava as rédeas, pousada sobre a crina do potro, brandindo na outra o pingalim. Olhava os rapazes de cima e mordiscava o cabo do pingalim, que levara à boca. Envergava um vestido azul e a trompa dourada pendia-lhe do pescoço, presa com uma cadeiazinha. Os rapazes tinham-se reunido todos à sua volta e mordiscavam também algumas das ameixas colhidas, roíam as unhas, sugavam as cicatrizes de arranhões e esfoladelas que tinham espalhadas pelas mãos e braços ou, inclusivamente, a ponta dos sacos que traziam enfiados na cabeça. E, muito lentamente, daquelas bocas que mordiscavam ou roíam, como que constrangidas para vencerem uma diferença de condição, não revelando um sentimento autêntico, mas antes quase um desejo de se contradizerem, começaram a ouvir-se frases apenas percetíveis, que soavam com uma certa cadência, como se pretendessem harmonizar-se numa canção:

– Que vieste... aqui fazer... morgadinha... vai-te embora... Já não és... nossa companheira... ah, ah, ah... ah, velhaca...

Um súbito ruído de ramos pisados e, de uma alta figueira, assoma então a cabeça de Cosimo, por entre as folhas, ofegando. Ela, do local onde se encontrava, olhava para cima e para baixo, abrangendo todos no mesmo olhar. Cosimo não se conteve, ainda com a língua de fora, atirou:

– Sabes que nunca desci das árvores desde aquela vez?

As empresas que somente se conseguem levar a cabo mercê de uma grande tenacidade interior devem ser conservadas silenciosas e na sombra; apenas a pessoa as revele ou delas se vanglorie, nada mais é necessário para que pareçam fátuas, sem sentido, ou até mesmo de aparência mesquinha. Deste modo, meu irmão, ainda mal tinha pronunciado aquelas palavras, já se reprovava a si mesmo o tê-las dito, desejando nunca o ter feito, e a tal ponto essa sensação foi violenta que, nesse momento, nada mais lhe importava, e foi forçado a dominar um desejo de descer das árvores e acabar de vez com tudo. Tanto mais que Viola, tirando displicentemente da boca o cabo do pingalim, respondeu, com o seu ar mais gentil:

– Ah sim?... bravo, melro!

Das bocas daqueles piolhosos nasceu então um mugido que era uma risada larga, ainda antes de as terem aberto e desatado a rir a bandeiras despregadas. E Cosimo, que continuava empoleirado em cima da figueira, teve um tão grande sobressalto de raiva que a árvore, sendo de lenho enganador e fraco, não resistiu, e um ramo quebrou-se-lhe mesmo debaixo dos pés. Cosimo precipitou-se como uma rocha.

Caiu de braços abertos, sem procurar agarrar-se. Foi, para dizer a verdade, aquela a única vez, durante toda a sua permanência em cima das árvores daquela região, em que não teve vontade nem instinto de se agarrar. Mas, antes de se despenhar no solo, uma das abas da casaca prendeu-se-lhe a um ramo baixo: e Cosimo deu consigo pendurado de cabeça para baixo a quatro palmos do chão.

O sangue parecia acorrer-lhe à cabeça com a mesma pressa com que se sentia enrubescer de vergonha. E o seu primeiro pensamento, ao abrir os olhos, de cabeça para baixo e ao ver a malta de maltrapilhos de pernas para o ar, ululando, agora atacados por um frenesim geral de cabriolas, em que reapareciam, um a um, todos ao contrário, precisamente como se estivessem presos a uma falha de terra sobre um abismo, e a garotinha loura voando sobre o potro empinado, o seu primeiro pensamento foi o de que, sendo aquela a primeira vez em que ele lhe tinha falado da sua contínua permanência sobre as árvores, ao mesmo tempo seria, de uma vez para sempre, a última.

Com um movimento dos seus, abraçou-se ao ramo a que ficara preso e trepou lestamente para ele, encavalitando-se. Viola, reconduzindo à calma o seu potro, parecia não ter ligado a mínima importância ao que se passara. Cosimo esqueceu nesse mesmo instante a sua perturbação. A garotinha levou a trompa aos lábios e soltou a nota profunda do alarme. Ao ouvirem aquele som, os ladroetes (aos quais – como Cosimo mais tarde comentou – a presença de Viola causava uma estranha excitação e, com isso, pareciam lebres em noites de luar) puseram-se em fuga. Fizeram-no sem motivo, como que obedecendo a um impulso instintivo, sabendo muito bem que ela lançara o alarme por brincadeira, e por brincadeira também corriam eles, encosta abaixo, imitando o som da trompa, atrás de Viola, que galopava no seu potro de pernas curtas.

Corriam às cegas por ali abaixo de tal maneira que daí a pouco já estavam fora de vista. Mas Viola tinha-os abandonado e, deixando-os espalhados por ali, afastara-se da estrada e galopava agora pelos olivais que desciam para o vale, num contínuo alongar de prados, procurando a oliveira sobre que Cosimo se empoleirara. Dava uma ou duas voltas a galope em redor da árvore e voltava a afastar-se. Depois, ei-la novamente ao pé de uma outra oliveira, enquanto meu irmão se enredava entre as folhas. E assim, seguindo linhas tortuosas e irregulares como os ramos das oliveiras, desciam juntos para o vale.

Os ladroetes, quando deram conta disto e viram o namoro de ambos (Cosimo em cima dos ramos e a garotinha montada a cavalo), principiaram a assobiar, todos juntos, um assobio pérfido, de zombaria. E, assobiando cada vez mais alto, foram-se afastando em direção à Porta Capperi.

A garotinha e meu irmão ficaram sós, perseguindo-se mutuamente pelos olivais, mas, com uma certa desilusão, Cosimo notou que, uma vez desaparecida a canalha, a alegria que Viola punha no jogo parecia diluir-se, como se estivesse prestes a ceder o seu lugar ao aborrecimento. Atingiu-o então a desconfiança de que ela fazia tudo aquilo apenas com o fito de irritar os outros, mas simultaneamente com a esperança de que, pelo menos agora, procurava irritá-lo a ele também; o certo, porém, é que tinha sempre necessidade de irritar quem quer que fosse para, desse modo, se sentir mais requestada. (Todos estes sentimentos eram, todavia, apenas percetíveis para Cosimo, que pouca experiência tinha então; na realidade, trepava e passava de um para outro daqueles ramos ásperos sem compreender nada, fazendo, ao que eu próprio imagino, figura de tolo.)

Ao voltarem as costas, caiu-lhes, então, em cima uma autêntica chuva de pedradas. A garotinha protegeu a cabeça, inclinando-se para o pescoço do potro, e fugiu; meu irmão, contudo, instalado num cotovelo da árvore, bem à vista, ficou exposto aos projéteis. Mas as pedras chegavam lá acima já com muito pouca força para conseguirem magoar, exceto uma ou outra que o atingia na cabeça ou nas orelhas. Os outros assobiavam e riam, e o bando de maltrapilhos gritava em coro:

– A mor-ga-di-nha é uma ve-lha-qui-nha... – E fugiam pela encosta abaixo.

Afastavam-se para os lados da Porta Capperi, guarnecida, de um lado e outro, por verdes cascatas de alcaparra, que forravam os muros.

De dentro dos casebres por ali espalhados levanta-se então o clamor das mães dos rapazes. Mas estas crianças pertencem àquele género cujas mães, uma vez caída a noite, não os chamam aos gritos para dentro de casa, mas protestam pelo facto de eles terem voltado, por terem regressado para jantar em casa em lugar de irem procurar comida a outro lado qualquer. Na Porta Capperi, em casotas e barracas de madeira, tendas e carroças arruinadas, estava acampada a gente mais pobre de Ombrosa, de tal maneira pobre que era mantida fora dos limites da cidade e longe dos campos, gente que fora enxotada de campos e aldeias distantes, fugindo à carestia e miséria que assolava todos os estados. Aquela era a hora do sol-posto, e mulheres desgrenhadas, com crianças ao colo, abanavam fogareiros fumegantes; havia mendigos estendidos ao fresco da tarde, um pouco por todo o lado, enquanto outros jogavam aos dados, emitindo, de vez em quando, exclamações roucas. Era também chegada a hora em que os companheiros daquele bando de ladrões de fruta se espalhavam por entre o fumo das frituras e as discussões acesas do acampamento, levando bofetões das mães, pegando-se uns com os outros e rolando por entre o pó. Então, os farrapos que envergavam adquiriam uma cor idêntica à de todos os outros farrapos e a sua alegria de aves, apanhadas naquele aglomerado humano, tornava-se, pouco a pouco, mais insípida e distante. A tal ponto isto era verdade que, ao verem aparecer a garotinha loura cavalgando o seu potro a galope, ao mesmo tempo que descobriram a presença de Cosimo nas árvores próximas, a sua única reação foi um erguer tímido do olhar, afastando-se, procurando perder-se entre o pó e o fumo dos fogareiros, como se, subitamente, uma barreira intransponível se tivesse erguido entre uns e outros.

Tudo isto foi, para ambos, apenas um momento, um girar de olhos. Viola voltara costas ao fumo das barracas, que se misturava com as primeiras sombras da noite e com os gritos das mulheres e das crianças e corria por entre os pinheiros da praia.

Aí ficava o mar. Ouvia-se o seu marulhar nos seixos. Já estava escuro. Ouvia-se ainda um ruído mais familiar: era o potro que corria pelos calhaus, lançando faíscas de lume dos pés. De um pinheiro mais baixo e inclinado, meu irmão seguia com os olhos o vulto claro da garotinha loura que corria através da praia. Do mar elevou-se uma onda em crista, contrastando com o negrume das águas, elevou-se e, dobrando-se toda sobre si mesma, lançou-se para a frente, muito branca, aflorando, ao cair, a sombra do cavalo galopando com a garota em cima. Instalado sobre o pinheiro, Cosimo recebeu ainda em pleno rosto um branco e leve salpico de água salgada.

VI
ᕙᕗ

Aqueles primeiros dias que Cosimo passou em cima das árvores não tinham o menor objetivo ou sequer programa. Eram apenas dominados por um desejo ardente de conhecer e possuir aquele seu reino. Quereria tê-lo imediatamente explorado, até aos mais longínquos confins, estudando todas as possibilidades que ele lhe oferecia, descobrindo-o planta por planta, ramo por ramo. Digo quereria, porque, na verdade, víamo-lo reaparecer continuamente sobre as nossas cabeças, com aquele seu ar estranho e rapidíssimo, mais característico dos animais selvagens, que também ali por vezes se viam quietos e escondidos, mas sempre como se estivessem prestes a fugir em disparada.

Por que motivo regressava ao nosso parque? Vendo-o esvoaçar de um plátano para um álamo no raio abrangido pelo óculo de nossa mãe, dir-se-ia que a força que o impelia, a sua paixão dominante, continuava a ser a polémica que mantinha connosco, o desejo de nos irritar ou fazer sentir preocupações. (E refiro-me a nós porque, em relação à minha pessoa, não tinha ainda conseguido determinar corretamente qual era a atitude de meu irmão: quando tinha necessidade de qualquer coisa, parecia que a aliança que entre nós havíamos estabelecido nunca tinha sido posta em dúvida; outras vezes, porém, passava-me por cima da cabeça como se nem sequer me visse.)

Mas a sua passagem pelo nosso parque era momentânea: o que o atraía era o muro com a magnólia, e era aí também que constantemente o víamos desaparecer, até mesmo quando a garotinha loura ainda não devia estar a pé ou quando o tropel de tias e governantas a havia já feito recolher. No jardim dos d'Ondariva os ramos estendiam-se como trombas de animais extraordinários, e no solo abriam-se estrelas de folhas serrilhadas, de um verde semelhante à pele dos répteis; bambus leves e amarelos ondeavam ao sabor do vento, com um ruído de folhas de papel amarfanhadas. Suspenso da árvore mais alta, Cosimo, embriagado pela ambição de gozar completamente aquele verde tão diverso e os diversos tons da luminosidade que por entre as folhas se escoava, pendurava-se de cabeça para baixo; visto ao contrário, o jardim parecia então uma floresta, uma floresta não da terra, mas de um mundo novo e diferente.

Então aparecia Viola. Cosimo via-a já sentada no baloiço, dando impulso com os pés, ou então distinguia-a montada no potro; outras vezes ouvia, do fundo do jardim, os acordes sonoros da trompa de caça.

Os marqueses d'Ondariva não faziam a menor ideia de que sua filha se dedicasse a semelhantes correrias. Quando Viola passeava a pé, arrastava atrás de si o longo cortejo das tias; mas, mal montava a cavalo, era livre como o ar, porque as tias não sabiam montar e ninguém podia ver para onde ela ia. E, além disso, a sua confiança com aqueles vagabundos era uma ideia por de mais inconcebível para que sequer pudesse passar-lhes pela cabeça. Em lugar disso, contudo, haviam notado subitamente aquele baronete que se imiscuía por entre os ramos frondosos das árvores da sua propriedade e mantinham-se alerta, embora ostentando um certo ar de superioridade e desdenho.

Por seu turno, nosso pai aliava a amargura que sentia pela desobediência de Cosimo à sua aversão pelos d'Ondariva, como se pretendesse lançar-lhes as culpas a eles, imaginando talvez que eram os marqueses que atraíam Cosimo ao seu parque, dispensando-lhe hospitalidade e encorajando-o na sua rebelião. E, de repente, sem muito pensar, tomou a decisão de organizar uma batida para capturar o meu irmão, e isto não enquanto ele se mantivesse adentro dos limites das nossas propriedades, mas precisamente na altura em que Cosimo se encontrasse no jardim dos d'Ondariva. Dir-se-

-ia que, conquanto pretendendo assim sublinhar ainda mais a sua intenção agressiva no que respeitava aos nossos vizinhos, não tivesse querido ser ele a conduzir a batida, a apresentar-se pessoalmente aos d'Ondariva exigindo-lhes que lhe restituíssem o filho – o que, ainda que injustificado, teria sido uma negociação em plano digno, tudo se passando entre nobres –, antes enviou uma legião de criados, às ordens do cavaleiro-advogado Enea Silvio Carrega.

Os criados, armados de escadas e cordas, apresentaram-se finalmente junto dos portões dos d'Ondariva. O cavaleiro-advogado, de samarra e fez enfiado na cabeça, gaguejou umas desculpas, inquirindo se lhes permitiam a entrada. De uma maneira ou de outra, a família dos d'Ondariva convenceu-se de que o objetivo da excursão era proceder à poda de determinadas árvores nossas que, vencendo o muro que dividia as duas propriedades, deitavam ramos para o lado dos d'Ondariva, enredando-se nalgumas das árvores deles; depois, ao escutarem as meias palavras que o cavaleiro ia articulando:

– Agarra... agarra... – olharam para cima, para o meio da ramaria, e, de cabeça no ar, dando pequenas corridas de lado, perguntaram, finalmente:

– Mas o que vos fugiu? Algum papagaio?

– O filho, o primogénito, o rebento – esclareceu o cavaleiro-advogado, muito à pressa; tendo mandado encostar uma escada a um enorme castanheiro-da-índia, preparava-se para subir ele próprio lá acima.

Era fácil ver, por entre ramos, Cosimo sentado num tronco, bamboleando as pernas, como se nada se estivesse a passar. Viola, que da mesma maneira parecia ignorar o que sucedia, corria pelas alamedas do parque, brincando com o arco. Os criados estendiam ao cavaleiro-advogado umas cordas, que, vá-se lá saber como, este devia manobrar de forma a prender Cosimo. Mas este, antes mesmo que o cavaleiro-advogado tivesse chegado a meio da escada, mudou-se para outra árvore. O cavaleiro desceu e ordenou aos servos que mudassem a escada, e isto umas quatro ou cinco vezes, de cada uma delas arruinando mais um canteiro do jardim dos d'Ondariva. Todavia, por mais próximos que se encontrassem dele, Cosimo escapava-se-lhes e, com dois saltos, passava para a árvore vizinha. De um momento para o outro, Viola viu-se cercada de tias e vice-tias e conduzida para dentro de casa, a fim de que não presenciasse semelhante barafunda. Cosimo partiu um raminho e, brandindo-o numa das mãos, fendeu os ares, produzindo, com ele, um ruído sibilante.

– Mas, meus caros cavalheiros, não podeis continuar esta caçada no vosso espaçoso parque? – perguntou o marquês d'Ondariva, aparecendo solenemente na balaustrada do terraço da sua *villa*, em *robe de chambre* e barretina, o que o fazia assemelhar-se estranhamente ao cavaleiro-advogado. – Refiro-me a vós mesmos, a toda a família Piovasco di Rondò! – E fez um largo gesto circular, que abrangia o baronete empoleirado em cima da árvore, o tio natural, os criados e, para lá do muro, tudo o que se encontrava em território nosso.

Nessa altura, Enea Silvio Carrega mudou de atitude. Aproximou-se do marquês d'Ondariva e, como se nada se passasse, sempre gaguejando, começou a falar-lhe dos jogos de água do tanque de ali defronte e de como lhe viera à ideia que se podia construir ali um repuxo bastante mais alto e, mudando a roseta, se conseguiria até irrigar os campos. Tudo isto não passava, afinal, de mais uma prova de como era imprevisível e inconstante a índole do nosso tio natural: fora enviado para aquele local pelo barão nosso pai com uma missão bem determinada e com um objetivo de polémica em relação aos vizinhos; por que motivo haveria ele de se pôr a conversar em tom amigável com o marquês, como se pretendesse granjear-lhe as simpatias? Tanto mais que essas qualidades de conversador demonstrava-as o cavaleiro-advogado tão-somente quando julgava cómodo servir-se delas ou quando alguém mostrava confiar no seu temperamento esquivo. Mas o mais curioso de tudo isto foi que o marquês, em lugar de o ignorar, o incitou, lhe fez perguntas e o levou consigo a examinar todos os tanques e repuxos da propriedade, vestidos ambos do mesmo modo, ambos com aqueles balandraus muito compridos e os dois quase da mesma altura, de tal maneira que quase poderiam trocar de vestes, e, atrás deles, o enorme cortejo da família d'Ondariva e dos nossos criados, alguns ainda com escadas às costas, sem saberem o que fazer.

Entretanto, Cosimo saltava, imperturbável, para as árvores mais próximas das janelas da *villa*, procurando descobrir, para além dos pesados reposteiros, qual o quarto onde teriam encerrado Viola.

Finalmente, acabou por descobri-lo, e lançou uma baga contra as vidraças.

Abriu-se a janela e assomou o rosto da garotinha loura, que disse:

– Por culpa tua estou aqui encerrada! – E, retirando-se, fechou a janela.

Cosimo sentiu-se, então, tomado pelo maior desespero.

Quando meu irmão se sentia possuído pelas suas fúrias momentâneas, então havia real motivo para que estivéssemos desassossegados. Víamo-lo correr (se é que tem sentido a expressão «correr» sem estar referida à superfície terrestre, mas a irregulares sustentáculos erguidos a diversas alturas, tendo por baixo o vazio) e parecia, a todo o momento, que ia faltar-lhe o apoio e que Cosimo cairia, o que, no entanto, nunca chegou a acontecer. Saltava, movia-se com passinhos rapidíssimos sobre um ramo inclinado, pendurava-se e, com um impulso, passava ao ramo superior. Quatro ou cinco destes ziguezagues em equilíbrio precário e breve desaparecia da nossa vista.

Para onde ia? Daquela vez corria sem parar, passando dos álamos para as oliveiras, destas para as faias e, finalmente, embrenhando-se no bosque. Parou, por fim, ofegando. Por baixo de si e à sua frente estendia-se um prado. O vento fazia ondear os tufos espessos de erva, num contínuo transmutar dos matizes de verde. Pairavam no ar levíssimas plumas impalpáveis de flores. No meio havia um pinheiro isolado, inatingível, com pinhas oblongas pendendo dos ramos. Os pica-paus, pássaros rapidíssimos de uma cor castanha mosqueada, pousavam sobre as ramarias frondosas, mesmo à ponta, em posições oblíquas, alguns de cabeça voltada, com o pescoço para cima e o bico para baixo, depenicando as lagartas do tronco e os pinhões.

Aquela necessidade de penetrar num mundo dificilmente acessível que meu irmão experimentava, ao fazer a sua vida por cima das árvores, roía-o agora por dentro, insatisfeito, provocando-lhe o ardente desejo de proceder a uma penetração mais minuciosa, a uma certeza que o ligasse a cada folha, a cada partícula da casca, a cada pluma das flores, a cada novo cambiante de cor. Era um amor semelhante ao que deve sentir o caçador por tudo o que está vivo, e que não consegue exprimi-lo doutro modo que não seja apontando-lhe a sua espingarda; Cosimo não sabia ainda reconhecer esse amor e procurava desabafar naquele seu empenho e encarniçamento, cada vez maiores, que punha nas suas explorações.

O bosque era denso, impraticável. Cosimo via-se forçado a abrir caminho com golpes do espadim e, a pouco e pouco, ia esquecendo todos os seus sonhos e ambições, ocupado como estava pelos problemas que continuamente se lhe deparavam, já preso de uma espécie de temor (cuja existência não queria reconhecer, ainda que real) de se afastar demasiado dos locais que lhe eram familiares. Assim, aventurando-se até longe na espessura da mata, alcançou um ponto onde viu dois olhos enormes que o fitavam, muito amarelos e brilhantes, por entre as folhas, mesmo diante dele. Cosimo, empunhando o espadim, avançou-o, colocando-o à sua frente, enquanto ele próprio afastava um ramo para depois o deixar lentamente regressar ao seu lugar. Soltou então um suspiro de alívio, rindo-se intimamente do pavor extremo que sentira; tinha visto a quem pertenciam aqueles dois olhos amarelos que tanto o haviam assustado. Eram de um gato.

A imagem do gato, apenas lobrigada ao afastar do ramo, gravara-se-lhe profundamente no espírito. Após alguns instantes, Cosimo voltava a tremer de medo. Porque aquele gato, em tudo semelhante aos outros, tinha, no entanto, algo que o fazia diferente e lhe dava um aspeto terrível, assustador, que só de o ver dava vontade de gritar de susto. É impossível precisar o que lhe conferia um aspeto tão assustador; tratava-se de um gato pardo, mas de compleição bastante mais robusta do que todos os gatos pardos que conhecia, o que, todavia, é ainda pouco para descrever o aspeto terrível que apresentava, de bigodes muito tesos, como picos de um porco-espinho, e um bafo que, saindo de uma dupla fila de dentes afiados como navalhas, se sentia quase mais com o olhar do que propriamente com o ouvido; as orelhas eram algo mais do que agudas, pareciam duas chamas tensas, guarnecidas de um pelo que uma falsa aparência fazia parecer ténue e ralo; o pelo, todo eriçado, espessava-se em redor do pescoço, formando uma espécie de juba clara, donde partiam estrias que se interrompiam mais atrás, nos flancos, dando a impressão de se acariciarem a si próprias, e a cauda, tufada, mantinha-se firme, numa atitude tão pouco natural que dir-se-ia insustentável; a tudo isto, que Cosimo tivera oportunidade de ver durante alguns segundos, por detrás do ramo afastado e novamente regressado ao seu lugar, acrescentava-se ainda o que não tivera tempo de ver, mas que bem imaginava: os exagerados tufos de pelo em redor das patas ocultavam certamente a força lacerante das unhas, prontas a estropiá-lo, a ele, Cosimo; e mais aquilo que conseguia ainda distinguir: as íris amarelas que o fitavam por entre as folhas, rolando em redor da pupila negra, e aquilo que sentia: o bafo cada vez mais profundo, intenso e ameaçador; tudo isto enfim o fez compreender que se encontrava diante do mais feroz gato selvagem que existia naquele bosque.

Emudeceram todos os chilreios e murmúrios da mata. O gato selvagem deu então um salto, mas não atirando-se ao rapaz. Foi um salto quase vertical, perante o qual Cosimo ficou mais propriamente maravilhado do que cheio de medo... O terror veio a seguir quando deu conta de que o felino se encontrava empoleirado num ramo mesmo por cima da sua cabeça. O gato ali estava todo encolhido, preparando-se para o bote, e Cosimo via-lhe a barriga coberta por um pelo quase branco, quadris tesos e garras fincadas no lenho da árvore, enquanto arqueava o focinho e soprava: fff... preparando-se, certamente, para cair sobre o rapaz.

Com um movimento perfeito, dir-se-ia estudado, Cosimo passou para um ramo mais baixo da árvore. Fff... fff... fez o gato selvagem, e a cada novo fff... dava um salto, para cá ou para lá, de modo a ficar novamente no ramo sobranceiro àquele em que Cosimo se refugiara. Meu irmão repetiu o movimento anteriormente esboçado, mas, nessa altura, reparou que atingira já o ramo mais baixo da faia. Por baixo ficava apenas o solo e, conquanto o salto fosse de uma altura razoável, teria sido sem dúvida preferível fazê-lo do que aguardar audaciosamente o ataque do animal, assim que acabasse de emitir aqueles sons horripilantes, misto de sopros e miados enfurecidos.

Cosimo ergueu uma perna, como se se preparasse para saltar para terra, mas como nele se debatessem dois instintos contrários – o natural instinto de defesa, que o aconselhava a pôr-se a salvo, e o da obstinação, que o impedia de descer das árvores, ainda que com isso arriscasse a própria vida –, retesou simultaneamente as pernas, apertando o ramo da faia entre os joelhos; ao gato pareceu então que era aquele o momento azado para se lançar sobre o rapaz enquanto este se encontrava ali, em equilíbrio precário; atirou-se então, de pelo eriçado, garras em riste e soprando como um demónio; Cosimo nada mais soube que fazer além de fechar os olhos e avançar o espadim, movimento tolo que o gato rapidamente evitou, cravando-lhe as unhas na cara, seguro de o arrastar atrás de si na queda. Cosimo ficou com um arranhão ao longo da face, mas, em lugar de cair, preso como se encontrava ao ramo, lançou-se para a frente, ficando deitado ao comprido sobre o tronco. Precisamente o contrário do que o gato tinha esperado; desorientado, este último caía de flanco por entre os ramos. Numa tentativa para se agarrar, ferrando as unhas ao tronco, deu uma volta sobre si mesmo no ar: um segundo foi quanto bastou a Cosimo para, com um improvisado movimento vitorioso, lhe atirar uma estocada em profundidade, trespassando-lhe a barriga e mantendo-o espetado no espadim, enquanto o gato soltava miados lancinantes.

Estava salvo. Coberto de sangue, contemplava o animal espetado no espadim como se fosse num espeto. Uma tríplice unhada sulcava-lhe a face, desde o olho até ao queixo. Berrava de dor e com a alegria da vitória alcançada, sem compreender nada, firmemente agarrado ao ramo, ao cadáver do gato e à espada, fruindo o momento desesperado da primeira vitória, em que se descobre o sabor doloroso de vencer, sentindo invadi-lo a certeza do ânimo com que continuaria pela senda que ele próprio se havia determinado, sem dar margem ao mínimo desfalecimento.

Daquele modo o vi chegar, caminhando sobre as árvores, todo coberto de sangue, com o colete manchado, cabeleira desgrenhada sob o tricórnio deformado e arrastando pelo rabo aquele gato selvagem morto, que agora parecia apenas um gato vulgar e nada mais.

Corri para a generala, que se encontrava no terraço.

– Senhora mãe – gritei, angustiado –, está ferido!

– *Was?*[1] Ferido como? – inquiriu, apontando já o óculo para o local onde Cosimo se encontrava.

– Ferido como todos os feridos! – disse eu.

A generala pareceu achar pertinente a minha definição, porque, seguindo-o com o óculo, enquanto Cosimo saltava de ramo para ramo com um ar mais lesto do que nunca, acrescentou:

– *Es ist wahr.*[2]

Subitamente, ergueu-se do seu lugar e começou a dar ordens, mandando preparar gaze e um remédio à base de cera e óleos e bálsamos, como se estivesse a reequipar a ambulância de um batalhão, encarregando-me de lhe trazer imediatamente tudo isto, sem que sequer manifestasse a mínima esperança de que ele, necessitando de tratamento, se resolvesse por esse motivo a regressar para casa. Corri para o parque com o pacote dos remédios e pus-me à espera dele por baixo da última amoreira, junto ao muro da propriedade dos d'Ondariva, porque, entretanto, meu irmão tinha já desaparecido pela magnólia.

Cosimo irrompeu então, triunfante, no jardim dos d'Ondariva, ostentando o animal morto. E que vê ele no carreiro diante da *villa*? Uma carruagem prestes a partir e criados arrumando bagagem no tejadilho. Viola surgiu, nesse momento, no meio de uma legião de governantas e tias vestidas de negro, de aspeto severíssimo. Envergando trajes de viagem, Viola beijava o marquês e a marquesa seus pais.

– Viola! – gritou Cosimo, erguendo o gato pela cauda. – Onde vais?

Todos os que se encontravam à volta da carruagem ergueram os olhos para a ramaria das árvores e, ao darem com ele ferido, ensanguentado, com aquele ar de tresloucado e erguendo na mão o animal morto, fizeram um leve movimento de horror. – *Ici de nouveau! Et arrangé de cette façon!*[3] – E, como que invadidas por um súbito furor, as tias empurraram a rapariguinha para dentro da carruagem.

[1] O quê?
[2] É verdade.
[3] Outra vez aqui! E nesse estado!

Viola voltou-se ainda uma vez, olhando para cima, e, com um ar de despeito aborrecido e desdenhoso que tanto podia referir-se aos pais como a Cosimo, gritou (certamente respondendo à pergunta que este lhe tinha feito):

– Mandam-me para o colégio! – e voltou-se para entrar para a carruagem. Não se havia dignado conceder-lhe a ele e à sua presa mais do que um simples olhar desdenhoso.

Já a porta estava fechada e o cocheiro no seu posto quando Cosimo, que não admitia aquela partida precipitada, procurou atrair-lhe a atenção, fazer-lhe compreender que lhe dedicava aquela cruenta vitória. Mas, não sabendo explicar-se de outra maneira, gritou-lhe:

– Venci um gato!

O chicote estalou e a carruagem partiu, entre o acenar de lencinhos das tias, enquanto, da portinhola, se ouvia uma voz que disse:

– Bravo! –, num tom que era impossível dizer-se se seria de entusiasmo ou desdém.

Foi este o adeus deles. E Cosimo, não resistindo por mais tempo à tensão, à dor dos arranhões, à desilusão de não ver confirmada por Viola a glória dos seus feitos e ao desespero daquela súbita separação, encolheu-se todo e desatou num pranto feroz, entre soluços, gritos e o ruído de ramos partidos.

– *Hors d'ici! Hors d'ici! Polisson, sauvage! Hors de notre jardin!*[1]

Invetivavam-no as tias, enquanto toda a família dos d'Ondariva acorria àquele local, armada de compridos varapaus ou atirando-lhe pedras, para o enxotarem dali.

Cosimo atirou o gato morto à cara dos que lhe estavam mais próximos, soluçando e gritando. Os criados recolheram o animal, pegando-lhe pela cauda, e atiraram-no para uma estrumeira.

Quando soube que a nossa vizinha tinha partido, esperei que Cosimo se decidisse a descer. Não sei bem porquê, atribuía-lhe a ela, ou melhor, a ela também, a culpa da decisão tomada por meu irmão de para sempre permanecer em cima das árvores.

Em vez disso, porém, ele nem sequer aludiu a essa possibilidade.

---

[1] Fora daqui! Fora daqui! Vadio, selvagem! Fora do nosso jardim!

Fui levar-lhe as ligaduras e ceratos e foi ele próprio quem tratou dos arranhões que tinha na cara e nos braços. Depois quis que eu lhe arranjasse um fio com um gancho na ponta. Graças a isso conseguiu, empoleirando-se numa oliveira alta que deitava para a estrumeira dos d'Ondariva, pescar o gato morto. Esfolou-o, curtiu a pele o melhor que pôde e com ela fez um barrete. Foi o primeiro dos barretes de pele que o vimos usar durante toda a vida.

VII
᠀

A última tentativa de capturar Cosimo foi feita por nossa irmã Battista. Iniciativa sua, naturalmente, a que procedeu sem consultar pessoa alguma e cercada do maior segredo, como era já seu hábito fazer as coisas. Altas horas da noite, escapuliu-se de casa, com uma panelinha cheia de visco e uma escada de mão, cobrindo daquela peçonha uma alfarrobeira do jardim, completamente, desde os mais altos ramos até à base. Aquela era uma das árvores sobre a qual todas as manhãs Cosimo ia habitualmente postar-se.

Na manhã seguinte, para estupefação de todos, fomos encontrar a alfarrobeira literalmente coberta de pintassilgos que batiam angustiadamente as asas, passarinhos das searas completamente prisioneiros da peçonha, borboletas noturnas, folhas arrastadas pelo vento e que se tinham vindo colar ao tronco da alfarrobeira, uma cauda de esquilo e ainda uma das abas da casaca de Cosimo, toda feita em farrapos.

Nunca chegámos a saber se meu irmão se teria na realidade sentado em cima do ramo e, uma vez preso, tivesse conseguido libertar--se ou se, em vez disso – o que mais provavelmente acontecera, pois desde há uns tempos a esta parte não o víamos usar casaca –, tivesse sido ele o próprio a colocar ali os farrapos que lá encontrámos apenas para nos pregar a partida, fazendo-nos crer que tivesse sido efetivamente apanhado. O que quer que na realidade tivesse acontecido, porém, a verdade é que a alfarrobeira continuou por uns dias indecentemente coberta de visco até que, por fim, acabou por secar.

Começámos a convencer-nos de que Cosimo jamais regressaria, e até mesmo nosso pai parecia compartilhar desta convicção. Desde que meu irmão Cosimo iniciara aquele novo período da sua vida, saltando de umas árvores para as outras, através dos campos daquela região de Ombrosa, o barão Arminio Piovasco di Rondò, nosso pai, nunca mais ousara sair arriscando-se a ser visto em público, até porque acalentava sinceros receios de que, com aquele comportamento de Cosimo, estivesse seriamente comprometida a dignidade ducal.

A cada dia que passava ia aumentando a sua palidez e a magreza do seu rosto já encovado, conquanto eu próprio não possa afirmar com autoridade até que ponto aquilo se devesse à sua natural ansiedade paternal ou às preocupações que o atribulavam no respeitante às consequências dinásticas que aquele incidente acarretaria, mas, seja como for, nessa altura era já difícil distinguir uma da outra, uma vez que ambas se confundiam num único problema. Cosimo era o primogénito da família, a quem por direito próprio estava reservado o título e, se já seria difícil aceitar-se como barão uma pessoa que passava a vida em cima das árvores, saltitando de uns ramos para os outros como qualquer francolim, menos admissível seria ainda que lhe concedessem a dignidade de duque. Se bem que fosse praticamente uma criança, o título cobiçado e mal seguro não encontrava, de modo algum, naquela conduta do herdeiro dos Piovascos um forte argumento de apoio.

Preocupações sobremaneira vãs, evidentemente, tanto mais que os habitantes de Ombrosa tomavam as veleidades de nosso pai como alvo das suas mofas, de maneira nenhuma as levando a sério; e, ainda para mais, os nobres que possuíam as suas *villas* pelas redondezas consideravam-no louco nas suas pretensões.

Tinha-se espalhado, desde há uns tempos, entre os nobres a moda de mandar construir as suas *villas* em locais amenos e aprazíveis, para onde transferiam as suas residências, de preferência a terem que continuar habitando velhos castelos feudais. Isto era já uma das muitas coisas que faziam com que todos procurassem viver como cidadãos privados, evitando aborrecimentos. Quem, de entre eles, pensaria ainda no antigo ducado de Ombrosa? O que mais agradava em Ombrosa era o facto de poder ser o lar de todos e de ninguém em particular: estava ainda ligada, por certos direitos, aos marqueses d'Ondariva, que, aliás, eram os proprietários e senhores da quase totalidade das terras. Mas, desde uns tempos atrás, Ombrosa adquirira o foro de comuna livre, tributária da República de Génova; e todos nós podíamos viver em tranquilidade nas terras que possuíamos, algumas das quais por herança e outras que havíamos adquirido, por dá-cá-aquela-palha, à comuna numa altura em que esta se encontrava particularmente aflita e coberta de dívidas que era necessário liquidar. Que mais se poderia, em boa justiça, exigir? Tínhamos, inclusivamente, à nossa volta uma pequena mas autêntica sociedade nobiliária, com *villas*, parques e hortas que se estendiam até bem longe, até ao mar; ali vivíamos todos alegremente, fazendo ocasionais visitas uns aos outros e indo a caçadas. A vida pouco custava, e desfrutava-se, ainda assim, de certas vantagens de quem vive na corte, sem todavia ter de fazer face às despesas, empenhos e maçadas que atribuíam os que têm de se preocupar, entre outras coisas, com a família real, viver na capital e atender as vicissitudes da política.

A nosso pai, porém, nada disto agradava, nem tão-pouco se conformava com este modo de vida. Sentia-se como se fosse um soberano destronado e, por fim, acabara até por quebrar todas as relações com os outros nobres da região (quanto a nossa mãe, sendo, como era, estrangeira, pode dizer-se que nunca as havia estabelecido); o que, apesar de tudo, nos trazia também algumas vantagens, já que, como frequentássemos poucas ou nenhumas casas, evitávamos deste modo inúmeras despesas, conseguindo em boa medida ocultar das vistas alheias a extrema penúria em que se encontravam as nossas finanças.

Em relação ao povo de Ombrosa, não se podia dizer que mantivéssemos melhores relações; é sabido como são os habitantes de Ombrosa: gente um tanto ou quanto mesquinha e metida consigo mesma, preocupando-se meramente com os seus negócios; por esse tempo, os limões começavam a ter boa venda, mercê de se ter começado a espalhar, entre as classes mais ricas, o hábito de tomar sumo de limão açucarado; e havia pomares de limoeiros plantados um pouco por toda a parte. O porto, que muitos anos atrás fora completamente destruído, graças às sucessivas incursões de barcos piratas, tinha sido totalmente reconstruído. Entretanto, a República de Génova, os territórios do rei da Sardenha, o Reino de França e os territórios episcopais traficavam com tudo e com nada se importariam se não fosse a existência daqueles tributos que deviam a Génova e que os faziam suar sempre que havia tributação, dando todos os anos motivo a tumultos contra os tributários da República.

Sempre que rebentavam tumultos semelhantes, motivados pelos impostos, o barão di Rondò convencia-se, sabe Deus porquê, que fossem a propósito da coroa ducal que vinham oferecer-lhe. Apresentava-se então na praça principal da aldeia, oferecendo-se como protetor das gentes de Ombrosa. Mas era sempre forçado a escapar-se muito depressa, sob uma autêntica chuva de limões podres. Então dizia a quem o queria ouvir que tinham tramado uma conspiração contra ele: autores, os jesuítas, como sempre. Tinha-se--lhe metido na cabeça que os jesuítas o odiavam mortalmente e que entre ele e os outros não podia haver margem para mais nada além de uma guerra sem quartel e que a Companhia de Jesus pensava uni-camente em arruiná-lo. Com efeito, tinha havido umas desavenças entre o barão e a Companhia, por via de uns hortos cuja propriedade o barão e os jesuítas, cada um por seu lado, reclamavam; dali resul-tara um aceso litígio; e o barão, que estava em boas relações com o bispo, conseguira fazer com que o padre provincial fosse afastado do território da diocese. Desde então, meu pai vivia com a ideia fixa de que a Companhia de Jesus estava constantemente a enviar agentes encarregados de atentar contra a sua vida e os seus direitos; e, pela sua parte, procurava organizar uma milícia de fiéis dispostos a libertar o bispo, que, em seu entender, havia sido feito prisioneiro pelos jesuítas; além disso, estava sempre disposto a oferecer hospita-lidade e proteção a quantos jesuítas lhe aparecessem declarando-se perseguidos pela Companhia. Pela mesma razão havia escolhido para nosso orientador espiritual aquele semijansenista que andava sempre nas nuvens.

Havia uma única pessoa em quem meu pai confiava, e essa era o cavaleiro-advogado Enea Silvio Carrega. O barão tinha um fraco por aquele seu irmão natural, como se, para ele, o cavaleiro-advogado fosse não um irmão, mas uma espécie de filho único e desgraçado; não sei se nessa altura tínhamos dado conta do facto, mas a verdade é que devia realmente existir, na nossa maneira de considerar o cavaleiro, um pouco de ciúme, porque nosso pai queria mais àquele irmão, já cinquentão, do que a nós, crianças e seus filhos. De resto, não éramos nós os únicos a olhá-lo de esguelha: a generala e a nossa irmã Battista fingiam tratá-lo com respeito e veneração, quando afinal, na realidade, não o suportavam. Ele, com aquele seu ar submisso e tímido, não queria saber de nada nem se importava com ninguém, nem mesmo com o barão, a quem tanto devia.

O cavaleiro-advogado falava pouco, tão pouco que, por vezes, seria possível julgá-lo surdo-mudo ou então acreditar que não conhecia o nosso idioma; não faço ideia como, antigamente, ele teria conseguido manter a sua carreira de advogado ou como, se ainda agora era a tal ponto estranho, se teria havido aquando da sua permanência entre os turcos. Talvez fosse, contudo, pessoa de inteligência, tendo aprendido com os turcos todos aqueles cálculos de hidráulica, a única coisa a que, então, dava mostras de ser capaz de se aplicar e pela qual meu pai tão exageradamente o elogiava. Nunca soube muito bem como tinha sido o passado dele, nem quais tivessem sido, durante a sua juventude, as relações que mantivera com nosso avô (mas certamente este devia nutrir por ele uma certa afeição, porque, caso contrário, não o teria feito estudar para advogado nem lhe haveria mandado atribuir o título de cavaleiro), nem tão-pouco como teria ido parar à Turquia. Também não se sabia com exatidão se fora precisamente na Turquia que ele estivera durante tanto tempo ou noutras terras barbarescas, na Tunísia ou na Argélia, por exemplo. Mas, em suma, tinha estado efetivamente num qualquer país maometano, e dizia-se que ele próprio se tinha convertido também à religião maometana.

Tanto não diríamos nós, porém, mas suspeitávamos que tivesse ocupado cargos importantes, sido grande dignitário do sultão, engenheiro hidráulico do Divã ou algo de semelhante e que, depois, uma intriga palaciana ou ciúme das mulheres, ou até qualquer dívida de jogo, o tivesse feito cair em desgraça e ser vendido como escravo. Ao certo sabe-se apenas que foi encontrado a ferros, como remador de uma galera otomana aprisionada pelos venezianos, que o libertaram da humilhante condição em que o haviam encontrado. Em Veneza vivia quase como um mendigo, até que combinou não sei o quê e, por via de uma rixa qualquer (só o Céu saberá, provavelmente, quem porventura pudesse ter sido o adversário de um homem daqueles, de temperamento tão tímido e esquivo), foi de novo preso. Graças aos bons ofícios da República de Génova, nosso pai conseguiu resgatá-lo e trouxe-o para o nosso convívio. Era, nessa altura, um homenzinho calvo, de barba negra, muito abatido, quase mudo (eu era ainda criança nesse tempo, mas a cena da noite em que ele chegou ficou·me para sempre gravada na memória), embrulhado em vestes que não eram as suas. Nosso pai impô-lo a toda a gente como sendo pessoa de autoridade, nomeando-o administrador das suas propriedades e pondo à disposição dele um estúdio, que o cavaleiro-advogado breve encheu de mapas, no meio da mais completa desordem. O cavaleiro--advogado usava samarra e fez, como, aliás, era uso muitos nobres e burgueses até envergarem nos seus gabinetes; simplesmente, para dizer toda a verdade, é preciso esclarecer que ele não estava quase nunca no seu estúdio e passou a andar vestido daquela maneira mesmo quando passeava por fora, pelos campos. Finalmente, acabou por se sentar à mesa vestido com aquelas estranhas vestes, e o mais espantoso foi que nosso pai, sempre tão atento a que se cumprissem os requintes da etiqueta, tolerou aquela extravagância.

Não obstante os seus deveres de administrador, o cavaleiro--advogado nunca dirigia palavra aos rendeiros, feitores ou foreiros das nossas terras, dado o seu feitio tímido e reservado e a dificuldade que experimentava em exprimir-se; e todas as decisões práticas, as ordens que era necessário serem dadas e até o tratar de assuntos com as pessoas era efetivamente nosso pai quem procedia a tal mister.

Enea Silvio Carrega detinha os livros de contas e não sei se o facto de estas correrem tão mal se devia a ser ele quem tinha os livros em seu poder ou se aquilo era uma consequência genérica do caminho que pareciam levar os negócios da nossa família. Além disso, fazia plantas e desenhos de projetos de rega, enchendo de linhas e algarismos um grande quadro negro, com palavras em escrita turca. De vez em quando, meu pai fechava-se a sós com ele nos seus aposentos, durante horas e horas (eram os mais longos períodos de atividade a que o cavaleiro-advogado se dedicava) e pouco depois, através da porta fechada, ouvia-se a voz colérica do barão, os acentos agitados de uma áspera contenda, mas a voz do cavaleiro-advogado era coisa que nunca se entendia. Depois, a porta abria-se, o cavaleiro-advogado saía com os seus passinhos rápidos sob as pregas do balandrau, o fez muito direito no cocuruto da cabeça e, tomando por uma porta-janela enfiava pelo parque, dirigindo-se para os campos.

– Enea Silvio! Enea Silvio! – gritava nosso pai, correndo atrás dele. Mas o irmão já se tinha perdido por entre os vinhedos ou no meio dos limoeiros, e via-se somente o fez caminhando por entre as folhas. Nosso pai seguia-o, chamando-o; pouco depois, víamo-los regressar, o barão discutindo ainda, com gestos largos e irados, e o cavaleiro, miudinho, junto dele, todo curvado, de punhos cerrados metidos nas algibeiras da samarra.

VIII
ରୀ

Naqueles dias Cosimo lançava frequentes e sobranceiros desafios às gentes que se encontravam em terra, desafios à pontaria e destreza dos outros e que tinham como objetivo levá-lo a adquirir, pela experiência de tudo o que em cima das árvores conseguia realizar, uma certeza completa de todas as suas possibilidades. Nesse intuito, desafiou os pés-descalços para o lançamento dos calhaus, a ver quem conseguia atirá-los mais longe. Estavam nessa altura lá para as bandas vizinhas da Porta Capperi, entre as barracas miseráveis dos pobres e vagabundos. Empoleirado num álamo já meio seco e carcomido, Cosimo preparava-se por seu turno para atirar a pedra a uma distância ainda maior quando vê aproximar-se, montada a cavalo, uma figura de homem, alta, ligeiramente curvada, envolta num largo manto negro. Nessa figura reconhece o barão Arminio, o pai. Dispersa-se a canalha, fugindo cada um para seu lado; à soleira dos casebres, as mulheres observavam.

O barão Arminio cavalgou até se encontrar bem por baixo do álamo. Vermelho era o poente. E Cosimo surgia ali, à vista, entre os ramos carcomidos. Olharam-se bem de frente, olhos nos olhos. Aquela era a primeira vez, desde o incidente com o prato de caracóis, que se encontravam os dois frente a frente. Muitos dias se tinham passado, entretanto, e coisas havia que o tempo tornara diversas, e tanto Cosimo como nosso pai sabiam que nada daquilo era já questão dos caracóis nem que tão-pouco seria possível invocar, entre eles, a obediência devida aos filhos ou a autoridade reconhecida aos pais; e sabiam ambos também que, conquanto numerosas fossem as palavras lógicas e judiciosas que porventura se pudessem pronunciar, ali surgiriam deslocadas e sem razão. E, todavia, algo era necessário que se dissesse.

– Que belo espetáculo ofereceis, nessa figura! – começou o pai, em tom amargo. – Verdadeiramente digno de um gentil-homem! – (Tratara-o por *vós*, como sempre fazia na altura das mais graves repreensões, mas naquela altura semelhante forma de tratamento serviu apenas para criar uma estranha sensação de distância, de afastamento.)

– Um gentil-homem, senhor meu pai, tanto o é em terra como estando em cima das árvores – respondeu Cosimo. E acrescentou, imediatamente: – Desde que sempre se comporte com retidão.

– Bom juízo é esse – admitiu, gravemente, o barão. – E, contudo, não há muito ainda que vos destes a roubar cerejas a um quinteiro.

Era verdade. Meu irmão fora apanhado em contradição. Que atitude tomar? Que responder? Cosimo limitou-se a sorrir, não um sorriso cínico ou revelador de uma falsa superioridade, mas um sorriso de timidez acompanhado por um violento rubor que lhe aflorou o rosto.

O pai sorriu também um sorriso triste e, quem sabe por que razão, corou também.

– Agora – disse, após um silêncio, o barão nosso pai – dedicais o vosso tempo a acompanhar com os piores vadios e ladrões da região, não é assim?

– Não, senhor meu pai – respondeu Cosimo, em voz firme. – Eu não acompanho com ninguém. Estou só comigo mesmo. E cada um que se valha a si próprio.

– Convido-vos a descer a terra – disse o barão, numa voz cansada e quase inaudível – e a que retomeis os deveres que ao vosso estado são devidos.

– Não tenciono obedecer-vos, senhor meu pai – disse Cosimo. – Perdoai.

Estavam ambos pouco à vontade, presos de uma estranha timidez. Ambos sabiam, desde o início, qual seria a atitude de cada um.

– Mas e os vossos estudos? E as vossas devoções de cristão? – disse o pai. – Tencionais crescer e viver como qualquer selvagem das Américas?

Cosimo calou-se, pensativo. O pai acabara de formular alguns dos pensamentos que ele próprio ainda não havia posto nem acalentava o desejo de pôr a si mesmo. Depois respondeu:

– Temeis porventura, senhor meu pai, que pelo facto de estar apenas alguns metros acima de todos os outros os bons ensinamentos me não alcancem?

Esta foi, sem sombra de dúvida, uma resposta hábil de meu irmão, que diminuía o alcance do seu gesto: sinal de debilidade, por consequência de esmorecimento na sua atitude.

Disto mesmo se apercebeu imediatamente o barão nosso pai, que se tornou, desde esse momento, mais intransigente na sua posição:

– A rebelião não se mede a metro – sentenciou. – Ainda quando pareça muito breve, uma viagem pode para sempre permanecer sem regresso.

Nessa altura meu irmão poderia certamente ripostar com qualquer argumento de não menos nobreza, uma máxima latina, por exemplo. Neste momento não me ocorre precisamente qual fosse mais adequada à situação, mas naquela altura tanto eu como Cosimo sabíamos muitas máximas de memória. Mas meu irmão aborrecera-se subitamente dos jogos de palavras e da solenidade da conversa; deitou a língua de fora e gritou:

– Mas de cima das árvores mijo mais longe! – frase esta sem grande sentido, mas que teve a vantagem de cortar cerce a discussão.

Como se tivessem ouvido aquela frase, os farroupilhas desataram então numa gritaria infernal, que parecia nascer de todos os lados da Porta Capperi. O cavalo do barão di Rondò empinou-se. O barão esticou as rédeas e envolveu-se melhor no manto, como se se preparasse para partir. Mas voltou-se ainda uma vez mais, tirou um braço de dentro do manto, e, indicando o céu, que rapidamente se tinha carregado de pesadas nuvens, exclamou:

– Tomai cuidado, meu filho, que há ainda Alguém que pode mijar em cima de todos nós! – e esporeando o cavalo afastou-se a galope.

A chuva, de há muito esperada nos campos, começou então a cair em grossos pingos. Por entre os casebres via-se o corre-corre dos pés-descalços, com sacos enfiados na cabeça, cantando:

– *Ciêuve! Ciêuve! L'aiga va pe êuve!*[1]

Cosimo desapareceu, por entre as folhas já carregadas de chuva que, quando ele lhes tocava, lhe derramavam ondas de água na cabeça.

Eu, mal dei conta de que chovia, senti-me cheio de pena dele. Imaginava-o já todo ensopado, sem conseguir abrigar-se das bátegas de água oblíquas. Mas sabia que nem sequer um temporal o faria regressar.

Corri para junto de nossa mãe.

– Chove! Que irá Cosimo fazer, senhora minha mãe?

A generala correu a cortina e ficou por momentos a olhar a chuva. Estava calma.

– O mais grave inconveniente da chuva é o ficarem os terrenos lamacentos. Continuando ele lá em cima, não corre perigo.

– Mas bastarão as plantas para o proteger?

– Retirar-se-á para os seus acampamentos.

– Quais acampamentos, senhora minha mãe?

– Aqueles que, a seu tempo, ele deve ter tido o cuidado de arranjar.

– Mas não acha que faria bem ir à procura dele e levar-lhe um guarda-chuva?

Como se a palavra «guarda-chuva» a tivesse subitamente arrancado ao seu posto de observação da batalha para a fazer regressar aos seus cuidados e preocupações maternais, a generala exclamou:

– *Ja, ganz gewiss!*[2] E uma garrafa de xarope de mel, bem quente, embrulhada num trapo de lã! E um pano de encerado, para ele estender sobre os troncos, não vá trespassar alguma humidade... Mas onde

---

[1] Chove! Chove! A água cai a potes!
[2] Sim, com certeza!

estará ele, pobrezinho, sabe Deus onde ele estará a estas horas...
Esperemos que ao menos tu consigas encontrá-lo...

Saí para a chuva carregado de embrulhos, debaixo de um enorme
guarda-chuva verde. No braço levava ainda um outro guarda-chuva,
fechado, para entregar a Cosimo, caso o encontrasse.

Assobiei várias vezes o nosso sinal combinado, mas por resposta
obtinha apenas o ruído constante da chuva caindo sobre as folhas.
Fazia-se escuro; para além do jardim, eu não sabia para onde me
dirigir e movia-me ao acaso, pousando os pés em pedras escorrega-
dias e traiçoeiras, relvados muito moles, poças de água, e continuava
sempre a assobiar, inclinando o guarda-chuva para trás, a fim de
poder enviar o meu assobio para bem alto. A água caía-me na cara,
escorria pelas faces e pelos lábios, levando consigo o assobio, que eu
agora era incapaz de emitir. Pensei dirigir-me a certos terrenos que
eram propriedade do Estado e onde mais ou menos eu suspeitava
que ele tivesse construído o seu abrigo, mas, na escuridão que fazia,
perdi-me e parei, por fim, no meio da chuva, com o guarda-chuva de
Cosimo fechado e pendente do braço que apertava fortemente os
outros embrulhos. Só a garrafa de xarope de mel envolta no pano de
lã conseguia ainda comunicar-me um pouco do seu calor.

Eis senão quando, subitamente, num ponto alto, por entre aquela
escuridão, distingui um luzeiro entre as árvores, e que não podia de
modo algum ser a Lua ou as estrelas. Assobiei novamente, e ao meu
assobio pareceu-me ouvir, em resposta, o de meu irmão Cosimo.

– Cosimoooo!

– Biagiooo! – Entre a chuva uma voz, a voz de Cosimo, gritava
lá em cima o meu nome.

– Onde é que estás?

– Aqui...! Vou sair ao teu encontro, mas vê se te apressas, que me
molho todo!

Encontrámo-nos, enfim. Ele, embrulhado num cobertor, desceu
assim paramentado até a uma forquilha baixa de ramos de salgueiro,
a fim de me mostrar o caminho, através de uma complicadíssima
teia de ramificações, até à faia de alto porte onde eu vira tremeluzir
o luzeiro. Assim que se encontrou ao meu alcance, passei-lhe de

85

imediato o guarda-chuva e alguns dos embrulhos. Experimentámos então trepar pela árvore com os guarda-chuvas abertos, mas era impossível, porque ficávamos à mesma ensopados. Chegámos por fim aonde ele me guiava; a princípio não distingui nada, no meio de uma claridade que nos vinha de entre as abas de uma tenda.

Cosimo só ergueu então uma das abas da tenda, facultando-me a entrada. À luz de uma lanterna, descobri que me encontrava numa espécie de quarto minúsculo coberto e calafetado por todo o lado com lonas e tapetes, atravessado sobre o tronco da faia, com uma prancha pequena em madeira, o todo muito bem disposto sobre os ramos. De momento, as instalações de Cosimo pareceram-me quase um palácio, mas breve me dei conta do quanto era instável, porque a presença de ambos lá dentro lhe comprometia o equilíbrio e Cosimo era forçado a reparar constantemente fendas e aberturas. Pusemos os dois guarda-chuvas de fora, abertos, a cobrir dois buracos que havia no teto; mas a água corria de muitos outros buracos semelhantes e estávamos os dois todos ensopados. Quanto ao frio, era como se se estivesse em pleno ar livre. Mas Cosimo tinha acumulada ali uma tal quantidade de cobertores que era possível ficar-se soterrado debaixo deles, apenas com a cabeça de fora. A lanterna espalhava uma luz incerta, bruxuleante e, pelo teto e paredes daquela estranha construção, os ramos e as folhas da faia projetavam sombras intrincadas e fantasmagóricas. Cosimo ia bebendo a grandes sorvos o xarope de mel aquecido, enquanto soprava:

– Puah! Puah!

– É uma bela casa – disse eu.

– Oh, ainda é provisória – apressou-se Cosimo a responder. – Tenho de a estudar melhor.

– Construíste-a toda sozinho?

– Claro. Com quem havia de ser? Mas não digas a ninguém, porque ainda é secreta.

– Posso cá vir mais vezes?

– Não, porque se viesses mostrarias o caminho a qualquer outra pessoa.

– O pai disse que nunca mais há de mandar ninguém buscar-te.

– Não importa. Quero que continue secreta à mesma.

– É por causa daqueles rapazes que roubam fruta? Mas eles não são teus amigos?

– Umas vezes são, outras não.

– E a menina do cavalinho?

– Que te importa isso a ti?

– Queria só saber se é tua amiga, se vocês costumam brincar os dois juntos.

– Umas vezes brincamos, outras não.

– Porque é que outras não?

– Porque ou não me apetece a mim ou não lhe apetece a ela.

– E cá, já a trouxeste cá, à tua casa?

Cosimo, no escuro, procurava estender uma esteira pendurada num ramo.

– ... Se ela quisesse cá vir, recebia-a – disse ele, com ar grave.

– Mas ela não quer?

Cosimo estendeu-se sobre a esteira.

– Foi-se embora.

– Olha – perguntei eu, a meia-voz, como se receasse a reação dele. – Vocês estão noivos?

– Não – respondeu o meu irmão, encerrando-se num profundo silêncio.

Na manhã seguinte o tempo melhorara e estava um dia magnífico. Decidiu-se que Cosimo devia recomeçar as suas lições com o abade Fauchelafleur. Como, não se estabeleceu. Simplesmente, e num modo um tanto ou quanto brusco, o barão convidou o abade (– Em lugar de estar para aí a olhar as moscas, *mon abbé*... –) a ir procurar o meu irmão onde quer que este se encontrasse, fazendo-o traduzir um pouco do seu Virgílio.

Mas depois, temendo que os embaraços fossem demasiados e intransponíveis para o abade, procurou facilitar-lhe a tarefa; disse-me:

– Vai à procura do teu irmão e diz-lhe que esteja no jardim daqui a meia hora para a lição de latim. – Disse isto com o seu ar mais natural e com o mesmo tom de voz que, daí para o futuro, tencionara adotar; ainda que Cosimo continuasse em cima das árvores, tudo devia continuar como dantes.

Deste modo teve lugar a lição. O meu irmão encavalitado num ramo de olmo, com as pernas pendentes, e o abade por baixo, em cima da relva, sentado num pequeno escabelo, repetindo com Cosimo os hexâmetros.

Eu brincava por ali, sem me afastar muito das proximidades de Cosimo e do abade. Mas, tendo-me afastado momentaneamente um pouco mais, quando regressei tinha-os perdido de vista; reparei então que também o abade resolvera subir para cima da árvore; com as suas pernas muito magras e compridas enfiadas nas calças negras, procurava içar-se para uma forquilha formada pelos ramos, despendendo grande esforço. Cosimo ajudava-o, servindo-lhe de apoio e amparando-o pelo cotovelo. Finalmente, acabaram por encontrar um local que permitisse ao velho tomar uma posição cómoda e, juntos, deitaram-se a decifrar uma passagem difícil de Virgílio, inclinados para o livro. Meu irmão parecia dar provas de grande diligência.

Depois, não sei bem como aquilo aconteceu, como o discípulo procurasse escapulir-se, provavelmente porque o abade se tinha distraído e ficara para ali, encavalitado no ramo, com os olhos fixos no vago e a mente povoada de sonhos, como, aliás, era seu costume, o facto é que, subitamente, entre os ramos se encontrava apenas o velho abade vestido de negro, com o livro em cima dos joelhos, observando uma borboleta branca que esvoaçava por ali e cuja trajetória irregular ele seguia, de olhos muito fixos e boca aberta.

Quando a borboleta desapareceu, o abade compreendeu repentinamente a sua situação, sozinho ali em cima, e encheu-se de medo. Abraçou-se ao tronco e gritou com quanta força tinha:

– *Au secours! Au secours!*[1]

Ao som daquela gritaria, acorre por fim gente, com uma escada. Pouco a pouco, lá se acalmou e desceu da árvore.

[1] Socorro! Socorro!

IX

Em suma: com tudo aquilo, e apesar da sua famosa fuga, Cosimo vivia tão ligado a nós como dantes. Era um solitário que não se furtava ao contacto com as pessoas. Quase do mesmo modo seria possível afirmar que só as pessoas lhe interessavam, qualquer que fosse a qualidade e estado delas. Por cima das árvores, passeava por sobre os campos onde trabalhavam os camponeses cavando a terra, remexendo o estrume ou ceifando os prados e, à vista deles, dirigia-lhes saudações corteses. Os camponeses erguiam a cabeça, estupefactos, sem saber donde vinham as saudações, e ele procurava então fazer-lhes compreender onde se encontrava, porque abandonara já o hábito, que *antigamente* tinha, de fazer momices e partidas às pessoas que passavam por baixo das árvores onde se encontrasse. Nos primeiros tempos, os camponeses, vendo-o transpor distâncias tão grandes sempre sobre as árvores, ficavam um tanto ou quanto desnorteados, sem saber se deviam cumprimentá-lo desbarretando-se todos, como era devido aos senhores de nobre condição, ou se antes deveriam cobri-lo de impropérios, como qualquer pé-descalço. Depois habituaram-se e trocavam com ele opiniões sobre a marcha dos trabalhos, sobre o tempo, evidenciando até por fim um certo apreço por aquele jogo, afinal semelhante a tantos outros que os fidalgos praticavam, e não pior nem melhor do que qualquer outro.

Em cima das árvores meu irmão Cosimo passava horas e horas a vê-los trabalhar, formulando perguntas interessadas sobre os adubos e sementeiras, coisa que, enquanto fizera a sua vida sobre a terra e ainda que percorresse os campos a pé, nunca lhe passara pela cabeça fazer, entretido como vivia por aquela espécie de insociabilidade em relação aos inferiores que o fazia nunca dirigir a palavra aos servos ou camponeses que encontrasse.

Agora, por vezes, chegava mesmo a dar-lhes informações, elucidando-os sobre se os sulcos que cavavam na terra dos campos estavam direitos ou tortos ou até informando-os se, nas propriedades vizinhas, havia já tomates maduros; outras vezes punha-se de boa vontade ao dispor deles para fazer pequenas comissões, como, por exemplo, para ir dizer à mulher de um ceifeiro que lhe mandasse uma pedra de amolar ou até para advertir um grupo mais distante que desviasse uma regueira para um horto qualquer. E quando se desempenhava destas pequenas missões para os camponeses se lhe acontecia ver, ao passar por um trigueiral, um bando de pardais preparando-se para aí pousar, desatava a fazer uma grande gritaria e gestos frenéticos, enquanto agitava desesperadamente o barrete, para os enxotar.

Nas passeatas que fazia pelos bosques, conquanto raros fossem os encontros que tivesse com pessoas, estes eram, se os havia, tais que se imprimiam fortemente e ficavam gravados na memória, encontros de um género muito especial, que connosco nunca teriam lugar. Por essa altura tinha vindo de longe e assentara acampamento na floresta uma gente de vagabundos paupérrimos, emigrados das suas terras: carvoeiros, caldeireiros, vidraceiros, famílias inteiras que, atiçadas pelo aguilhão da fome, haviam abandonado as suas terras fugindo para bem longe em busca de melhores dias, procurando de algum modo granjear o seu pão pelo exercício dos seus instáveis misteres. Ao ar livre instalavam então as suas cabanas e oficinas, construindo precárias casotas de ramos, onde dormiam. A princípio aquele rapaz vestido de peles que passava pelos ramos mais altos das árvores metia-lhes um certo medo, especialmente às mulheres, que julgavam ver nele uma espécie de duende da floresta; mas depois ele acabara por travar amizade com aquele povo e ficava horas inteiras a vê-los trabalhar. E, à noite, quando todos se reuniam em volta das fogueiras, ele vinha instalar-se num ramo próximo, para escutar as histórias que contavam.

Os carvoeiros, que ocupavam as extensões mais vastas da terra cinzenta e batida, eram os mais numerosos. Gritavam expressões estranhas, tais como: *Hura! Hota!*[1], porque era gente de Bérgamo, cuja fala era incompreensível. Eram, também, os mais unidos entre eles: uma verdadeira corporação que se prolongava por todos os bosques, com parentela espalhada, laços que os uniam a famílias distantes e relações sempre mantidas. Por vezes, Cosimo servia de mensageiro entre um e outro grupo, dava notícias, encarregava-se de comissões.

– Os dos lados da Rovere Rossa pediram-me que vos dissesse que *Hanfa la Hapa Hota'l Hoc!*[2]

– Responde-lhes que *Hegn Hobet Hò de Hot!*[3]

Cosimo fixava de memória aqueles misteriosos sons aspirados e procurava repeti-los, do mesmo modo que procurava imitar o assobio característico dos pássaros que todas as madrugadas o despertavam.

Se, com efeito, se tinha já espalhado a notícia de que um dos filhos do barão di Rondò havia meses que não descia de cima das árvores, meu pai, porém, procurava sempre manter o segredo em relação a todas as pessoas que viessem de fora.

Vieram por essa altura visitar-nos os condes d'Estomac, direitinhos de França, onde tinham vastas propriedades, na baía de Toulon. Decidiram fazer um breve repouso em nossa casa. Não faço a menor ideia de quais fossem os verdadeiros interesses que, sob aquela súbita decisão, pudessem porventura ocultar-se, mas parece que, para reivindicar certos bens ou para confirmar a cúria a um filho bispo que tinham, os condes necessitavam do assentimento do barão di Rondò; e nosso pai, como é bem de ver, construía já, com base naquela aliança, um autêntico castelo de projetos relativos às suas nunca esquecidas pretensões dinásticas sobre Ombrosa.

[1] Em dialeto no original.
[2] Em dialeto no original.
[3] Em dialeto no original.

Realizou-se um banquete que era de morrer de enfado, tantos eram os salamaleques e mesuras que uns e outros trocavam entre si. Traziam os hóspedes um filho muito peralta, mas autêntico unhas de fome, de cabeleira postiça e muito ataviado. Por sua vez, o barão apresentou os filhos, isto é, apresentou-me somente a mim, dizendo, com ar compungido:

– Coitada, a minha filha Battista vive tão retirada, é muito pia, não sei se a podereis ver...

E eis que, subitamente, aparece aquela tola da nossa irmã, com a coifa de monja toda levantada e presa em cima com nastros e enfeites, pó de arroz na cara e luvas calçadas até meio dos braços. Mas até isto mesmo era compreensível, porque desde aquele incidente com o marquesinho della Mela nunca mais tivera oportunidade de ver outros jovens, a não ser os rapazolas do campo ou criados. O condezinho d'Estomac desfazia-se em salamaleques; e ela ria muito, risadinhas histéricas. O barão, que tinha feito uma cruz sobre a filha, começou imediatamente a magicar novos projetos possíveis que não lhe davam descanso à cabeça.

Mas o conde parecia por completo indiferente a tudo aquilo.

– Mas não tínheis outro filho, um varão, Monsieur Arminio? – perguntou ele, curioso.

– Sim, o mais velho – acabou nosso pai por confessar –, mas, imaginai, por triste coincidência, meu filho anda à caça.

E não tinha mentido, porque, naquela altura, Cosimo passava a vida no bosque, com a espingarda nas mãos, fazendo esperas às lebres e aos tordos. A espingarda tinha sido eu quem lha conseguira. Era a espingardita ligeira que Battista usava para caçar ratos e que, desde há uns tempos, ela – negligenciando assim as suas caçadas – tinha deixado abandonada, pendurada num prego.

O conde quis então saber qual a caça que se poderia praticar pelos arredores. O barão respondia em termos muito vagos e com ar abstrato, porque, dada a pouca ou nenhuma atenção e paciência que tinha em relação ao mundo que o rodeava, nunca se dedicava a caçadas. Atalhei eu, se bem que me tivesse sido proibido meter-me nas conversas dos mais velhos, respondendo à pergunta do conde.

– E tu, pequeno, que costumas fazer? – perguntou-me o conde.

– Eu vou buscar os animais mortos pelo meu irmão e levo-os para cima das... – comecei eu a dizer, mas não tive tempo de acabar, porque meu pai interrompeu:

– Quem te convidou a tomar parte na conversa? Vá, vá, vai brincar!

Estávamos no jardim. A noite havia já caído, mas, como era verão, havia ainda luminosidade. E eis que, caminhando sobre plátanos e olmos, vimos Cosimo, que vinha na nossa direção, muito tranquilamente, de polainas calçadas e espingarda posta a tiracolo, como qualquer caçador.

– Eh! Eh! – fez o conde, erguendo-se da cadeira e estendendo o pescoço para o ver melhor, com ar muito divertido. – Quem é que vai além? Quem é que vai além em cima das árvores?

– O que é? Não sei bem... ter-me-á escapado... – dizia nosso pai, sem olhar na direção indicada, mas antes com os olhos fixos nos do conde, como se, por aquele modo, quisesse assegurar-se de que o que este via era real.

Entretanto, meu irmão Cosimo aproximara-se ainda mais e estava mesmo por cima deles, com as pernas esticadas e pés bem assentes numa forquilha.

– Ah, sim, é o meu filho Cosimo. São ainda rapazes, os meus filhos, e brincam. Vedes? Para fazer uma surpresa trepou lá acima...

– É o mais velho?

– Sim, sim, dos dois varões é o mais velho, mas pouca é a diferença, são ainda duas crianças e gostam de brincar, isto é, é sabido como são as crianças...

– Mas a andar assim por cima das árvores corre um grande perigo. Pode cair. É perigoso, ainda por cima carregado com um autêntico arsenal...

– Ora, brincam... – e, com um esforço terrível e uma má-fé que o fez corar muito, acrescentou, dirigindo-se a Cosimo:

– Que fazes aí em cima, hem? Desce, anda! Vá, vem cumprimentar o senhor conde!

Cosimo tirou da cabeça o barrete de pele de gato e fez uma reverência.

– Muito prazer, senhor conde.

– Ah, ah, ah! – ria o conde –, bravíssimo, bravíssimo! Deixai-o estar lá em cima, deixai-o estar lá em cima, Monsieur Arminio! Ah, ah! Esplêndido rapaz este que anda pelas árvores! – E ria, cheio de satisfação.

E o papalvo do condezinho dizia:

– *C'est original, ça. C'est très original!*[1] – como se não soubesse dizer outra coisa.

Cosimo sentou-se numa forquilha da árvore. Nosso pai mudou de conversa e falava, falava, procurando distrair a atenção do conde. Mas, de vez em quando, o conde levantava os olhos e via o meu irmão lá em cima, ora numa, ora noutra árvore, limpando a espingarda com um pano, ou encerando as polainas, ou até embrulhando-se nalgum cobertor, porque vinha caindo a noite e, com ela, o fresco.

– Ah!, mas imagine-se bem! Mas o rapaz sabe fazer tudo lá em cima, sozinho! Ah, é espantoso, gosto imenso dele! Ah, mas hei de contar isto tudo na corte assim que lá aparecer! Hei de contar tudo isto ao meu filho bispo! E não só a ele, hei de contar tudo à princesa minha tia!

Meu pai estava sobre brasas. E, ainda para mais, havia outro pensamento que não lhe dava descanso: desde há alguns momentos não via a filha. Tanto ela como o condezinho haviam desaparecido de vista.

Cosimo, que entretanto se tinha afastado um bocado, natural-mente para proceder a alguma das suas voltas de exploração, regres-sou nesse momento, todo afogueado.

– Fez-lhe soluços! Fez-lhe soluços!

O conde ergueu-se, dando sinais de evidente preocupação.

– Oh, que desagradável! Que maçada! Meu filho sofre muito de soluços. Vá, jovem corajoso, ide ver o que se está a passar. E dizei-lhes que voltem imediatamente.

Cosimo saltou para outra árvore, e quando voltou vinha ainda mais afogueado do que da primeira vez.

[1] É original, isso. É muito original!

– Andam a perseguir-se. Correm atrás um do outro! Ela quer meter-lhe uma lagartixa viva por baixo da camisa, para ver se lhe faz passar logo os soluços! E ele foge, porque não quer! – E desapareceu, para ir ver mais.

Deste modo passámos aquele serão na nossa *villa*, certamente não muito diverso de tantos outros.

Cosimo continuava em cima das árvores e, de lá de fora, participava à mesma na vida comum. Mas, desta vez, nada podíamos fazer. Tínhamos convidados em nossa casa e a fama do estranho comportamento e dos estranhos costumes de meu irmão espalhava-se pela Europa, com grande vergonha de nosso pai. Vergonha imotivada, sem dúvida, tanto mais que o conde d'Estomac partiu com uma impressão muito favorável da nossa família.

E assim aconteceu que nossa irmã Battista foi pedida em casamento para o condezinho.

X
~

As oliveiras, com os seus ramos torcidos e inclinados, eram para Cosimo esplêndidos caminhos, cómodos e planos. Ao mesmo tempo, aquelas árvores eram para ele das mais queridas e pacientes, porquanto a casca, rugosa e cheia de asperidades, era das melhores para apoiar os pés e permitir o equilíbrio, ainda que os ramos grossos escasseassem bastante em cada árvore, não permitindo, deste modo, uma grande variedade de movimentos. Em vez delas, as figueiras, desde que se tenha o cuidado de não pisar senão aqueles ramos que suportem bem o peso, permitem, com a sua grande variedade de troncos e a extensão que cobrem, inúmeras voltas e itinerários sempre novos. Sob o espesso pavilhão das folhas, Cosimo vê o sol transparecer pelo meio das nervuras que riscam as largas páginas das folhas, os frutos verdes aumentarem pouco a pouco e sente o aroma do suco leitoso que escorre pelo colo dos pedúnculos. A figueira como que se apropria de quem está em cima dela, como que o impregna da sua seiva leitosa e até do próprio zumbido das abelhas; ao fim de pouco tempo, porém, Cosimo, na sua atitude de estática imobilidade, corria o risco de ele próprio se confundir com um figo e, pouco à vontade, afastava-se.

Está-se bem em cima de um rijo sobreiro ou de uma amoreira carregada de frutos; só é pena que escasseiem. Assim também as nogueiras. E, às vezes, eu próprio, que em tudo seguia o meu irmão, vendo-o enfronhar-se entre a ramaria de uma velha nogueira já meio carcomida, imaginando-a um estranho palácio de construção bizarra, com muitos pisos e inumeráveis quartos, sentia apoderar-se de mim um desejo quase irreprimível de o imitar, de subir também para cima das árvores; tal é a força e certeza com que uma árvore afirma a sua personalidade de árvore, a sua obstinação em ser pesada e rija, que se exprime até nas próprias folhas.

Cosimo de boa vontade se instalava entre as folhas agitadas pela brisa dos olmos (ou álamos, como lhes chamávamos desde que se encontrassem adentro dos confins do parque da nossa casa, provavelmente influenciados pelos termos preciosos da linguagem rebuscada que meu pai usava) e amava verdadeiramente a casca rachada e rugosa a que, quando estava mergulhado nos seus mais profundos pensamentos, ia arrancando pequenas lascas com os dedos, não como um instinto natural para praticar o mal, mas como que pretendendo ajudar a árvore na sua ancestral tarefa de um contínuo refazer-se. Outras vezes, escamava a casca tenra e branca dos plátanos, descobrindo estratos de polpa velha e bolorenta. Amava até os idosos troncos verrugosos e esburacados como os dos olmos e onde as verrugas por vezes ostentavam rebentos tenros, tufos de folhas serrilhadas e cartilagens moles; mas sobre eles também os movimentos são difíceis, porque os ramos se erguem ágeis e magros para o céu, deixando pouco espaço vago. Nos bosques preferia as faias e os carvalhos: porque sobre os pinheiros, as ramagens, muito próximas umas das outras e todas cobertas de agulha, não deixam espaço para repouso nem oferecem possibilidades de apoio; e os castanheiros, entre as folhas espinhosas, rijas e pequenas e os ramos altos, parecem ter sido feitos de propósito para afastar os intrusos.

Estas amizades e distinções foi-as Cosimo estabelecendo com o tempo, pouco a pouco. Ou melhor: aprendeu depois a estabelecê-las; mas já naqueles primeiros dias começavam a fazer parte integrante dele, como que por instinto natural. Era o mundo que agora lhe parecia cada vez mais diferente, formado por pontes estreitas e curvas estendendo-se sobre o vazio, por nós na madeira, por escamas ou rugas que tornam ásperas a pele das árvores, por tons luminosos variando o verde das plantas segundo os tufos de folhas mais espessas

ou mais raras, agitando-se ao primeiro sopro de brisa sobre os pedúnculos ou com movimentos de velas pandas num inclinar dolente dos
ramos da árvore.

Enquanto isso, e por oposição a tudo aquilo, o nosso mundo
surgia-lhe lá em baixo, lá no fundo, e nós próprios tínhamos figuras desproporcionadas e nada compreendíamos, evidentemente,
de tudo aquilo que ele, lá em cima, ia vendo e sentindo. Nem tão-
-pouco o compreendíamos verdadeiramente a ele, que passava noites
a ouvir como o lenho dos troncos vai fabricando nas suas células
todos aqueles sinais que indicam os anos da vida da árvore, no interior do tronco, e como os musgos e bolores vão estendendo as suas
minúsculas florestas ao sabor do vento norte; e, ainda, como, com
um calafrio, os pássaros adormecidos no ninho escondem a cabeça e
o bico debaixo da asa, onde é mais leve, fofa e morna a plumagem do
corpo; como é o despertar das pequenas lagartas da verdura e como
se abrem os ovos estalados dos pássaros.

É aquele o momento em que o silêncio do campo se constrói,
na intimidade do ouvido, num fervilhar de rumores, num súbito
crocitar, num trilo, num murmúrio velocíssimo entre as ervas, num
estalido na água, num pequeno e miúdo caminhar entre as pedras
e a terra e, sobre tudo isto, no canto seco da cigarra. E os rumores
misturam-se e casam-se uns com os outros e o ouvido consegue
distinguir sempre ruídos novos e diferentes entre o amálgama dos
antigos, como os dedos que, desfazendo uma flor, encontram em
cada estame não apenas uma unidade, mas uma teia intrincada de
fios sempre mais subtis e impalpáveis do que os anteriores.

E entretanto as rãs, que continuavam com o seu coaxar a servir de
fundo a todos os rumores, sem que se transmute o fluxo dos sons, da
mesma maneira que para o amigo fiel das estrelas continua sempre
igual o brilho dos astros. Agora, porém, a cada despontar e correr do
vento, todos os rumores mudavam e se faziam diferentes e novos.
Somente no recanto mais profundo e íntimo do ouvido continuava
aquela sombra de mugido rouco ou de murmúrio: era a voz do mar.

Chegou o inverno, e Cosimo fez para si próprio um gibão de peles. Coseu-o ele mesmo, com retalhos de várias peles de animais, por ele próprio caçados: peles de lebres, de raposas, de martas e de furões.

Inventou até umas calças, em pelo de cabra, com os fundos e os joelhos em couro.

Com respeito a calçado, tinha finalmente descoberto que para caminhar sobre as árvores não eram os sapatos os mais indicados, mas pantufas, e deitou-se a construir um par delas, já não me lembro com que pele, mas de texugo, provavelmente.

Desta maneira se ia defendendo do frio. É forçoso, todavia, frisar que, naquele tempo, os invernos que faziam na nossa região eram muito suaves, sem aquele frio que se diz que Napoleão experimentou na Rússia e que o fez correr sempre desde lá até aqui. Mas, ainda assim e conquanto os invernos fossem suaves, passar as noites ao luar era coisa a que não se podia verdadeiramente chamar uma bela vida.

Para a noite Cosimo descobrira o sistema dos odres de pele; nada de barracas de campanha ou até de cabanas: um bom odre, com pelo na parte de dentro, bem amarrado a um ramo. Metia-se lá dentro, desaparecendo por completo, e ali se deixava dormir, no quente, todo aninhado como qualquer criança. Se porventura algum rumor insólito atravessava a noite, via-se sair, da boca do saco de pele, o barretezinho de pelo de gato, o cano da espingarda e, finalmente, a cabeça de Cosimo, com os olhos muito abertos e estremunhados. (Correu até o boato de que os olhos se lhe tivessem tornado luminosos no escuro, como os dos gatos e dos mochos; eu, porém, nunca dei conta de que tal acontecesse.)

Em vez disso, logo de manhã, mal cantava a cotovia, viam-se sair do saco duas mãos muito esticadas, e depois os braços; os punhos erguiam-se e os dois braços alargavam-se, esticando-se lentamente, e aquele espreguiçar matinal arrancava-lhe para fora do saco o rosto todo aberto num bocejo, o corpo com a espingarda a tiracolo e o polvorinho pendurado e, finalmente, as pernas arqueadas (começava a tê-las ligeiramente tortas desde que adquirira o hábito de se manter em equilíbrio ou movimentar-se de um lado para o outro sempre acocorado). Aquelas pernas saíam fora do saco, espreguiçavam-se

também e assim, com um esticar saudável da espinha, um coçar-
-se debaixo do casacão de pele, desperto e fresco como uma rosa,
Cosimo seguia a começar um novo dia.

Ia à fonte, porque tinha uma fonte pênsil, que ele próprio inven-
tara, ou melhor, construíra, auxiliando a natureza. Havia um rio
que em determinado ponto sofria um grande desnível e caía em
cascata e, aí perto, um carvalho erguia para o céu os seus ramos
altos e vigorosos. Cosimo, com um pedaço de casca de choupo, de
uns bons dois metros de comprimento, construíra uma espécie
de goteira ou bica, que levava a água da cascata para cima dos ramos
do carvalho e, graças a este engenho, conseguia beber e lavar-se.
E que se lavasse posso eu assegurá-lo, porque várias vezes o vi a
fazê-lo; não se lavava lá muito, nem se pode dizer que o fizesse
diariamente, mas lavava-se; inclusivamente tinha sabão lá em cima.
E, como dispusesse de sabão, dava-lhe por vezes a fantasia e chegava a fazer autênticas barrelas à roupa, em cima das árvores; tinha
conseguido dispor sobre o carvalho uma selha para a roupa. Depois
de lavada, estendia a roupa a enxugar numa corda, esticada de um
ramo a outro do carvalho.

Em suma, tudo conseguia fazer, sozinho em cima das árvores.
Descobrira até maneira de conseguir assar no espeto a caça por ele
apanhada sem ter de descer a terra. Procedia do seguinte modo:
deitava fogo a uma pinha, com um fuzil, e deitava-a para o chão,
para um local onde funcionava uma espécie de fogareiro (o fogareiro tinha sido eu quem lho construíra, com umas pedras lisas que
arranjara), e depois deixava cair em cima da pinha a arder gravetos e
ramos secos, regulando a chama com um abano preso a um varapau
bastante comprido, de modo que chegasse ao espeto, apoiado em
duas forquilhas de ramos espetados um de cada lado do fogareiro
improvisado. Tudo isto requeria muita atenção, porque é fácil, ao
menor descuido, provocar um incêndio na floresta. Talvez por isso
mesmo, construíra esta espécie de fogareiro debaixo do carvalho,
muito próximo da cascata, donde podia trazer, em caso de perigo
iminente, toda a água necessária para apagar qualquer fogo que se
declarasse.

Deste modo, alimentando-se em parte dos produtos das suas caçadas, em parte do que conseguia trocar com os camponeses, obtendo hortaliças e fruta, vivia bastante bem, sem ter inclusivamente necessidade de que lhe mandássemos de casa com que se ir alimentando. Um dia soubemos até que, todas as manhãs, ele bebia a sua porção de leite fresco; travara amizade com uma cabra que ia todos os dias empoleirar-se numa forquilha baixa de uma oliveira, local acessível, situado a uns curtos dois palmos do solo, e deste modo, se bem que não se possa dizer com propriedade que a cabra se empoleirasse na árvore, colocava as patas de trás na forquilha e ele, descendo até aos ramos mais baixos com um balde, mungia-a. Um acordo semelhante parecia também ter-se estabelecido entre ele e uma galinha vermelha, pedrês, esplêndida. Cosimo fizera-lhe um ninho escondido, no buraco de um tronco, e dia sim dia não lá encontrava um ovo, que bebia imediatamente, após o ter furado nas extremidades com um alfinete.

Outro problema teve de resolver: o de fazer as suas necessidades. A princípio fazia onde calhava e lhe apetecia, aqui ou acolá, para ele era igual, porque o mundo é grande e vasto. Mas depois compreendeu que não devia continuar a usar o mesmo processo. Descobriu então, numa das margens do rio Merdanzo, um amieiro que estendia os seus ramos sobre um local verdadeiramente propício e adequado ao fim. O local era retirado e, sentado numa forquilha dos ramos, podia-se estar ali comodamente e sem perigo de se ser importunado. O Merdanzo não era propriamente um rio, mas uma torrente obscura, que corria oculta entre margens cobertas de caniçais, de curso muito rápido, e os camponeses da região serviam-se dele como escoadoiro para as suas imundícies e demais lixo.

Assim, o jovem Piovasco di Rondò ia vivendo civilmente, respeitando não só o decoro do próximo como também o seu próprio.

Mas, apesar de tudo isto, faltava-lhe um necessário complemento humano na sua vida errante de caçador: um cão. Até aí, era eu quem me lançava em correria pelos silvados e moitas para ir buscar os tordos e codornizes mortos em pleno voo ao serem surpreendidos, em pleno céu aberto, pelos disparos certeiros da espingarda ou até mesmo as raposas quando, após uma longa noite de espera, ele apanhava alguma com a cauda comprida a aparecer por detrás de umas moitas. Raras vezes eu tinha oportunidade de me ir juntar a Cosimo nos bosques. As lições com o abade Fauchelafleur, os estudos, as longas refeições com os pais, o ajudar à missa, tudo isto me retinha e deixava pouco tempo livre; os pequenos e inúmeros deveres familiares a que eu tinha de me submeter limitavam-me irremediavelmente, porque, no fundo, a frase, que eu ouvia sempre repetida: «Numa família, para rebelde já basta um!», não deixava de ter a sua razão, e, independentemente da minha vontade, essa frase deixou para o resto da minha vida a sua marca em mim.

Portanto, quando Cosimo andava à caça fazia-o normalmente só e, para recuperar as peças de caça abatidas (quando não aconteciam acasos felizes, tais como os dos pássaros abatidos que por vezes ficavam presos aos ramos, de asas muito abertas e plumagem bem visível), Cosimo via-se forçado a empregar instrumentos de pesca: fios de pesca com um anzol na ponta, ganchos ou croques. Mas nem sempre conseguia levar a bom termo tão morosas como delicadas operações e por vezes sucedia até que alguma narceja abatida ficava negra das formigas que acabavam por cobri-la.

Até então, como já tive ocasião de dizer, era eu quem realizava semelhantes tarefas de cão de caça. Porque, nessa altura, Cosimo entregava-se quase sempre a caçadas de espera, passando manhãs inteiras ou até noites empoleirado num ramo, à espera que o tordo viesse pousar nos píncaros da árvore ou que uma lebre atravessasse ocasionalmente a clareira que ele observava. Caso tal não sucedesse, ia seguindo de árvore em árvore, seguindo o canto dos pássaros ou perscrutando as pistas mais prováveis e prometedoras dos animais de pelo.

Quando ouvia os ladridos dos perdigueiros e sabujos atrás das lebres ou raposas, sabia que era seu dever passar ao largo, porque aquela presa não lhe pertencia a ele, caçador solitário e casual, mas aos que vinham lá em baixo, pelos campos. Respeitador como sempre foi de todas as normas, ainda que, dos seus locais de observação onde porventura se encontrasse tivesse oportunidade de descobrir e manter sob a mira da sua espingarda a caça perseguida pelos cães dos outros caçadores, jamais erguia a arma para atirar. Esperava calmamente que pelos carreiros viessem vindo os caçadores ofegantes, de ouvido apurado e olhos perdidos, inspecionando todos os acidentes de terreno, e indicava-lhes o local por onde tinha fugido o animal.

Um dia viu uma raposa que vinha fugida, tal uma onda fulva correndo pelo meio da erva verde, resfolegando ferozmente e de bigodes muito tesos; atravessou o prado e desapareceu num silvado. Atrás vinham os cães, ladrando:

– Uauauaaa!

Chegaram correndo, farejando a terra com os narizes e por duas vezes perderam o rasto da raposa e fizeram meia volta, desnorteados, sem faro.

Encontravam-se já distantes quando, subitamente, se ouviu um ganido fino:

– Ui, ui. – E, fendendo a erva, lá apareceu outro que vinha avançando a saltos pequenos e contínuos, mais parecendo um peixe do que propriamente um cão. Era uma espécie de delfim que vinha por ali adiante farejando o chão com um focinho mais agudo e orelhas mais pendentes do que as dos perdigueiros. A parte de trás era nitidamente de peixe, e ao andar e correr mais parecia que nadava, agitando as barbatanas, ou então patas de palmípede. Em suma, dir-se-ia não ter pernas e era compridíssimo. Surgiu, por fim, em campo aberto: era um baixote.

Certamente tinha-se unido à matilha de perdigueiros e ficara para trás, graças à sua tenra idade, pois era na verdade ainda muito novo. Os ladridos dos perdigueiros eram já um – Buaf – distante e despeitado, porque tinham perdido a pista e a corrida compacta da matilha tinha-se desdobrado numa autêntica rede de pesquisas, com os focinhos farejando os terrenos que circundavam uma clareira deserta. Com demasiada impaciência de encontrarem o rasto perdido, iam, pouco a pouco, perdendo também a excitação e o entusiasmo. Alguns deles, até, aproveitavam aquela interrupção para, alçando a perna junto de uma árvore, esvaziarem a bexiga.

Assim, o baixote, ofegante, de língua de fora, mas com o seu focinho muito comprido erguido num ar triunfal completamente injustificado, alcançou-os novamente, acabando por se reunir à matilha. Continuava, injustificadamente também, a lançar aqueles seus latidos estridentes, de astúcia:

– Uai! Uai!

De repente, com um – Aurrch! – irritado, os perdigueiros voltaram-se contra ele, rosnando, abandonando por momentos a pesquisa do rasto da raposa e dirigiram-se contra o baixote, escancarando as bocas em atitude feroz.

– Gggbrr! – E depois, rapidamente e como se tivessem mudado de ideias de repente, desinteressaram-se do baixote e afastaram-se em nova correria.

Cosimo seguia sempre o cachorro com o olhar. Este andava por ali e, em dado momento, erguendo o focinho afilado, viu o rapaz empoleirado em cima da árvore. Saracoteou-se todo, agitando a cauda. Cosimo estava convencido de que a raposa continuava escondida por ali. Os perdigueiros tinham-se afastado para longe e ouvia-se, de vez em quando, um latido mais alto e sem motivo, ressaltando no meio das vozes abafadas dos caçadores, que os incitavam.

Dirigindo-se ao baixote, Cosimo disse:

– Busca! Busca! Vá, busca!

O cãozito começou a farejar a terra e de vez em quando voltava o focinho para olhar o rapaz lá em cima.

– Vá, vá! Busca, vá! Busca!

Deixou de o ver. Ouviu um restolhar no meio das moitas e logo a seguir:

– Auauauaaa! Iai, iai, iai! – O baixote tinha levantado a raposa!

Cosimo viu-a correr, atravessando o prado. Mas poderia ele disparar a uma raposa que vinha sendo perseguida pelos outros? Deixou-a passar e não disparou. O baixote ergueu o focinho para ele, com aquele olhar aguado característico dos cães quando não compreendem e não sabem que podem ter muita razão em não compreender, e, colando o focinho à terra, lançou-se novamente em correria, perseguindo a raposa que fugia mais à frente.

– Iai, iai, iai! – Fê-la dar uma volta completa. Ali voltava ela. Cosimo debatia-se na dúvida. Podia disparar ou não? Não disparou. O baixote voltou a fitá-lo com um olhar de mágoa. Já não ladrava, mas, com a língua ainda mais pendente do que as orelhas, continuava a perseguir a raposa.

O levantar da raposa tinha desorientado os perdigueiros e os caçadores. Por um atalho vinha correndo um velho empunhando um arcabuz.

– Eh lá! – gritou-lhe Cosimo –, aquele baixote é vosso?

– O diabo que te carregue mais a toda a tua família! – gritou o velho, ofegando, e que certamente não devia regular muito bem da cabeça. – Temos cara de quem caça com baixotes?

– Então, se assim é, posso atirar à raposa, se for o baixote a levantá-la! – insistiu Cosimo, advertindo-o, porque queria estar completamente em regra.

– Dispara! Dispara até ao raio que te parta! – respondeu o outro, afastando-se a correr.

O baixote trouxe-lhe de volta a raposa perseguida. Cosimo disparou e atingiu-a. Daí para diante, o baixote passou a ser o seu cão; pôs-lhe o nome de *Ottimo Massimo*.

Ottimo Massimo era um cão que não pertencia a ninguém, um cão que se tinha juntado à matilha de perdigueiros e sabujos por pura paixão juvenil. Mas donde teria vindo, donde teria saído? Desejoso de descobrir isto mesmo, Cosimo deixou-se guiar pelo baixote, a ver até onde este o levava.

O baixote, rasando a terra, atravessava sebes e fossos; depois voltava-se, para ver se o rapaz que ia por cima das árvores conseguia segui-lo. Tão intrincado era aquele percurso que, subitamente, Cosimo não deu conta do local onde se encontrava. Quando compreendeu, o coração deu-lhe um baque: tinha entrado no jardim dos marqueses d'Ondariva.

A *villa* estava toda fechada e as persianas corridas: somente uma, numa mansarda, balançava ao sabor do vento. O jardim abandonado tinha agora mais do que nunca o aspeto de uma floresta do outro mundo. E, pelas áleas agora cobertas de erva e pelos canteiros,

Ottimo Massimo movia-se, feliz, como se se encontrasse na sua própria casa.

Desapareceu por detrás de umas moitas. Quando voltou a aparecer, trazia uma fita presa entre os dentes. O coração de Cosimo começou a bater mais depressa.

– O que é, *Ottimo Massimo*? Hem? O que é isto? De quem é? Anda, diz de quem é!

Ottimo Massimo saracoteava-se todo, abanando a cauda.

– Traz cá, traz cá, *Ottimo Massimo*!

Cosimo, que entretanto tinha descido para um ramo baixo, tirou da boca do cão aquela fita perdida, que era certamente uma das fitas que costumava prender os cabelos de Viola, do mesmo modo que aquele cão devia ser certamente um dos de Viola, ali esquecido no último momento, devido ao bulício e atrapalhação da partida. E, pensando melhor, Cosimo parecia até lembrar-se dele, do verão anterior, ainda recém-nascido, agitando-se dentro de um cestinho que a garotinha loura embalava nos braços. Devia tratar-se de mais algum presente que, na altura, lhe tivessem dado.

– Busca, *Ottimo Massimo*! – incitava Cosimo, e o baixote metia-se por entre os tufos de bambus, e regressava com mais objetos perdidos, outras tantas recordações de Viola: a corda de saltar, um pedaço de tecido esfarrapado e até um leque.

No alto do mais alto ramo do jardim, meu irmão gravou com a ponta do espadim os nomes *Viola* e *Cosimo*, e depois, mais abaixo, com a certeza de que com isso agradaria a Viola, ainda que a garotinha o tratasse por outro nome qualquer, inscreveu na casca da árvore: *Cão baixote Ottimo Massimo*.

Daí em diante, sempre que se via o rapaz em cima das árvores podia-se ter a certeza de que, olhando para baixo, para o local da terra que se encontrasse por baixo dele, se veria certamente o baixote *Ottimo Massimo* correndo por ali, com a barriga quase a tocar no chão. Cosimo tinha-o ensinado a apontar a caça, a permanecer imóvel e a procurar o rasto e até a ir buscar as peças abatidas: todas as tarefas características dos cães de caça Cosimo lhe ensinou e, por fim, já não havia um único animal no bosque que não caçassem juntos. Para lhe entregar a caça abatida, *Ottimo Massimo* trepava até aos troncos mais altos a que conseguia subir; Cosimo descia até aos ramos baixos, para lhe tirar da boca a lebre ou narcejas abatidas e recompensava-o com uma carícia amiga na cabeça. Aí trocavam as suas confidências e as festas que tinham para fazer um ao outro. Mas, frequentemente, entre a terra e os ramos, corria um diálogo, uma compreensão inteligente, um trocar de pequenos latidos e estalos de língua e de dedos.

Nem um nem outro traiu jamais aquela presença necessária que o homem representa para o cão e o cão para o homem; e, diferentes de todos os homens e cães à face da terra, podia dizer-se que eram, como homem e cão, felizes.

XI
༄

Durante muito tempo, toda uma época em que decorreu a sua adolescência, a caça foi para Cosimo um mundo. E não só a caça, mas a pesca também, porque a ela se dedicava, aguardando, num local onde as águas da torrente fossem mais calmas, que as enguias e trutas lhe viessem morder o anzol, preso à linha com que, empoleirado nos ramos da árvore, ele se entretinha a pescar. Por vezes dávamos connosco próprios a pensar em Cosimo como se este possuísse instintos e sentidos completamente diversos dos nossos, como se aquelas peles com as quais confecionara o seu novo vestuário correspondessem nele a uma transmutação completa da sua natureza. É certo que o permanecer continuamente em contacto direto com as árvores, as suas asperezas e de olho fixo no mais leve agitar de penas entre a folhagem, no menor sinal de pelo ou de escamas ou até naquela gama de cores que reveste esta face para nós desconhecida do mundo e ainda mesmo no verde fluxo de seiva que circula como um sangue sobrenatural pelas veias das folhas, todas estas formas de vida tão distante da humana como um tronco de árvore, um bico de tordo, uma guelra de peixe, estes limites da natureza, entre os quais havia mergulhado tão profundamente, bem podiam daí em diante modelar o seu espírito, fazê-lo perder toda e qualquer semelhança com um homem. Em lugar disso, porém, por mais dotes e características que absorvesse da comunhão estreita em que vivia com as plantas e da luta com os animais constantemente travada, sempre me pareceu claro – e jamais tive dúvidas – que o lugar dele era do lado de cá, juntamente connosco.

Mas, ainda que o não quisesse, certos hábitos e costumes iam-se tornando cada vez mais raros, até acabarem por ser completamente perdidos. Como, por exemplo, o seu costume de nos acompanhar à missa grande de Ombrosa. Durante os primeiros meses procurou manter o seu hábito. Todos os domingos, ao sair a família enfarpelada, envergando os fatos de cerimónia, ia dar com ele sobre os ramos. Nessas alturas a indumentária que Cosimo envergava parecia também possuir o seu quê de festivo e solene na intenção com que ele se arranjara. Voltava, por exemplo, a vestir a casaca já velha e remendada e, em lugar do barrete de pelo de gato, punha o tricórnio na cabeça.

Nós seguíamos muito dignos e ele vinha atrás de nós, caminhando por cima dos ramos, e deste modo a família desembocava no largo da igreja, sob os olhares das gentes de Ombrosa (mas até estes bem depressa se habituaram, o que contribuiu também, em grande parte, para vencer o mal-estar que, nessas alturas, nosso pai experimentava), com passos muito certos, e Cosimo, saltando no ar de um ramo para o outro, como uma estranha visão, sobretudo no inverno, quando as árvores estavam sem folhas.

Depois, nós entrávamos para a catedral, sentávamo-nos muito direitos no banco reservado à nossa família e ele ficava do lado de fora. Instalava-se num álamo que ficava do lado de uma das naves, precisamente à altura de uma larga janela. Do banco víamos, através dos vitrais coloridos, a sombra dos ramos e, entre eles, a de Cosimo, com o tricórnio cruzado sobre o peito em atitude de veneração, com a cabeça descoberta e inclinada. Por acordo estabelecido entre meu pai e o sacristão, todos os domingos aquela janela era deixada entreaberta, de modo que meu irmão pudesse atender à missa, da sua árvore. Mas, com o passar do tempo, deixámos de o ver. E a janela passou a ficar sempre fechada, porque fazia corrente de ar e incomodava os crentes.

———

Muitas coisas que antigamente seriam importantes até mesmo para ele breve deixaram de o ser. Na primavera foi o noivado da nossa irmã. Quem poderia tê-lo imaginado apenas um ano atrás? Vieram os condes d'Estomac, trazendo consigo o condezinho peralta, e fez--se uma grande festa. O nosso palácio tinha todos os quartos e salas iluminados. Ali se tinha reunido toda a nobreza da região e arredores e dançava-se. Haveria ainda alguém que pensasse em Cosimo? Pois bem, para dizer a verdade e falar com o coração nas mãos, todos nós pensávamos nele. De vez em quando, eu olhava através das janelas a ver se ele chegava; o nosso pai andava triste e, durante aquela festa familiar do noivado da filha, tenho a certeza de que o pensamento do barão estava com Cosimo, que se excluíra a si próprio da festa; a generala, que dava ordens no meio da festa como se se encontrasse numa praça de armas, tenho também a certeza de que, com a sua atitude, pretendia apenas afogar as saudades que sentia do filho ausente. E talvez até mesmo Battista, que andava pelo meio de todos a fazer piruetas, e irreconhecível sem as vestes de monja, com uma cabeleira que a fazia assemelhar-se a um massapão e um *grand panier*[1] guarnecido de corais que lhe fizera não sei que costureira, também em relação a ela eu era capaz de apostar que só pensava em Cosimo.

Mas Cosimo compartilhava na festa, fora da vista de todos – isto vim mais tarde a saber –, mergulhado na sombra, em cima de um plátano, ao frio, olhando as janelas cheias de luz, as salas decora-das para a festa e até as pessoas muito bem ataviadas que bailavam nos salões. Que pensamentos lhe atravessariam a mente naquela altura? Lembraria ele ao menos, com uma certa saudade, a nossa vida? Pensaria em como e quanto era breve e fácil aquele passo que, uma vez dado, o faria regressar ao nosso mundo, em como e quanto era breve e fácil? Não sei, não faço a menor ideia do que, ali, sobre aquela árvore, olhando a festa, pensasse ou desejasse. Sei apenas que ali permaneceu durante todo o tempo da festa e até ainda depois de esta ter acabado, até que, um a um, os candelabros foram sendo todos apagados e não ficou uma só janela iluminada.

[1] Grande cesto.

Por conseguinte, bem ou mal, a verdade é que as relações entre Cosimo e a família continuavam. Na verdade tais relações tornaram-se até mais estreitas com um dos membros da família: o cavaleiro-advogado Enea Silvio Carrega. E pode afirmar-se sem receio que só a partir dessa altura ficou a conhecer bem o tio. Este homem magro, fugidio, em relação ao qual nunca ninguém conseguia adivinhar onde se encontrasse ou que coisa estivesse a fazer, foi, para Cosimo, uma autêntica surpresa; descobriu que era o único de toda a família a ter um grande número de ocupações. E não só isto: descobriu que nenhuma dessas ocupações era inútil.

Saía muitas vezes durante as horas mais quentes do princípio da tarde, com o fez encarrapitado no cocuruto da cabeça, os passos incertos ocultos pela túnica turca demasiado comprida que lhe tapava os pés, e desaparecia num acidente do terreno, como se tivesse sido engolido pelos sulcos da terra lavrada ou pelas sebes ou até pelas pedras dos muros. Até mesmo Cosimo, que tinha como um dos seus divertimentos estar sempre à espreita de tudo (ou melhor: não se pode dizer que esse estado permanente de vigilância fosse um divertimento, mas quase poderia dizer-se antes um seu estado natural, como se o seu olhar abrangesse um horizonte tão vasto que nele pudessem estar compreendidas todas as coisas), a certa altura perdia-o de vista. Por vezes punha-se a correr, pulando de um ramo para outro, até alcançar o local onde o cavaleiro tinha desaparecido, mas nunca conseguia adivinhar por que carreiro aquele tivesse tomado. Mas um sinal havia que marcava sempre esses locais: no ar zumbiam abelhas. Cosimo acabou por se convencer de que a presença do cavaleiro estava relacionada com as abelhas, e de que para conseguir desencantá-lo mais não seria necessário do que seguir o voo destas últimas. Mas, como proceder? Em redor de cada planta florida havia sempre um esvoaçar rumorejante de insetos; era necessário não se deixar distrair por percursos isolados e secundários, mas seguir os invisíveis rastos aéreos através dos quais o enxame de abelhas se ia tornando cada vez mais espesso, até que via, por fim, elevar-se atrás de um muro ou de uma sebe uma densa nuvem, semelhante a um fumo. Aí em baixo ficavam as colmeias, uma ou várias juntas, colocadas em fila sobre uma mesa e diante delas, no meio do zumbido contínuo das abelhas, estava o cavaleiro.

De facto, a apicultura era uma das atividades secretas a que se dedicava o nosso tio natural; secreta apenas até a um certo ponto, porque ele próprio levava de vez em quando para a mesa um favo escorrendo mel recentemente tirado do cortiço; mas esta atividade desenvolvia-se completamente fora do âmbito das nossas propriedades, em locais que ele evidentemente não queria que fossem conhecidos. Calculo que esta sua precaução se destinava a subtrair os proventos desta sua indústria particular ao roto caldeirão da administração das finanças familiares; ou então porque era óbvio que o cavaleiro não era avaro e, de resto, que poderiam render-lhe de importância aquele pouco de mel e cera que conseguia extrair? – simplesmente pelo prazer de se dedicar a qualquer coisa essencialmente sua e em que o barão não metesse o nariz ou pretendesse guiá-lo pela mão; ou ainda, e finalmente, para não misturar as poucas coisas que amava verdadeiramente, como a apicultura, por exemplo, com as inúmeras outras que detestava, como, por exemplo, a administração...

A tudo isto havia ainda a acrescentar o facto de que meu pai jamais lhe permitiria ter cortiços perto de casa, porque o barão tinha um terror irracional de ser picado e, quando por acaso, no jardim, lhe tocava alguma vespa ou abelha, abalava numa louca correria pelas avenidas do parque, com as mãos a cobrirem a cabeça, como se procurasse deste modo proteger-se das bicadas de uma águia agressora. Uma vez que assim fugia, a cabeleira voou-lhe e uma abelha, irritada com a agitação e os gestos frenéticos do barão, atirou-se contra ele em voo picado e enterrou-lhe profundamente o ferrão no crânio calvo. Esteve três dias com pachos de vinagre na cabeça, porque era uma pessoa assim: fero e forte nos casos mais graves, mas a quem uma simples picadela ou furunculozinho era o suficiente para o fazer andar como louco.

Portanto, Enea Silvio Carrega tinha espalhado os seus cortiços de criação de abelhas um pouco por toda a parte no vale de Ombrosa. Os proprietários permitiam-lhe que tivesse uma ou duas colmeias em determinados locais dos seus terrenos, em troco de um pouco de mel. E o cavaleiro andava sempre de um lado para o outro, trabalhando em redor dos cortiços com movimentos tais que dir-se-ia possuir, ele também, pequenas patinhas peludas de abelhas em lugar de mãos, até porque, para não ser picado, trazia sempre as mãos metidas dentro de enormes luvas pretas que lhe atingiam o meio do braço. Na cara, por baixo do fez, usava também um véu negro, que a cada bafo seu se lhe colava ou afastava dos lábios. E movia de um lado para o outro um instrumento qualquer que fazia uma grande fumarada, para afastar os insetos enquanto ele perscrutava as colmeias. Todos aqueles elementos juntos, o zumbido das abelhas, o véu que o cavaleiro-advogado trazia sobre a cara, a nuvem de fumo, pareciam a Cosimo um encantamento que aquele homem tentava provocar para desaparecer daquele local, diluir-se como fumo, voar para longe e, depois, renascer algures noutro sítio, ou noutra época, ou até como outra pessoa.

Mas era um fraco mágico, porque daí a pouco voltava a reaparecer sempre igual a si mesmo, frequentemente chupando um dedo picado.

Estávamos na primavera. Uma manhã, Cosimo vê o ar como que enlouquecido, vibrando com um som jamais ouvido, um zumbido que atingia foros de vendaval aproximando-se à distância e atravessado por uma espécie de chuva negra que, em vez de cair, se deslocava horizontalmente e lentamente se espalhava pelos arredores, mas sempre seguindo uma espécie de coluna mais grossa. Era uma multidão de abelhas: e, em volta, havia o verde dos campos, as flores e o sol; e Cosimo, que não percebia o que se estava a passar, sentiu-se preso de uma excitação enorme, avassaladora e feroz.

– As abelhas estão a fugir! Cavaleiro-advogado! As abelhas estão a fugir! – começou ele a gritar, correndo pelas árvores à procura do cavaleiro Enea Silvio Carrega.

– Não, não estão a fugir: estão a reunir-se em enxame – disse a voz do cavaleiro e, subitamente, Cosimo viu-o por baixo de si, despontando da terra como um cogumelo, enquanto, simultaneamente, lhe fazia sinal para se manter quieto e calado. Depois, não menos subitamente, desatou a correr e desapareceu. Para onde teria ido?

Era a época dos enxames. Um cortejo de abelhas seguia a rainha, abandonando os antigos alvéolos. Cosimo olhou à sua volta. E viu o cavaleiro-advogado que voltava a aparecer à porta da cozinha, trazendo nas mãos uma panela e uma frigideira. Batendo com a frigideira na panela, conseguia agora produzir um *deng! deng!* altíssimo que penetrava nos tímpanos e se espalhava numa longa vibração que quase chegava a ensurdecer. Batendo com a frigideira na panela, a cada três passos dados, o cavaleiro-advogado caminhava atrás do enxame de abelhas. A cada um daqueles clangores, o enxame parecia ser agitado por um estremecimento súbito, que se traduzia num rápido baixar e levantar o nível do voo, e o zumbido parecia decrescer de intensidade e o voo tornar-se cada vez mais incerto. Cosimo não via bem, mas parecia-lhe que, agora, todo o enxame convergia para um ponto fixo no verde dos campos. E o cavaleiro-advogado continuava a desferir os seus golpes de frigideira na panela de cobre.

– Que é que se passa, cavaleiro-advogado? Que estais a fazer? – perguntou-lhe o meu irmão, juntando-se-lhe.

– Depressa – balbuciou o outro –, vai para a árvore onde o enxame pousou, mas toma cuidado, não mexas a árvore sem eu lá ter chegado!

As abelhas dirigiam-se para uma romeira. Cosimo atingiu o local e, a princípio, não viu nada. Mas, depois, descobriu como que um grosso e pesado fruto, em forma de pinha, que pendia de um ramo e era todo feito de abelhas agarradas umas às outras. O fruto aumentava constantemente, graças a novas abelhas que vinham agarrar-se ao cacho.

Cosimo manteve-se em cima da romeira, contendo a respiração. Por baixo dele pendia o cacho de abelhas e, caso curioso, quanto maior este se ia tornando tanto mais leve parecia o seu aspeto, como se estivesse preso por um fio muito ténue ou até talvez por menos, pelas patinhas de uma velha abelha-mestra, e feito de cartilagens subtis, com todas aquelas asas que estremeciam e estendiam a sua diáfana cor cinzenta sobre as estrias negras e amarelas dos abdomes das abelhas.

O cavaleiro-advogado lá chegou, por fim, a saltitar, trazendo entre as mãos um cortiço. Colocou-o ao contrário por baixo do enorme cacho de abelhas.

– Ouve – disse ele, em voz baixa, a Cosimo –, dá uma pancadinha seca no tronco.

Cosimo agitou levemente a romeira. O enxame de milhares de abelhas descolou-se do tronco como se fosse uma folha, caiu dentro do cortiço e o cavaleiro tapou este último com uma tábua.

– Já está – disse.

Assim nasceu entre Cosimo e o cavaleiro-advogado um entendimento, uma colaboração a que, todavia, se poderia talvez chamar mesmo uma espécie de amizade, se amizade não parecesse um termo excessivo, referido a duas pessoas tão pouco sociáveis.

Até mesmo no campo da hidráulica o meu irmão e Enea Silvio Carrega acabaram por se encontrar. É certo que isto pode bem parecer um tanto ou quanto estranho, porque quem quer que viva em cima das árvores bem pouco terá a ver com poços e canais; mas já falei daquele sistema de fonte pênsil que Cosimo tinha engenhocado, com uma casca de choupo que levava a água desde uma cascata até aos ramos de um carvalho. Ora, por mais distraído que fosse o cavaleiro-advogado, a verdade é que não lhe escapava nada do que se fizesse no respeitante a veios de água em toda a região. Do alto da cascata, escondido atrás de um ligustro, observou Cosimo, que retirava a conduta de água de entre os ramos do carvalho (onde voltava a pô-la assim que tivesse acabado de se servir dela, porque, como os selvagens, lhe chegara aquele hábito característico de esconder tudo), apoiá-la a uma forquilha do carvalho e, a outra extremidade, a certas pedras do desnível. Instalado este dispositivo, começou a beber.

À vista daquilo, vá-se lá saber o que passou pela cabeça do cavaleiro; o certo é que se sentiu tomado por um dos seus raros momentos de euforia. Saltou de trás do ligustro, bateu as palmas, fez duas ou três piruetas, como se estivesse a saltar à corda, atirou chapadas de água, e por um pouco não se deixou arrastar pela corrente, lançando-se no precipício. E começou a explicar ao rapaz a ideia que lhe tinha vindo à cabeça. A ideia já de si era confusa e a explicação que o cavaleiro-

-advogado procurou articular era, essa, confusíssima: em primeiro lugar, o cavaleiro-advogado falava habitualmente em dialeto, mas nestes imprevistos momentos de excitação passava diretamente do dialeto para o turco, sem dar conta disso, o que fazia com que daí em diante mais ninguém percebesse nada.

Resumindo: viera-lhe a ideia de construir um aqueduto pênsil, com uma conduta sustentada pelos ramos das árvores, o que permitiria alcançar a vertente oposta do vale, de terrenos áridos, e, graças a essa invenção, irrigá-los. E o aperfeiçoamento que Cosimo, imediatamente apoiando o projeto do tio, lhe sugeriu: que se empregassem, em determinadas alturas da conduta, encanamentos perfurados, para fazer chover sobre as sementeiras, deixou-o verdadeiramente extasiado.

Correu a encafuar-se no seu estúdio, enchendo folhas e folhas de projetos. Até mesmo Cosimo se empenhou a fundo no estudo do problema, porque lhe agradava tudo o que tivesse possibilidade de realizar em cima das árvores e lhe parecesse que poderia vir a dar nova importância e autoridade à sua posição lá em cima; e pareceu-lhe ter encontrado em Enea Silvio Carrega um até então insuspeitado companheiro. Encontravam-se em certas árvores baixas; e o cavaleiro-advogado subia graças à escada de mão, com o braço direito apertando um grande rolo de desenhos e projetos; e, durante horas, discutiam os pormenores, cada vez mais complexos, daquele aqueduto.

Mas o projeto jamais passou à fase prática. Enea Silvio fartou-se, tornou menos frequentes os seus colóquios com Cosimo, nunca chegou a acabar os desenhos e, uma semana depois, devia com certeza já ter esquecido tudo. Cosimo não se importou nem tão-pouco lamentou o acontecido; dera rapidamente conta de que aquilo resultaria, para a sua vida, apenas numa fastidiosa complicação e nada mais.

Era evidente que no campo da hidráulica o nosso tio natural poderia ter feito muitas coisas mais. Paixão tinha-a ele em demasia e o particular engenho necessário àquele ramo de estudos não lhe

faltava também; mas não sabia realizar: perdia-se, perdia-se constantemente, até que todos os propósitos acabavam em nada, como,
por exemplo, a água canalizada, que, após ter percorrido o terreno,
é absorvida completamente por um terreno poroso. A razão era
talvez a seguinte: enquanto se podia dedicar livremente e por conta
própria à apicultura, quase em segredo, sem ter nada a ver com mais
ninguém, oferecendo de vez em quando às pessoas um favo de mel
ou cera, estas obras de canalização, muito pelo contrário, tinha de
as realizar tendo em conta os interesses de uns e de outros, sob as
ordens e pareceres do barão ou de quem quer que fosse por conta
de quem corresse a obra. Tímido e irresoluto como era, nunca se
opunha à vontade dos outros, mas breve se desencantava do trabalho
e o deitava a perder.

Víamo-lo a toda a hora, no meio de um campo, seguido por
homens armados de pás e enxadas e ele com um metro de madeira
e a folha de um mapa enrolada debaixo do braço, dando ordens
para cavar um canal e medindo o terreno com os seus passos, que,
sendo curtíssimos, ele se via forçado a alargar em medida exagerada.
Mandava começar a cavar num local, depois noutro, depois interrompia tudo e voltava a tirar medidas. Caía a noite e suspendiam-se os
trabalhos. Era raro que, no dia seguinte, resolvesse retomar a obra no
mesmo ponto em que a interrompera na tarde anterior. E, durante
uma semana, mais ninguém o via.

Era assim que era feita aquela sua paixão pela hidráulica: de aspi-
rações, impulsos súbitos, desejos. Trazia no coração a memória das
belíssimas e bem irrigadas terras do sultão, daqueles hortos e jardins
em que ele devia ter sido feliz, os únicos anos verdadeiramente felizes
da sua vida; e comparava continuamente os campos de Ombrosa com
aqueles jardins da Barbária ou da Turquia, de tal modo que quase
tentava modificá-los, procurando identificá-los com a sua recordação e, sendo a hidráulica a sua arte, nela concentrava esse desejo de
transformação que, todavia, continuamente era desiludido por uma
realidade diversa.

Praticava também a radiestesia, às ocultas, evidentemente, porque naqueles tempos artes tão estranhas podiam ser acusadas de

feitiçaria. Uma vez Cosimo descobriu-o num prado fazendo piruetas enquanto estendia à sua frente uma vara que terminava em forquilha. Devia tratar-se de uma tentativa também, porque não deu nada.

A Cosimo o facto de ter chegado a compreender o carácter do cavaleiro-advogado Enea Silvio Carrega serviu-lhe de muito: aprendeu assim muitas coisas sobre a solidão, que, depois, pela vida fora lhe foram servindo. Acrescentarei que sempre manteve diante dos seus olhos a imagem estranha do cavaleiro-advogado como exemplo daquilo em que pode transformar-se o homem que separa o seu destino do dos outros e conseguia, na verdade, nunca se assemelhar a tal homem.

XII
〇〇

Por vezes Cosimo era acordado à noite aos gritos de:

– Socorro! Ladrões, salteadores! Agarra, agarra!

Por cima das árvores, dirigia-se rapidamente para o local donde provinham aqueles gritos. Tratava-se, regra geral, de um casebre de pequenos proprietários, e à porta via-se quase sempre a família, estremunhada e de mãos na cabeça.

– Ai de nós, ai de nós! Foi o João dos Bosques! Levou-nos o produto todo da colheita!

Juntava-se gente.

– O João dos Bosques? Foi ele? Viram-no?

– Foi ele! Foi ele! Tinha uma máscara na cara e uma pistola enorme e vinham mais dois mascarados com ele, e era ele quem dava ordens! Foi o João dos Bosques!

– Mas onde está? Para onde é que fugiu?

– Por isso mesmo, vê lá se o consegues apanhar! Sabe-se lá onde ele já estará nesta altura!

Outras vezes, quem gritava era um viandante que tinha ficado no meio da estrada e a quem tinham roubado tudo: cavalo, bolsa, roupas e até bagagem.

– Socorro! Ladrões, bandidos! João dos Bosques!

– Mas como foi? Diz!

– Estava ali, todo negro, barbudo, de espingarda apontada e por um pouco não me matou!

– Depressa! Vamos atrás dele! Para que lado é que ele fugiu?

– Para além! Não, talvez tivesse sido para o outro lado! Corria depressa como o vento!

A Cosimo tinha-se-lhe metido na cabeça ver aquele célebre João dos Bosques. Percorria o bosque em todas as direções, atrás de lebres e pássaros, incitando o baixote:

– Busca, busca, *Ottimo Massimo*!

Mas o que pretendia desencantar era o bandido em pessoa, e isto não para o obrigar a dizer ou fazer qualquer coisa, mas apenas para o olhar bem no rosto e poder observar como era uma pessoa assim tão falada. Mas nunca tinha conseguido encontrá-lo, nem durante aquelas noites inteiras que passava acordado, passeando de um lado para o outro. «Talvez esta noite não tenha saído», dizia Cosimo de si para si; mas de manhã, num ponto qualquer do vale, havia sempre um amontoado de pessoas à soleira de uma casa ou junto de uma curva da estrada comentando novos assaltos. Cosimo acorria imediatamente e apurava o ouvido, desejoso de ouvir mais histórias acerca do João dos Bosques.

– Mas tu, que passas a vida em cima das árvores do bosque – disse-lhe certa vez um homem qualquer –, nunca o viste? Nunca viste o João dos Bosques?

Cosimo ficou muito envergonhado.

– Bem... parece-me que não...

– Mas como queres tu que ele o tenha visto? – interrompeu um outro. – O João dos Bosques tem esconderijos que ninguém consegue descobrir e anda por caminhos que só ele conhece e mais ninguém!

– Com o prémio que oferecem pela cabeça dele, quem o encontrar fica rico para toda a vida!

– Isso! Mas aqueles que sabem onde ele se encontra têm quase tantas contas a regular com a justiça como ele e se se mostram acabam também na forca!

– João dos Bosques! João dos Bosques! Mas será sempre ele a praticar estes crimes todos?

– Ora, ora, tem tantas acusações às costas que, ainda que conseguisse desculpar-se de dez roubos, já entretanto o tinham reconhecido culpado de mais outro...

– Já fez assaltos em todos os bosques da costa!

– Na sua juventude, diz-se que até matou um dos seus chefes!

– Foi bandido até mesmo entre os bandidos!

– Deve ter sido por isso, para lhes escapar, que veio refugiar-se na nossa região!

– Como nós somos pessoas tão boas!

Cosimo, cada nova história que apanhava, ia comentá-la logo com os caldeireiros. Entre as gentes acampadas no bosque havia naquela altura toda uma má raça de vagabundos: caldeireiros, empalhadores de cadeiras, cardadores, gente que durante o dia anda de porta em porta pelas casas do povoado e estuda de manhã os roubos que há de fazer à noite. O bosque, além de local para as suas oficinas, oferecia-lhes também refúgio secreto e esconderijos ideais para as coisas roubadas.

– Sabem? Esta noite o João dos Bosques fez mais um assalto! A uma carruagem!

– Ah, sim? É possível, tudo pode acontecer, neste mundo...

– Conseguiu parar os cavalos a galope, agarrando-os pelo focinho!

– Ora, ora, com certeza não era ele ou então, em vez de cavalos, eram grilos...

– O quê? O que é que estão para aí a dizer? Não acreditam que tivesse sido o João dos Bosques?

– Claro, claro que acreditamos. Mas que ideias são essas? Claro que era o João dos Bosques, evidentemente!

– E de que é que o João dos Bosques não é capaz?

– Ah, ah, ah!

Ao ouvir falar de João dos Bosques daquela maneira, Cosimo ficava completamente desorientado, voltava ao bosque e ia até outro acampamento de vagabundos.

– Ouçam! Qual é a vossa opinião? Foi ou não o João dos Bosques que deu o golpe da carruagem esta noite?

– Quando saem bem, todos os golpes são do João dos Bosques. Ainda não sabias isso?

– E porquê «quando saem bem»?

– Porque, quando não saem bem, quer dizer que não são golpes do João dos Bosques!

– Ah, ah! Aquele pexote!

Cosimo já não percebia nada.

– O João dos Bosques é um pexote?

Os outros, então, apressavam-se a mudar logo de tom.

– Mas não, mas não, quem é que te disse uma coisa dessas? É um salteador, um salteador feroz que mete medo a toda a gente!

– Vocês já alguma vez o viram?

– Nós? Nunca ninguém o viu!

– Mas têm a certeza de que é verdade?

– Ora essa! Claro que é verdade! E mesmo que não fosse...

– Se não fosse...

– ... Seria tal e qual a mesma coisa. Ah, ah, ah!

– Mas todos dizem...

– Claro, é assim mesmo que deve ser: é o João dos Bosques que rouba e mata por todo o lado! É um salteador terrível! Veremos se há alguém capaz de duvidar...

– Eh, tu, rapaz, eras capaz de ter a coragem de duvidar, hem? Eras capaz?

Em suma: Cosimo tinha já compreendido que o pavor que João dos Bosques provocava entre os habitantes do vale se transformava em dúvida à medida que se ia penetrando no bosque e entrando em contacto com os habitantes deste e que essa atitude de dúvida chegava por vezes a transformar-se abertamente em troça e incredulidade.

Passou-lhe por fim a curiosidade de encontrar tão famosa personagem, porque compreendeu também que João dos Bosques não importava absolutamente nada às pessoas mais espertas. E foi precisamente nessa altura que lhe aconteceu encontrá-lo.

Uma tarde Cosimo estava em cima de uma nogueira a ler. Desde há pouco vinha sentindo uma certa nostalgia pela leitura: estar todo o dia de arma em riste, à espera de ver um tentilhão pousar num ramo próximo, acaba por aborrecer.

Por isso, lia o *Gil Blas*, de Lesage, empunhando com uma das mãos o livro e com a outra a espingarda. *Ottimo Massimo*, a quem não agradava especialmente que o dono se entregasse à leitura, girava por ali, procurando distraí-lo. De vez em quando ladrava e lançava-se na perseguição de uma borboleta, para ver se conseguia fazer com que o dono apontasse a arma.

E, subitamente, eis que, descendo a montanha, a correr por um atalho, Cosimo vê vir, ofegando, um homem barbudo e mal arranjado, desarmado, e, atrás dele, dois beleguins de sabres desembainhados, gritando:

– Agarra! Agarra! É o João dos Bosques! Finalmente conseguimos desencantá-lo!

Ora o salteador tinha conquistado um certo avanço sobre os beleguins, mas continuava a mover-se embaraçado como quem tem medo de se enganar no caminho ou de cair em qualquer armadilha, e breve teria os beleguins aos seus calcanhares. A nogueira onde Cosimo se encontrava instalado não oferecia pontos de apoio nenhuns a quem quisesse trepar para ela, mas meu irmão tinha consigo uma corda de que sempre se servia para vencer as passagens mais difíceis. Atirou uma ponta para terra e amarrou a outra ponta ao ramo. O salteador viu cair-lhe aquela corda quase em cima do nariz, torceu as mãos num momento de incerteza e depois lançou-se rapidamente a ela, trepando num abrir e fechar de olhos, revelando-se um daqueles incertos impulsivos ou impulsivos incertos que parecem sempre nunca saber escolher o momento apropriado, mas a quem a sorte ajuda sempre, fazendo-os aproveitar sempre dela.

Chegaram os beleguins. A corda já tinha sido retirada e Cosimo tinha escondido João dos Bosques entre a frondosa ramaria da nogueira. Havia, naquele local, um cruzamento. Os beleguins tomaram cada um deles uma direção, depois voltaram a encontrar-se e, por fim, já estavam sem saber para onde ir. Na pressa, tropeçaram em *Ottimo Massimo*, que cirandava por ali.

– Eh – disse um dos beleguins para o outro –, este não é o cão do filho do senhor barão, aquele que passa a vida em cima das árvores? Se o rapaz estiver por estas bandas talvez nos saiba dizer qualquer coisa.

– Estou cá em cima! – gritou Cosimo. Mas gritou não da nogueira onde primeiramente estivera instalado, mas de um castanheiro que lhe ficava em frente, de modo que os beleguins olharam imediatamente para aquela árvore, sem investigarem as outras.

– Bons dias, Vossa Senhoria – disseram eles –, não tereis visto por acaso passar por aqui o salteador João dos Bosques?

– Quem era não sei – respondeu Cosimo –, mas se andais à procura de um homem que passou por aqui a correr, digo-vos que ele tomou a direção do riacho...

– Um homem? É um homenzarrão que mete medo...

– Bem, daqui de cima parecem todos pequenos...

– Muito obrigado a Vossa Senhoria! – agradeceram os beleguins, desatando a correr em direção ao riacho.

Cosimo voltou para a sua nogueira e retomou a leitura do *Gil Blas*. João dos Bosques continuava abraçado a um ramo, muito pálido no meio da barba e dos cabelos hirsutos e avermelhados como a erva seca dos campos, cheios de pedacinhos de casca de árvore, folhas pequenas e agulhas de pinheiro. Estudava Cosimo com os seus dois olhos verdes, muito redondos e espantados; era feio, muito feio.

– Já se foram? – decidiu, por fim, perguntar.

– Sim, sim – respondeu Cosimo, com ar afável. – O senhor é que é o salteador João dos Bosques?

– Como é que me conhece?

– Bem, conheço-o de ouvir falar de si, conheço a sua fama.

– E o senhor é aquele que nunca desce das árvores?

– Sim, sou. Mas como sabe?

– Bem, da mesma maneira... A fama corre.

Olharam-se cortesmente, como duas pessoas de posição que se encontram por acaso e ficam satisfeitas por saberem que não são desconhecidas uma da outra.

Cosimo não sabia que mais dizer e, assim, retomou a leitura.

– Que está a ler?

– O *Gil Blas*, de Lesage.

– É bonito?

– É, sim, é bonito.

– Falta-lhe muito para acabar?

– Porquê? Bem, faltam-me cerca de umas vinte páginas.

– Porque, quando o acabasse de ler, queria perguntar-lhe se mo emprestava... – Sorriu, ligeiramente confundido. – É que, sabe, passo os dias escondido sem ter nada para fazer. Gostava de ler um livro de vez em quando. Uma vez assaltei uma carruagem. Trazia pouco que roubar, mas havia um livro e eu trouxe-o. Levei-o comigo, escondido debaixo da capa; teria preferido desistir do produto todo do roubo a perder aquele livro. À noite, acendi a lanterna e ia para ler... quando vejo que era em latim! Não percebia nem uma palavra... – Abanou a cabeça. – Como não sei latim...

– Bem, a verdade é que o latim é difícil – disse Cosimo, sentindo que, mau grado seu, estava a tomar ares de protetor. – Este aqui é em francês...

– Francês, toscano, provençal, castelhano, compreendo tudo – disse João dos Bosques. – Até sei um pouco de catalão: *Bon dia! Bona nit! Està la mar mòlt alborotada*.[1]

Em pouco mais de meia hora Cosimo acabou de ler o livro e emprestou-o a João dos Bosques.

Assim principiaram as relações entre meu irmão e o salteador. Mal João dos Bosques acabava de ler um livro, corria a restituí-lo a Cosimo, pedia-lhe outro emprestado, voltava imediatamente a encafuar-se no seu esconderijo secreto e mergulhava profundamente na leitura.

Era eu quem arranjava os livros para Cosimo, levando-os da biblioteca de nossa casa. Ele, mal acabava de os ler, devolvia-mos. Mas por essa ocasião passou a demorar os livros um pouco mais, porque depois de os ler os emprestava a João dos Bosques, e frequentemente quando mos devolvia os livros vinham com a pele tirada aqui e além nas belas encadernações, com manchas de bolor e estrias de baba de caracol, porque vá-se lá saber onde é que o salteador guardava os livros.

Em dias combinados entre eles, Cosimo e João dos Bosques encontravam-se em cima de uma certa árvore, trocavam de livros e

---

[1] Bom dia! Boa noite! O mar está muito agitado.

ala, porque o bosque estava sempre cheio de beleguins que organizavam constantes batidas. Esta operação aparentemente tão simples era muito perigosa para ambos: até mesmo para o meu irmão, que não poderia certamente justificar a sua amizade com aquele criminoso! Mas João dos Bosques tinha sido possuído de uma tal fúria de leitura que devorava romances e romances uns a seguir aos outros e, como passava o dia inteiro escondido a ler, num dia devorava todos os volumes que meu irmão tinha levado uma semana a ler e, como lhe faltasse leitura, queria sempre mais outro. Se calhasse não ser o dia combinado para o encontro de ambos, lançava-se pelos campos à procura de Cosimo, aterrorizando as famílias dos casebres e arrastando atrás de si a força pública de Ombrosa em peso.

De modo que para Cosimo, que tinha de atender os constantes pedidos do salteador, já não eram suficientes os livros que eu lhe arranjava, e teve de procurar outros fornecedores. Conheceu um comerciante de livros, judeu, que lhe arranjava inclusivamente obras em vários volumes. Cosimo ia-os buscar à janela, empoleirado num ramo de uma alfarrobeira, e entregando-lhe em paga lebres, tordos e perdizes que ele próprio caçava para poder comprar os livros.

Mas João dos Bosques tinha os seus gostos e não se lhe podia dar para ler um livro qualquer, ao acaso, senão voltava logo no dia seguinte à procura de Cosimo, para o trocar por outro. Meu irmão estava nessa altura com aquela idade em que se começa a tomar prazer por leituras mais substanciais, mas foi constrangido a moderar os seus impulsos desde aquela vez em que João dos Bosques lhe trouxe de volta *As Aventuras de Telémaco*, advertindo-o de que, se alguma vez voltasse a emprestar-lhe livros tão aborrecidos, ele serraria rente a árvore onde Cosimo se encontrasse.

Chegado a este ponto, Cosimo viu-se forçado a separar os livros que lhe apetecia ler por sua própria conta e com toda a calma dos que arranjava somente para emprestar ao salteador. Mas em vão: porque até mesmo a esses meu irmão tinha de dar uma vista de olhos. João dos Bosques tornava-se cada vez mais exigente e desconfiado e antes de levar um livro insistia sempre para que meu irmão lhe contasse mais ou menos o que era a história. E ai dele se depois o apanhava em falso! Meu irmão experimentou ainda emprestar-lhe romances de amor: mas o salteador voltou logo no dia seguinte, furioso, perguntando a Cosimo se este o tomava por alguma donzela. Era completamente impossível adivinhar o que lhe agradava ou não.

Em resumo: com João dos Bosques sempre à sua cola, a leitura transformou-se, para Cosimo, de mero passatempo para uma meia hora de lazer em ocupação principal que o ocupava durante todo o dia. E à força de manejar volumes, de ajuizar deles e os comparar uns aos outros, à força de ter de conhecer sempre cada vez mais obras, entre leituras que se destinavam a João dos Bosques e outras que deviam satisfazer as suas próprias e crescentes necessidades de leitura, Cosimo adquiriu uma tal paixão pelas letras e por todos os conhecimentos humanos que já não lhe bastavam as horas todas desde a madrugada ao pôr do Sol para tudo aquilo que pretendia ler, e continuava até, muitas vezes, as suas leituras durante a noite, à luz mortiça de uma lanterna.

Finalmente, acabou por descobrir os romances de Richardson. João dos Bosques gostou daquele género. Mal terminava um, queria logo outro. O judeu Orbecche arranjou-lhe uma pilha de volumes. O salteador tinha leitura para, pelo menos, um mês. Cosimo, reencontrada assim a paz e a tranquilidade, entregou-se à leitura das biografias de Plutarco.

Entretanto, João dos Bosques, estendido na sua enxerga de palha, com a áspera cabeleira vermelha cheia de folhas secas sobre a testa enrugada e olhos verdes que se iam avermelhando com o esforço da vista, lia, lia movendo as mandíbulas num remoer furioso, com um dedo espetado e molhado de saliva, para estar sempre pronto a voltar a página. As leituras de Richardson como que vieram dar forma a uma disposição que desde há uns tempos andava já latente no seu espírito e que o torturava cada vez mais: um desejo de dias normais, de lar, de parentela, de sentimentos familiares, de virtude, de aversão pelos malvados e viciosos. Tudo o que o rodeava deixara de o interessar e enchia-o de desgosto. Não saía nunca do seu covil a não ser para ir ao de Cosimo trocar de livros ou de volumes, especialmente quando se tratava de um romance em vários tomos e ele tinha ficado a meio da história.

Vivia assim, isolado, sem dar conta da autêntica tempestade de ressentimentos que ia levantando contra si próprio até mesmo entre os habitantes do bosque, outrora seus cúmplices fiéis, mas que agora se iam fartando de ter entre si um salteador inativo que arrastava atrás de si a matilha inteira dos beleguins da região.

Noutros tempos, tinham-se juntado à sua volta todos quantos nos arredores tinham contas a ajustar com a justiça, regra geral pouca coisa, ladroetes habituais como aqueles vagabundos que remendavam panelas ou então culpados de verdadeiros delitos, como os bandidos seus companheiros. Para todos os furtos e assaltos aquela gente se valia da sua autoridade e experiência e chegava mesmo a escudar-se atrás do nome de João dos Bosques, que corria de boca em boca e os deixava comodamente na sombra. E até mesmo os que não tomavam parte nos golpes aproveitavam-se em certa medida da fortuna dos outros, porque o bosque enchia-se de esconderijos de coisas de toda a espécie, roubadas ou passadas ao contrabando e a que era necessário dar saída, vender, e todos os que por ali vagabundeavam tinham em que traficar. Portanto, quem roubava por conta própria às escondidas de João dos Bosques usava o nome dele, para, com esse nome terrível, meter medo aos assaltados e conseguir recolher o máximo: as pessoas viviam num terror constante, e em qualquer miserável viam João dos Bosques ou um dos da sua quadrilha e apressavam-se a abrir os cordões à bolsa.

Estes bons tempos tinham durado muito; João dos Bosques verificara que podia viver dos rendimentos e pouco a pouco tinha-se desleixado. Julgava que tudo podia continuar como antigamente, mas em vez disso os ânimos tinham mudado e o seu nome já não inspirava respeito algum.

A quem era João dos Bosques útil agora? Se passava a vida escondido, de lágrimas nos olhos, a ler romances, já não dava mais golpes, não fazia roubos de espécie alguma, no bosque mais ninguém podia fazer o seu negócio, os beleguins todos os dias faziam batidas e mal achassem que um desgraçado qualquer tinha ar suspeito era o bastante para o levarem para a cadeia. Se se acrescentar a isto a tentação que representava o prémio que se oferecia pela cabeça de João dos Bosques, imediatamente se torna claro que os dias deste último estavam praticamente contados.

Dois outros salteadores, dois jovens que ele tinha ensinado, que tinham crescido com ele e que não se conformavam em perder um tão precioso chefe, quiseram dar-lhe ainda uma ocasião de se rea-bilitar. Chamavam-se eles Ugasso e Bel-Loré e, em rapazes, tinham andado nos bandos de ladrões de fruta. Agora, já crescidos, tinham-se tornado verdadeiros salteadores de estrada.

Portanto, foram ao encontro de João dos Bosques na caverna onde este vivia. Lá o encontraram, todo estendido sobre a enxerga de palha.

– Sim, o que é? – perguntou ele, sem levantar os olhos da página que estava a ler.

– Viemos cá para te propor uma coisa, João dos Bosques – disseram.

– Hummm... o que é? – E continuava a ler.

– Sabes onde é a casa de Costanzo, o cobrador de impostos?

– Sim, sim... Eh?... O quê? Cobrador de impostos? Quem é o cobra-dor de impostos?

Bel-Loré e Ugasso trocaram entre si um olhar contrariado. Se não lhe tirassem aquele maldito livro debaixo do nariz, o salteador não compreenderia nunca nem uma única palavra do que lhe dissessem.

– Deixa por um momento esse livro, João dos Bosques. Ouve lá o que temos para te dizer.

João dos Bosques agarrou no livro com ambas as mãos, levantou--se, pondo-se de joelhos, colocou o livro aberto de encontro ao peito, mas depois a ânsia de continuar a ler foi demasiado grande e ele afastou-o ligeiramente de maneira a poder meter o nariz entre o livro e o peito.

Então, Bel-Loré teve uma ideia. Havia ali perto uma teia de ara-nha com uma aranha enorme. Com mãos hábeis, Bel-Loré arrancou a teia e deixou-a cair, com a aranha em cima, no espaço que ficava entre o nariz e o livro que o outro estava a ler. Aquele infeliz estava tão amolecido pelas leituras que até teve medo da aranha. Sentiu no nariz o mexer nervoso das patas da aranha e os filamentos muito ténues da teia e, ainda antes de compreender do que se tratava, deu um gritinho de terror, deixou cair o livro e começou a agitar as mãos diante da cara, com os olhos esbugalhados e cuspindo.

Ugasso lançou-se ao chão e conseguiu agarrar o livro antes de João dos Bosques ter tido tempo para lhe pôr um pé em cima.

– Dá-me cá o livro! – disse João dos Bosques, procurando com uma das mãos libertar-se da aranha e da teia e com a outra agarrar o livro que Ugasso tinha nas mãos.

– Não to dou sem antes nos teres prestado atenção – respondeu Ugasso, escondendo o livro atrás das costas.

– Estava a ler a *Clarissa*. Dá-mo cá! Estava mesmo no momento culminante...

– Ouve mas é o que temos para te dizer. Esta noite, vamos levar um carregamento de lenha a casa do cobrador. Mas, no saco, em vez da lenha, vais tu. Quando se fizer noite, só o que tens a fazer é sair do saco...

– E eu quero mas é acabar de ler a *Clarissa*! – Conseguira libertar-se dos últimos restos da teia de aranha e agora procurava opor-se aos dois rapazes.

– Ouve o que temos a dizer-te!... Assim que se fizer noite, sais do saco, armado com as tuas pistolas, obrigas o cobrador a entregar-te todo o produto da coleta dos impostos desta semana que ele tem guardado num cofre à cabeceira da cama...

– Deixem-me ao menos acabar esse capítulo... Não sejam maus...

Os dois rapazes pensavam nos tempos em que, ao primeiro que ousasse contradizê-lo, João dos Bosques apontava logo duas pistolas ao estômago. Sentiram-se tomados por uma amarga nostalgia.

– Tu ficas com o saco de dinheiro, está bem? – insistiram, tristemente, os dois rapazes –, e assim que no-lo entregares devolvemos-te o teu livro e poderás ler o que te apetecer. Está bem assim? Está combinado?

– Não. Não está bem. Não vou!

– Ah, não vais... Ah, com que então não vais... então, olha! – E Ugasso pega numa folha do fim do livro (– Não! – gritou João dos

Bosques), rasgou-a (– Não! Para!), amachucou-a e atirou-a para o fogo.

– Aaaah! Cão! Não podes fazer-me uma coisa dessas! Nunca mais hei de saber como é que o livro acaba! – e corria atrás de Ugasso para ver se lhe arrancava o livro das mãos.

– Então? Agora já vais connosco à casa do cobrador?

– Não, não vou!

Ugasso arrancou outras duas folhas.

– Para! Para! Ainda não cheguei aí! Não as queimes, não podes queimá-las!

Ugasso já as tinha atirado para o fogo.

– Cão! *Clarissa*! Não!

– Então, agora já vais?

– Eu...

Ugasso arrancou outras três folhas e lançou-as para as chamas.

João dos Bosques sentou-se, com a cara escondida entre as mãos.

– Irei – disse. – Mas primeiro prometei-me que estão à minha espera com o livro do lado de fora da casa do cobrador.

O salteador foi escondido num saco, com um molho de lenha em cima da cabeça. Bel-Loré levava o saco aos ombros. Atrás vinha Ugasso com o livro. De vez em quando, um grunhir ou outra qualquer imprecação vinda de dentro do saco anunciava que João dos Bosques estava prestes a arrepender-se. Então, Ugasso deixava-o ouvir o ruído de uma folha a rasgar-se, e imediatamente João dos Bosques voltava a ficar calmo.

Graças a este processo, lá conseguiram levá-lo, vestidos de lenhadores, até dentro da casa do cobrador e aí o deixaram, dentro do saco. Foram instalar-se um pouco distantes da casa, atrás de uma oliveira, aguardando o momento em que ele, completado o golpe, devia ir juntar-se-lhes.

Mas João dos Bosques estava cheio de pressa, saiu antes de se ter feito noite e havia ainda muita gente dentro de casa.

– Mãos no ar! – Mas já não era o mesmo dos outros tempos, parecia-lhe estar de fora a observar a cena e sentia-se um pouco ridículo. – Mãos no ar, já disse!... Todos os que estão neste quarto vão-se pôr além contra a parede!... – Mas o quê: nem ele próprio sentia convicção nas próprias palavras, fazia aquilo só por fazer.

– Estão todos? – Não tinha reparado que, no meio da confusão, uma garotinha tinha conseguido escapar-se.

Portanto, não podia perder um minuto. Mas, em vez disso, demorou imensamente o trabalho e, depois, o cobrador parecia tonto, não encontrava a chave, João dos Bosques compreendia que já não o levavam a sério e, bem no fundo, não lhe desagradava que assim sucedesse.

Saiu, finalmente, com os braços carregados de bolsas de escudos. Correu quase às cegas para a oliveira que tinha sido fixada para o encontro.

– Aqui está tudo o que lá havia! Agora deem-me a *Clarissa*!

A estas palavras, caíram-lhe em cima quatro, sete, dez braços, que o imobilizaram dos pés à cabeça. Foi erguido em peso por um pelotão de beleguins e atado como um salame.

– A *Clarissa* logo a encontras na gaiola! – E conduziram-no para a prisão.

A prisão era uma espécie de torre sobre a falésia, deitando para o mar. Perto crescia-lhe um pequeno bosque de pinheiros. De cima de um destes pinheiros, Cosimo chegava quase à altura da cela onde se encontrava João dos Bosques e via-lhe o rosto atrás das grades de ferro.

O salteador não se importava absolutamente nada com os interrogatórios nem com o processo; mas o seu pensamento não suportava aqueles dias vazios passados ali na prisão sem poder ler e aquele romance que deixara a meio. Cosimo conseguiu encontrar outra cópia de *Clarissa* e passou a levá-la consigo para cima do pinheiro.

– Até onde é que tinhas chegado?

– Até àquela parte em que Clarissa foge da casa de mulheres de má vida!

Cosimo folheou um pouco e depois disse:

– Ah, sim, cá está. Portanto – e começou a ler em voz alta, voltado para a janela com grades, às quais se viam, muito agarradas, as mãos de João dos Bosques.

A instrução do processo durou muito tempo; o salteador resistia aos tratos de polé que lhe davam; para o fazerem confessar algum dos seus inúmeros delitos eram precisos dias e dias. Deste modo, todos os dias, antes e depois dos interrogatórios, ia pôr-se à escuta de Cosimo, que lhe continuava a leitura. Acabada a *Clarissa*, e sentindo-o um pouco contristado, Cosimo ficou com a ideia de que Richardson para uma pessoa que estivesse presa devia ser um bocado deprimente; e preferiu começar a ler-lhe um romance de Fielding que, com a ação muito movimentada como tinha, o consolasse um pouco da liberdade perdida. Estava-se por alturas do processo e João dos Bosques só pensava nos casos de Jonathan Wild.

O dia da execução chegou antes mesmo que Cosimo tivesse tido tempo de lhe acabar a leitura do romance. Sobre a carreta, acompanhado por um padre, João dos Bosques fez a sua última viagem de vivente. Em Ombrosa, os enforcamentos tinham lugar num carvalho muito alto, que ficava no meio da praça. Em volta juntava-se o povo todo.

Quando já tinha a corda ao pescoço, João dos Bosques ouviu um assobio entre os ramos. Ergueu o rosto. Era Cosimo, com o livro fechado.

– Diz-me como é que acaba – pediu o condenado.

– Lamento dizer-te isto, João – respondeu Cosimo –, mas Gionata acaba pendurado pelo pescoço.

– Obrigado. Assim seja comigo também! Adeus! – e ele próprio afastou o banco com o pé, ficando pendurado.

A multidão, quando o corpo acabou de se debater, dispersou. Cosimo ficou até à noite em cima da árvore, encavalitado no ramo donde pendia o enforcado. E todas as vezes que algum corvo se aproximava para bicar o nariz ou os olhos do cadáver, Cosimo enxotava-o, agitando o barrete.

XIII
ᘓᘐ

Das suas relações com o salteador, Cosimo tinha herdado, portanto, uma desmesurada paixão pela leitura e pelo estudo, que lhe ficou depois para o resto da vida. A atitude habitual em que ele agora se encontrava era, quase sempre, com um livro aberto nas mãos, sentado num ramo de árvore cómodo ou então apoiado a uma forquilha como se de um banco de escola se tratasse, com uma folha pousada numa espécie de mesinha, o tinteiro metido numa cavidade do tronco da árvore e escrevendo com uma comprida pena de ganso.

Agora era ele próprio quem ia procurar o abade Fauchelafleur para que lhe desse lições, para que lhe explicasse corretamente Tácito e Ovídio e os corpos celestes e as leis da química, mas o velhote, além de uns rudimentos de gramática e de certos conhecimentos, naturalmente mais vastos, de teologia, vivia mergulhado num oceano de dúvidas e lacunas e às perguntas do aluno erguia os braços e alçava os olhos para o céu.

– *Mon abbé*, quantas mulheres é possível ter-se na Pérsia? *Mon abbé*, quem é o vigário de Saboia? *Mon abbé*, é capaz de me explicar o sistema de Lineu?

– *Alors... Voyons... Maintenant...*[1] – começava o abade. Mas depois perdia-se, como era hábito, e não conseguia adiantar mais nada.

[1] Então... Vejamos... Agora...

Mas Cosimo, que devorava livros de todas as espécies e passava metade do seu tempo a ler e a outra metade a caçar para pagar as contas ao livreiro Orbecche, tinha sempre histórias novas para lhe contar.

Histórias de Rousseau, que passeava pelas florestas da Suíça, de Benjamim Franklin, que conseguia captar os relâmpagos com um para-raios, e até do barão de la Hontan, que vivia feliz entre os índios da América.

O velho Fauchelafleur apurava o ouvido para ouvir estas histórias com uma atenção maravilhada, ainda hoje não sei se por real interesse se apenas pelo alívio que sentia de não ter de ser ele a ensinar; e anuía, com movimentos da cabeça, às histórias que meu irmão lhe contava, interrompendo por vezes com: *Non! Dites-le moi*[1] – quando Cosimo vinha ter com ele, perguntando: – E sabeis como é – ou então com: – *Tiens! Mais c'est épatant!*[2] –, quando Cosimo lhe revelava a resposta à pergunta que fizera, e, outras vezes ainda, com: – *Mon Dieu!* – que tanto poderia julgar-se serem de exultação pelas novas grandezas de Deus que naquele momento lhe eram reveladas como de amargura pela omnipresença do Mal, que, sob todas as formas e disfarces, dominava, sem salvação, este mundo.

Eu era ainda demasiado criança e Cosimo tinha amigos apenas entre as classes iletradas, por isso desabafava a sua ânsia de comentar as descobertas que ia fazendo nos livros, sepultando o velho abade sob uma autêntica avalancha de perguntas e explicações. É sabido que o abade, nosso precetor, já de si tinha aquele temperamento fraco, sem vontade própria e acomodatício que lhe vinha de uma superior consciência da inutilidade de tudo; e Cosimo aproveitava--se disso. Deste modo, inverteram-se por completo as posições do discípulo e do professor: Cosimo tomava agora atitudes de mestre e o abade Fauchelafleur de discípulo. E era tanta a autoridade que meu irmão havia tomado que conseguia arrastar atrás de si, nas suas peregrinações pelas árvores, o trémulo velhote. Fê-lo passar uma

[1] Não! Diga-me!
[2] Olha! É curiosa!

tarde inteira empoleirado num ramo de castanheiro-da-índia, no jardim dos d'Ondariva, com as pernas muito magras pendentes e bamboleando-se no ar, contemplando as plantas raras e o pôr do Sol, cujos reflexos dançavam na água do tanque das ninfas. E, entretanto, falavam e discutiam acerca das monarquias e das repúblicas, dos conceitos de justo e de verdadeiro nas várias religiões, dos ritos chineses, do terramoto de Lisboa, da garrafa de Leiden, do sensismo.

E eu, que devia ter as minhas lições de grego, ficava sem elas, porque não se conseguia encontrar o precetor. Alarmou-se a família toda, organizaram-se batidas nos campos vizinhos à procura do abade, e por fim procedeu-se até à dragagem de um lago onde havia um viveiro de peixes, porque se temia que, distraído como ele era, lá tivesse caído, morrendo afogado. Voltou à noite, queixando-se do lumbago que lhe dera, de ter estado horas seguidas sentado numa posição tão incómoda.

Mas é necessário não esquecer que no velho abade jansenista este estado de passiva aceitação de todas as coisas se alternava por momentos com um regresso à sua originária paixão pelo rigor espiritual. E se, enquanto estava distraído e condescendente, acolhia sem resistência qualquer ideia nova ou libertina, por exemplo a igualdade dos homens perante a lei ou a honestidade dos povos selvagens, ou a influência nefasta das superstições, um quarto de hora mais tarde, preso de um súbito acesso de austeridade e de absolutismo, confundia-se naquelas ideias aceites pouco antes de um modo tão ligeiro e voltava a todo aquele seu desejo de coerência e severidade moral. Então, nas suas palavras, os deveres dos cidadãos livres e iguais ou a virtude do homem que segue a religião natural tornavam-se regras de uma disciplina desapiedada, artigos de uma fé fanática, e fora disto não via senão um negro quadro de corrupção, e todos os novos filósofos eram demasiados brandos e superficiais na denúncia do Mal e o caminho da perfeição, ainda que árduo, não consentia compromissos nem meios-termos.

Perante estas imprevistas reações do abade, Cosimo não arriscava dizer mais palavra, com medo que o abade lha censurasse como incoerente e não rigorosa, e o mundo luxuriante que nos seus pensamentos procurava suscitar jazia desértico diante dele, tal um marmóreo cemitério. Felizmente, o abade cansava-se depressa destes estados de tensão da vontade e ficava para ali prostrado, como se a necessidade de descarnar cada conceito para o reduzir a pura essência o deixasse em poder de sombras dissolutas e impalpáveis: piscava os olhos, soltava um suspiro, do suspiro passava imediatamente ao bocejo e, logo a seguir, reentrava no seu estado de nirvana.

Mas, entre uma e outra disposição do seu espírito, dedicava agora praticamente os seus dias a seguir os estudos empreendidos com Cosimo e fazia grandes percursos entre as árvores onde meu irmão se encontrava e a loja do judeu livreiro Orbecche, a pedir-lhe livros de encomenda aos livreiros de Amesterdão ou Paris e a retirar as encomendas chegadas. E deste modo, sem o suspeitar, ia preparando a sua desgraça. Porque o boato de que em Ombrosa havia um padre que se mantinha ao corrente de todas as publicações mais excomungadas que havia na Europa chegou aos ouvidos do Tribunal Eclesiástico. Uma tarde, os esbirros apresentaram-se na nossa *villa* para inspecionar a cela do abade. E como entre os seus breviários tivessem encontrado as obras de Bayle, ainda por abrir, tanto bastou para que o prendessem imediatamente e o levassem com eles.

Foi uma cena muito triste, naquela tarde nevoenta. Recordo-me de ter assistido a ela amedrontado, atrás da janela do meu quarto, e deixei de estudar a conjugação e flexão dos verbos gregos, porque sabia que não teria mais lições. O velho abade Fauchelafleur afastava-se pelas avenidas do parque, entre os esbirros armados e erguia os olhos para as árvores, e a certa altura teve um sobressalto, como se quisesse correr para um olmo do parque e trepar para ele, mas fraquejaram-lhe as pernas. Nesse dia, Cosimo andava à caça pelo bosque e não sabia nada do que se estava a passar; assim, não conseguiu despedir-se dele.

Não pudemos fazer nada para o ajudar. Nosso pai fechou-se no seu quarto e não queria sequer provar a comida, porque tinha medo de ser envenenado pelos jesuítas. O abade, por seu turno, passou o resto dos seus dias num cárcere, no convento, em contínuos atos de penitência, até morrer, sem ter nunca compreendido, após uma vida inteira totalmente dedicada à fé, em que coisas devia acreditar, mas procurando sempre acreditar em alguma coisa até às últimas consequências.

Apesar disto, a prisão do abade Fauchelafleur não acarretou prejuízo de espécie alguma aos progressos da educação de Cosimo. É dessa época que data a sua correspondência epistolar com os maiores filósofos e cientistas da Europa, a quem ele se dirigia para que lhe resolvessem algumas questões e objeções que se lhe deparavam nos seus estudos ou tão-somente pelo prazer de discutir com os melhores espíritos do seu tempo e, simultaneamente, exercitar-se na prática das línguas estrangeiras. Só é pena que todas as suas cartas, que guardava em cavidades de árvores, somente por ele conhecidas, nunca tenham sido encontradas e certamente tenham acabado por desaparecer, roídas pelos esquilos ou cobertas de bolor; ter-se-iam encontrado, a não ser assim, cartas escritas pelo próprio punho dos mais famosos sábios do século.

Para guardar os livros, Cosimo ia construindo uma espécie de biblioteca suspensa, o mais possível resguardada da chuva e dos roedores. Mas mudava continuamente os livros de lugar, segundo os estudos e os gostos do momento, porque ele considerava os livros um pouco como se fossem aves, e não queria, assim, vê-los fechados ou engaiolados, afirmando que semelhante espetáculo só servia para o entristecer. Sobre a mais maciça destas estantes aéreas alinhava os volumes da *Enciclopédia de Diderot e D'Alembert* à medida que lhe iam chegando de um livreiro de Livorno. E se, nos últimos tempos, à força de passar a vida metido entre os livros, andava um pouco com a cabeça entre as nuvens, cada vez menos interessado pelo mundo que o rodeava, agora, em vez disso, a leitura da *Enciclopédia* e certas palavras lindíssimas como: *Abeille, Arbre, Bois, Jardin*, faziam-no descobrir em todas as coisas que o cercavam aspetos totalmente novos. Entre os livros que mandava vir começaram a figurar até alguns tratados práticos, por exemplo tratados práticos de arboricultura, se bem que ele nunca visse chegada a hora de experimentar os novos conhecimentos.

O trabalho humano sempre interessara meu irmão Cosimo, mas até agora a sua vida sobre as árvores, as suas deslocações e as suas caçadas tinham sempre correspondido à inspiração do momento, a impulsos isolados e injustificados, como se fosse ele próprio um pássaro livre. Agora, em vez disso, sentiu-se possuído pela necessidade de fazer qualquer coisa de útil pelo seu próximo. E até mesmo isto, se formos a ver bem, era algo que tinha adquirido durante as suas relações com o salteador João dos Bosques; o prazer de se tornar útil, de desenvolver um serviço indispensável aos outros.

Aprendeu, assim, a arte de saber podar as árvores e oferecia os seus préstimos aos cultivadores de pomares, durante o inverno, quando as árvores estendem irregulares labirintos de ramos secos e parecem apenas desejar que as reduzam a formas mais vulgares, para que se possam imediatamente cobrir de flores, folhas e frutos. Cosimo sabia podar bem e pedia pouco em troca dos seus serviços. Deste modo, não havia pequeno proprietário ou rendeiro que não lhe pedisse para passar pelas suas propriedades, e era possível, assim, ver-se o meu irmão, na atmosfera cristalina daquelas manhãs, muito direito, e de pernas afastadas sobre as árvores baixas e nuas, com o pescoço embrulhado até às orelhas, num cachené, erguer a tesoura e, zac!, zac!, com golpes seguros decepar raminhos secundários e pontas. A mesma arte empregava nos jardins, com as plantas de sombra e de mero ornamento, armado com uma serra curta, e nos bosques, onde, à grande machada dos lenhadores, adaptada tão-somente a vibrar golpes profundos nos grossos troncos das árvores seculares para as abater, procurou substituir a sua machadinha esbelta, com que trabalhava apenas nos cumes e nos cimos mais altos das árvores.

Em resumo, o amor que sentia por aquele seu elemento arbóreo soube torná-lo, como sempre acontece com todo o verdadeiro amor, até um pouco desapiedado e doloroso, um amor que fere e corta cerce, mas com a nobre intenção de fazer crescer e dar forma às árvores.

Evidentemente, ele procurava sempre, a podar e cortar, servir não só o interesse do proprietário da planta, mas também o seu próprio, o interesse do viandante que tem necessidade de tornar mais praticáveis os seus caminhos; deste modo procedia sempre de maneira que os ramos que lhe serviam de ponte entre uma árvore e outra permanecessem sempre a salvo e recebessem até força nova da supressão dos outros mais inúteis. Assim, aquela natureza de Ombrosa que ele descobrira já ser tão benigna foi-se tornando, graças à sua contribuição, ainda mais favorável a ele próprio, simultaneamente amigo do seu próximo, da natureza e de si próprio. E as vantagens deste sábio procedimento revelaram-se sobretudo mais tarde, quando a forma das árvores superava cada vez mais a sua perda de forças. Mas, depois, bastou o advento de gerações de menos critério, imprevidentemente ávidas, gente que não era amiga nem tão-pouco de si própria e, desde então, tudo mudou e nunca mais surgiu nenhum Cosimo disposto a interceder pelas árvores.

XIV

Se o número dos amigos de Cosimo crescia, não é menos verdade que, contudo, ele tinha feito alguns inimigos. Com efeito, os vagabundos do bosque, após a conversão de João dos Bosques às boas leituras e a sua sucessiva queda, estavam fora de si. Uma noite, estando meu irmão a dormir naquela sua espécie de odre preso a um freixo, no bosque, foi acordado em sobressalto por um uivo do cachorro baixote. Abriu os olhos e viu um clarão: o brilho vinha de baixo, mesmo do sopé da árvore, onde ardia já um fogo, e as chamas lambiam o tronco do freixo.

Um incêndio no bosque! Quem o teria acendido? Cosimo tinha a certeza de nem sequer ter feito faiscar o fuzil nessa noite. Portanto, não podia deixar de ser uma traição daqueles miseráveis! Queriam deitar fogo ao bosque para arranjarem grandes quantidades de lenha, procedendo de modo a que, simultaneamente, as culpas fossem atribuídas a Cosimo; e não era só isto ainda o que pretendiam aqueles malvados, mas também queimar vivo o meu irmão.

De momento, Cosimo não pensou no perigo que o ameaçava tão de perto: pensou antes naquele extraordinário reino cheio de vias e refúgios que só a ele pertencia e que podia ser destruído de um momento para o outro. Era este todo o seu terror. *Ottimo Massimo*, em terra, já tinha fugido para longe, a fim de não se queimar, voltando-se, de vez em quando, para lançar ganidos desesperados: o fogo propagava-se aos arbustos do bosque.

Cosimo não perdeu a presença de espírito. Tinha transportado para cima do freixo que lhe servia agora de refúgio muitas coisas, como, aliás, era seu hábito, e entre elas um garrafão cheio de orchata, para mitigar a sede que o calor do verão lhe provocava. Trepou até junto do garrafão. Pelos ramos do freixo fugiam em pânico esquilos e morcegos, e as aves voavam para fora dos ninhos, alarmadas. Pegou no garrafão e ia tirar-lhe a rolha e molhar o tronco do freixo para o salvar das chamas quando pensou que o incêndio se estava a propagar às ervas, às folhas secas, aos arbustos, e em breve se propagaria também a todas as árvores em redor. Decidiu-se, portanto, a arriscar: «Pois que arda também o freixo. Se conseguir regar com a orchata a terra toda em volta aonde não chegaram ainda as chamas, talvez consiga impedir que o incêndio se espalhe», pensou. E, destapando o garrafão, foi regando, com movimentos ondeantes e circulares, os terrenos em volta, deitando o líquido também sobre as línguas de fogo mais afastadas, apagando-as. Deste modo o princípio de incêndio encontrou à sua frente um círculo de ervas e arbustos molhados e não pôde propagar-se mais longe.

De cima do freixo, Cosimo saltou para uma faia vizinha. Fê-lo mesmo a tempo: o tronco, consumido pelas chamas, ruiu com grande estrondo, num monte de achas, entre o chiar aterrorizado e vão dos esquilos.

Ter-se-ia o incêndio limitado àquele ponto do bosque? Mas já um voo de centelhas e chamas se propagava aos arredores; certamente a fraca barreira de folhas molhadas não tinha sido bastante para impedir a progressão do incêndio.

– Fogo! Fogo! – começou Cosimo a gritar, com todas as suas forças. – Fogo! Fogo!

– Que é? Quem está a gritar? – respondiam vozes. Não longe daquele local existia uma carvoeira, e ali dormia um grupo de camponeses seus amigos, numa cabana de madeira.

– Foooogo! Alaaaarme!

Breve, toda a montanha ecoava de gritos. Os carvoeiros espalhados pelo bosque passavam palavra uns aos outros, no seu dialeto incompreensível. Acorria gente de toda a parte. E, finalmente, o incêndio foi dominado.

Esta primeira tentativa de incêndio provocado e de atentado contra a sua vida deveria ter prevenido o meu irmão a manter-se afastado do bosque. Mas, em vez disso, Cosimo começou a pensar na melhor maneira de se poderem vigiar e dominar os incêndios assim que estes se declarassem.

Estávamos no verão de um ano de seca e intenso calor. Nos bosques da costa, lá para os lados da Provença, era sabido que todas as semanas se declarava um incêndio que tomava proporções desmesuradas. À noite avistavam-se ao longe os clarões vermelhos e altos sobre a montanha, semelhantes aos últimos lampejos de um poente. O ar era muito seco e, com o grande calor que fazia as plantas ressequidas e os tojos tornavam-se facilmente pasto de um incêndio. Parecia até que os ventos propagavam as chamas em direção aos nossos campos e bosques e, se antes não se tivesse declarado aqui um incêndio casual ou doloso que fora dominado, poderiam ter-se reunido os dois, formando uma longa fogueira ao longo de toda a costa. Ombrosa vivia aterrada diante do perigo, como uma fortaleza de teto de palha assaltada por inimigos incendiários. Nem o próprio céu parecia imune àqueles fogos: todas as noites estrelas-cadentes corriam velozes no meio do firmamento e todos esperavam vê-las cair na nossa região.

Durante aqueles dias de pânico geral, Cosimo foi preparando uma coleção de barris, que içava, cheios de água, para cima das árvores mais altas e colocadas nos locais dominantes. «Embora sirvam de pouco, para alguma coisa se viu já que servem», pensava ele. Não contente com isto, deu-se ainda a estudar o curso dos rios e riachos que atravessavam o bosque, conquanto corressem já meio secos, e das nascentes, de que brotava apenas um fiozinho de água. Foi consultar o cavaleiro-advogado.

– Ah, sim! – exclamou Enea Silvio Carrega, batendo com a palma da mão na testa. – Bacias! Diques! É preciso fazer projetos! – e dava gritinhos e saltos de entusiasmo, no meio de uma autêntica miríade de ideias que lhe invadiam o espírito.

Cosimo conseguiu pô-lo a fazer cálculos e desenhos e, entretanto, interessou os proprietários dos bosques particulares, os guardas dos bosques dominiais, os lenhadores e os carvoeiros no projeto. Todos juntos, sob a direção do cavaleiro-advogado (ou melhor, o cavaleiro-advogado sob a direção de todos eles, forçado dessa vez a dirigi-los e a não se deixar distrair) e com Cosimo superintendendo nos trabalhos do cimo de uma árvore, construíram reservas de água de modo que em qualquer local que se declarasse um incêndio fosse possível saber-se onde ir buscar água com as bombas.

Mas isto não era o suficiente. Era também indispensável organizar um corpo de bombeiros, corporação que, em caso de alarme, soubesse imediatamente dispor-se em cadeia para ir passando de mão em mão as selhas cheias de água e, deste modo, pôr fim ao incêndio antes mesmo que este se tivesse propagado. Organizou-se também uma espécie de corpo de milícia, que fazia turnos de guarda e inspeções noturnas. Os homens eram recrutados por Cosimo entre os camponeses e artesãos de Ombrosa. E, subitamente, como acontece sempre em todas as associações, nasceu um espírito de personalidade coletiva, um estímulo comum a todos, que, assim, se sentiam preparados para realizar grandes feitos. Até mesmo o meu irmão sentiu nascer em si uma nova força e um contentamento desconhecido: tinha descoberto uma sua própria atitude ao organizar e associar as pessoas e a chefiá-las; atitude de que, para felicidade sua, nunca foi levado a abusar e que pôs em prática apenas pouquíssimas vezes durante o curso da sua vida, tendo sempre em vista resultados importantes a conseguir e alcançando sempre, de cada vez que a punha em prática, resultados e êxitos compensadores.

Cosimo compreendeu também o seguinte: que as associações tornam o homem mais forte e põem em relevo nele os melhores dotes do indivíduo singular e conferem, simultaneamente, aquela espécie de alegria que, permanecendo uma pessoa só, raras vezes sente constatar como é elevado o número de pessoas honestas, corajosas e capazes e pelas quais vale a pena quererem-se coisas boas; ao passo que, vivendo-se isolado, se chega facilmente à conclusão contrária, descobrindo-se quase sempre a outra face das pessoas, essa face perante a qual é sempre necessário ter a mão pousada no punho da espada.

Portanto, aquele verão dos incêndios foi um bom verão: existia um problema comum que todos tinham levado a peito resolver e cada qual sacrificava a essa solução os outros seus interesses pessoais, sentindo-se pago de tudo pela satisfação de se encontrar de acordo e possuir a estima de tantas outras pessoas ótimas.

Mais tarde, Cosimo viria a compreender também que, quando tal problema comum deixa de existir ou nunca chega a existir, as associações deixam de ter o valor que anteriormente possuíam e que mais vale, nessas alturas, ser um homem só do que um chefe. Mas por enquanto, sendo, como era, um chefe, passava as noites completamente só, no bosque, de sentinela, empoleirado em cima de uma árvore, como sempre vivera.

Se alguma vez via fumegar algum foco de incêndio, tinha instalado em cima da árvore uma sineta que era possível ouvir-se ao longe, e com ela dava o alarme. Com este sistema foi possível descobrirem--se incêndios umas três ou quatro vezes em que eles se declararam. E não só descobri-los, mas também dominá-los a tempo, evitando que destruíssem os bosques. Uma vez que alguns deles eram propositadamente provocados, acabaram por descobrir os culpados nas pessoas dos dois salteadores Ugasso e Bel-Loré, e baniram-nos do território da comuna. Por volta dos fins de agosto, começaram os aguaceiros; e com isto o perigo dos incêndios estava passado.

Nesse tempo, não se ouvia em Ombrosa senão dizer bem de meu irmão Cosimo. Essas vozes favoráveis chegavam também até nossa casa, e aí tínhamos oportunidade de ouvir aqueles: «Mas é tão corajoso!» e «Mas sabe fazer certas coisas tão bem», no tom de quem pretende formular apreciações justas e objetivas sobre uma pessoa de religião diferente ou pertencente a um partido contrário e deste modo pretende também mostrar-se de espírito aberto a compreender até mesmo as ideias mais afastadas das que o próprio professa.

As reações da generala perante estas notícias eram bruscas e sumárias.

– Têm armas? – perguntava, quando lhe falavam no corpo de guarda aos incêndios que Cosimo organizara. – Fazem exercícios? – Porque a nossa mãe pensava já na constituição de uma milícia armada que, em caso de vir a rebentar uma guerra, pudesse participar em operações militares.

Nosso pai, porém, limitava-se, por seu lado, a ouvir tudo em silêncio, abanando a cabeça de modo tal que era impossível saber-se se, a cada notícia que recebia respeitante àquele seu filho, se sentia preso da maior dor ou, em vez disso, concordava, tocado talvez por um fundo de lisonja, nada mais esperando senão poder voltar a depositar em Cosimo as maiores esperanças. Devia certamente ser assim, segundo esta última interpretação que aventei, porque ao fim de alguns dias montou a cavalo e partiu à procura de meu irmão.

Encontraram-se ambos numa vasta clareira circundada por uma longa fila de árvores. O barão fez o cavalo dar duas ou três voltas, de um lado para o outro, sem olhar o filho, se bem que o tivesse já avistado. O rapaz, que estava instalado numa árvore afastada, salto a salto, dirigiu-se para as árvores mais próximas. Quando se encontrou diante do pai, tirou o chapéu de palha (que no verão substituía o barrete de pelo de gato selvagem) e disse:

– Bons dias, senhor pai.

– Bons dias, meu filho.

– Estais bem?

– Enfim, como permitem os anos e os desgostos.

– Folgo em ver-vos de saúde.

– O mesmo me acontece em relação a ti, Cosimo. Ouvi dizer que te empregas agora a trabalhar pelo bem comum.

– Tenho a meu cargo a salvaguarda dos bosques e florestas onde vivo, senhor pai.

– Sabes que uma parte do bosque é propriedade nossa, herdada da tua pobre avó Isabel, que Deus tenha?

– Sim, senhor pai. Fica nos lados de Belrìo. Aí crescem cerca de trinta castanheiros, vinte e duas faias, oito pinheiros e um bordo.

Possuo cópias de todos os mapas de cadastro. E foi precisamente na minha qualidade de membro de uma das famílias proprietárias que entendi dever consociar todos os interessados na conservação dos bosques.

– Bem entendido foi – disse o barão, acolhendo favoravelmente a resposta de Cosimo. Mas não se conteve e acrescentou: – Mas dizem tratar-se de uma associação de fornaceiros, hortelãos e ferradores.

– Esses também, senhor pai. Há membros de todas as profissões, desde que sejam honestos.

– Sabes que poderias comandar toda a nobreza, que te deveria vassalagem, com o título de duque?

– Sei apenas que quando tenho mais ideias do que os outros entrego a eles essas ideias, se as aceitam; e julgo que seja isto verdadeiramente o comandar.

«E para comandar é moda hoje em dia viver em cima das árvores?» O barão tinha já esta pergunta na ponta da língua. Mas de que valia voltar a trazer à baila aquela história? Suspirou, absorto nos seus pensamentos. Depois tirou o cinturão, a que trazia presa a sua espada.

– Tens dezoito anos... É altura de que te considerem um adulto... Eu já não tenho muito mais tempo de vida... – e estendia-lhe a espada com ambas as mãos. – Não te esqueceste ainda do teu título de barão di Rondò?

– Sim, senhor pai, não esqueci o meu nome.

– E queres ser digno do nome e do título que te compete?

– Procurarei ser o mais digno que puder do meu nome de homem e sê-lo-ei também de todos os seus atributos.

– Toma esta espada, a minha espada. – Ergueu-se, com os pés fincados nos estribos. Cosimo desceu para um ramo mais baixo e o barão entregou-lhe a espada.

– Agradeço-vos, senhor pai... Prometo-vos que sempre farei bom uso dela.

– Adeus, meu filho. – O barão voltou o cavalo, deu um breve esticão às rédeas e afastou-se lentamente.

Cosimo ficou por momentos a pensar se devia ou não saudar o pai com a espada. Depois pensou que o pai lha dera apenas para que lhe servisse de defesa, e não para que com ela se entregasse a atitudes de parada. E embainhou-a lentamente.

XV
⚭

Foi nessa altura que, frequentando o cavaleiro-advogado, Cosimo deu conta da existência de qualquer coisa de estranho no seu comportamento, ou melhor, da existência de qualquer coisa diferente do habitual, por menos estranha que fosse. Dir-se-ia que aquele seu ar absorto não proviesse tanto de uma distração habitual como de uma ideia fixa que o dominasse. Eram agora cada vez mais frequentes as ocasiões em que se mostrava loquaz e sociável e, se outrora, incivil como era, poucas ou nenhumas vezes punha os pés na cidade, agora, antes pelo contrário, estava quase sempre no porto, a bordo dos barcos ou em terra, conversando com os velhos patrões e marinheiros, comentando com eles as chegadas e partidas das embarcações ou os assaltos dos piratas.

Por essa época era comum adiantarem-se ao longo das costas do nosso país as faluas dos piratas da Barbária, molestando o tráfico dos nossos navios. A pirataria era agora praticada em pequena escala, não já como nos velhos tempos, em que um encontro com os piratas podia significar, para quem tivesse essa desdita, acabar feito escravo na Tunísia ou na Argélia ou até mesmo ficar com as orelhas e o nariz decepados. Nesta época, porém, quando os maometanos conseguiam atingir uma tartana de Ombrosa, limitavam-se a roubar-lhe o carregamento: barricas de bacalhau salgado, grades e formas de queijo holandês, uns fardos de algodão, e pronto, ala. Outras vezes os nossos eram mais hábeis, conseguiam fugir-lhes, disparando tiros de espingarda contra as faluas, enquanto os barbarescos respondiam cuspindo, fazendo grandes gestos e gritando.

Em suma, era uma pirataria doméstica, que continuava por causa de determinados créditos que o paxá daqueles países pretendia ter o direito de exigir aos nossos negociantes e armadores por não ter sido – segundo a versão deles – bem servido com alguns fornecimentos, acrescentando mesmo que várias vezes tinha sido por eles roubado. E daquele modo procurava saldar as contas, a pouco e pouco, à custa de pequenos roubos e assaltos, enquanto, simultaneamente, conti-nuavam a exercer-se normalmente as relações comerciais, se bem que com continuadas contestações e contratos. Não havia, portanto, nem de uma parte nem de outra interesse em praticar qualquer grosseria irremediável; e a navegação continuava cheia de incertezas e de riscos, que todavia nunca chegavam a degenerar em autênticas tragédias.

A história que em seguida narrarei foi contada por Cosimo segundo muitas versões, todas elas diferentes; atenderei, pois, à mais rica de pormenores e menos ilógica. Se é verdade que meu irmão ao contar as suas aventuras acrescentava sempre inúmeras coisas que apenas na sua imaginação poderiam ter tido existência real, eu, por meu lado, à falta de outras fontes de informação, procuro sempre ater-me à letra daquilo que ele dizia.

Portanto, certa vez Cosimo, que, ao montar guarda aos bosques por causa dos incêndios, tinha adquirido o hábito de acordar à noite e fazer uma pequena ronda, viu um lume ou um foco que descia para o vale. Seguiu-o, no meio do maior silêncio, sobre os ramos das árvores, pelos quais caminhava com passos de gato, e viu Enea Silvio Carrega que caminhava muito lestamente, de fez e samarra, empunhando uma lanterna.

Que faria por ali àquelas horas tão adiantadas da noite o cavaleiro-advogado, que tinha o hábito de se deitar com as gali-nhas? Cosimo foi andando atrás dele. Prestava a maior atenção em não provocar rumor algum, muito embora sabendo que o tio quando caminhava daquela maneira, tomado por um semelhante fervor, era como se fosse surdo e via tão-só o que se passava um palmo diante dos pés.

Por carreiros e atalhos, o cavaleiro-advogado atingiu finalmente a orla do mar, num local de praia pedregosa. Uma vez aí, pôs-se a agitar a lanterna de um lado para o outro. Não havia lua e nada se conseguia distinguir no mar para além do branco agitar de espuma das ondas mais próximas. Cosimo estava instalado em cima de um pinheiro, ainda a uma certa distância da orla do mar, porque finalmente aí se tornara mais rala e separada a vegetação, não sendo já tão fácil chegar a qualquer parte por cima dos ramos. Apesar disso, conseguia distinguir perfeitamente a figura do velhote, com o alto fez na cabeça, sobre a praia deserta, agitando a lanterna para a escuridão do mar. Subitamente, do meio daquela escuridão responde-lhe uma outra luz de lanterna, muito próxima, como se a tivessem acendido naquele preciso instante e, muito veloz, Cosimo viu surgir uma pequena embarcação com uma vela quadrada escura e remos, embarcação totalmente diferente das que eram características da nossa região e que se aproximava da praia.

À luz bruxuleante das lanternas Cosimo viu então vários homens de turbante na cabeça: alguns deles ficaram na barca, mantendo-a encostada à areia com pequenos movimentos dos remos, outros desceram e meu irmão notou que usavam largos calções vermelhos tufados e cimitarras de lâmina refulgente presas à cintura. Cosimo apurou a vista e o ouvido. O tio e aqueles berberes papagueavam entre eles numa língua que não se compreendia, e no entanto dir-se-ia possível de compreender, e que, certamente, devia ser a famosa língua franca. De vez em quando, Cosimo ouvia uma palavra na nossa língua, palavra em que Enea Silvio Carrega insistia particularmente, misturando-a com outras palavras incompreensíveis, e essas palavras na nossa língua eram nomes de navios, nomes conhecidos das tartanas ou brigues pertencentes aos armadores de Ombrosa que faziam serviço de cabotagem entre o nosso porto e outros.

Pouco era preciso para se compreender logo de que é que o cavaleiro estava a falar! Estava a transmitir aos piratas informações sobre os dias de partida e de chegada dos navios de Ombrosa e sobre o carregamento que levavam, a rota que tomariam e o armamento com que estavam apetrechados. O velho devia já ter transmitido aos piratas tudo o que sabia acerca do que lhes interessava, porque se voltou e afastou rapidamente da praia, enquanto os piratas regressavam à sua lancha e voltavam a desaparecer na escuridão do mar. Pela rapidez com que a conversa entre eles tinha decorrido, tornava-se evidente que devia tratar-se de coisa habitual. Sabe Deus há quanto tempo as emboscadas dos piratas barbarescos vinham sendo feitas segundo as notícias que lhes transmitia o nosso tio!

Cosimo tinha ficado em cima do pinheiro, incapaz de se adiantar até à praia deserta. O vento soprava com força, as ondas lambiam as pedras, a árvore sobre que estava empoleirado gemia com todas as suas junturas e meu irmão batia os dentes, já não tanto pelo frio da noite, mas pelo frio que lhe comunicara aquela triste revelação.

Eis que, subitamente, o velhote tímido e misterioso que nós desde crianças havíamos sempre julgado fiel e que Cosimo julgara ter aprendido pouco a pouco a estimar e a compreender se revelava, afinal, um traidor imperdoável, um homem ingrato que desejava o mal do país que o tinha recolhido como um abandonado após uma vida de erros... Mas porquê? Seria que a tal ponto o torturava a nostalgia daquelas pátrias e daquelas gentes entre as quais ele deveria ter sido, pelo menos uma vez na sua vida, feliz? Ou seria que, em vez disso, alimentava um rancor desapiedado contra aquela região, onde todas as coisas deviam ter para ele o amargo sabor da humilhação? Cosimo sentia-se dividido entre o impulso de ir a correr denunciar os manejos do espião, e desse modo salvar os carregamentos dos nossos negociantes, e o pensamento da dor que tal facto iria provocar no nosso pai, por causa daquele afeto que inexplicavelmente o ligava ao irmão natural. E Cosimo imaginava já a cena: o cavaleiro a ferros no meio dos beleguins, caminhando entre duas alas de habitantes de Ombrosa que o invetivavam e injuriavam, sendo conduzido para a praça, onde lhe poriam uma corda à volta do pescoço, enforcando-o... Depois da velada fúnebre do corpo de João dos Bosques, Cosimo tinha jurado a si mesmo nunca mais assistir a qualquer execução capital; e eis que agora lhe cabia ser o juiz de que dependia a condenação à morte de um seu próprio parente!

Uma noite inteira passou ele atormentado com aquele pensamento, e assim continuou durante todo o dia seguinte, passando furiosamente de um ramo para outro, esperneando, erguendo-se à força de braços, deixando-se escorregar pelos troncos, como sempre fazia quando estava preso por qualquer pensamento que o absorvesse. Finalmente, tomou a sua decisão: tinha escolhido uma solução de compromisso; assustar os piratas e o tio, a fim de que pusessem termo às relações criminosas que entre eles existiam sem necessidade da intervenção da justiça. Instalar-se-ia sobre o mesmo pinheiro em que tinha estado da outra vez, à noite, com três ou quatro espingardas carregadas (agora tinha constituído, graças às suas necessidades de caça, um autêntico arsenal), e quando o cavaleiro se encontrasse com os piratas na praia ele começaria a disparar as espingardas umas a seguir às outras, fazendo-lhes assobiar as balas por cima das cabeças. Ao ouvirem aquela fuzilaria, certamente os piratas e o tio fugiriam cada um para seu lado. E o cavaleiro, que não era certamente um homem audacioso, na suspeita de ter sido reconhecido e na certeza de que desde aquela altura eram vigiados os convénios que na praia tinha com os piratas, certamente se guardaria de reatar os seus encontros com as equipagens maometanas.

De facto, Cosimo, com as espingardas aperradas, aguardou em cima do pinheiro e durante um bom par de noites que o encontro se realizasse. Mas nada aconteceu de especial. À terceira noite, finalmente, apareceu o cavaleiro-advogado, de fez na cabeça, tropeçando nos calhaus da praia, fazendo sinais com a lanterna. Aproximou-se a barca com os marinheiros de turbante.

Cosimo estava pronto, com o dedo no gatilho, mas não disparou. Porque, desta vez, tudo se estava a passar de maneira diferente. Após uma breve discussão entre os piratas e o meu tio, dois dos marinheiros que tinham descido a terra fizeram um sinal para a barca e os outros começaram a descarregar o produto do roubo: barricas, caixas, fardos, sacos, garrafões e padiolas cheias de queijo. Não era apenas uma lancha, mas uma grande quantidade delas, todas carregadas, e uma fila de carregadores de turbante breve se espalhou por toda a praia, seguindo os passos do nosso tio natural, que os ia guiando, com o seu caminhar hesitante, até a uma gruta que existia entre os penedos. Aí os mouros depositaram todas aquelas mercadorias, devendo aquilo constituir sem dúvida o fruto de uma das suas últimas piratarias.

Mas porque as traziam para terra? Cosimo descobriu logo em seguida o motivo: devendo a falua barbaresca lançar âncora num dos nossos portos (para um negócio qualquer legítimo, como nunca tinham deixado de decorrer entre eles e os nossos, no meio daquelas rapinas), e devendo por conseguinte sujeitar-se à inspeção alfandegária, tornava-se-lhes necessário esconder as mercadorias roubadas em lugar seguro para depois, no regresso, voltarem a recolhê-las. Deste modo, o navio provaria também que era estranho às últimas ladroeiras que se tivessem desenrolado e saldaria as suas normais relações de comércio com o país.

Todos estes escaninhos dos bastidores vieram mais tarde a saber-se com toda a clareza. Naquele momento Cosimo não perdeu tempo a fazer outras interrogações a si mesmo. Havia um tesouro de piratas escondido numa gruta, os piratas abandoná-lo-iam, afastando-se na barca, e deixavam-no ali: era necessário que alguém se apropriasse dele o mais depressa possível. Por momentos, meu irmão pensou ainda em ir acordar os negociantes de Ombrosa, que deviam ser os legítimos proprietários de todas as mercadorias que ali se encontravam. Mas, subitamente, recordou-se dos seus amigos carvoeiros e respetivas famílias do bosque, que todos os dias passavam fome. E não hesitou nem mais um segundo: correu por cima dos ramos direito aos locais em que, ao redor de pequenas clareiras de terra cinzenta e batida, os camponeses dormiam nas suas cabanas miseráveis.

– Depressa! Venham todos! Descobri o tesouro dos piratas!

Debaixo dos panos e dos ramos das choupanas veio então um coro de vozes ainda roucas, um tossir abafado, um coro de imprecações e, finalmente, exclamações de espanto, perguntas:

– Ouro? Prata?

– Não vi lá muito bem... – respondeu Cosimo. – Mas, pelo cheiro, pareceu-me que se tratava de uma grande quantidade de bacalhau e de queijo de cabra!

A estas palavras suas, todos os homens do bosque se puseram de pé. Quem tinha espingardas pegava nelas, e os que as não possuíam armavam-se de machados, espetos, enxadas ou pás, mas sobretudo levavam consigo recipientes para trazer o roubo, inclusivamente os cestos esburacados e sujos do carvão e sacos todos negros. Constituiu-se uma grande procissão, ao som de palavras gritadas – *Hura! Hota!*, com mulheres atrás, de cestos à cabeça, e garotos encapuzados com os sacos negros, empunhando archotes. Cosimo precedia-os e guiava-os, saltando de um pinheiro do bosque para uma oliveira, e de uma oliveira para um pinheiro da praia.

Estavam já prestes a dar a volta ao promontório de rocha atrás do qual se abria a gruta quando, em cima de uma figueira contorcida, apareceu o vulto branco de um pirata, que, erguendo a cimitarra, lançou o grito de alarme. Com poucos saltos, Cosimo alcançou-o e espetou-lhe a espada nos rins até o pirata se ver forçado a atirar-se para o despenhadeiro.

Na gruta realizava-se uma reunião dos chefes piratas. (Cosimo, com aquele vaivém frenético do descarregamento, não tinha dado conta de que estes tinham permanecido ali.) Ouviram o grito da sentinela, saíram da gruta e viram-se cercados por aquela horda de homens e mulheres com os rostos todos mascarrados de fuligem, encapuzados com sacos e armados de pás. Ergueram as cimitarras e atiraram-se para diante, para abrirem uma passagem.

– *Hura! Hota!*

– *Inshallah!*

Começou a batalha.

Os carvoeiros eram em maior número, mas os piratas estavam mais bem armados. Sabido é que para lutar contra cimitarras, não há armas melhores do que as pás. Deng! Deng!, e as lâminas de Marrocos abriam bocas no fio. As espingardas, por seu lado, faziam ruído, fumo e nada mais. Até mesmo alguns dos piratas (oficiais, certamente) tinham lindíssimas espingardas, todas adamascadas, mas na gruta as pederneiras tinham apanhado humidade e não pegavam fogo. Os mais diligentes dos carvoeiros atiravam para aturdir os oficiais piratas com golpes de pá na cabeça, para lhes confiscarem as espingardas. Mas com aqueles turbantes que os outros usavam cada golpe vibrado nos barbarescos era amortecido como se fosse desfechado sobre uma almofada; era a todos os títulos preferível dar-lhes joelhadas no estômago, porque traziam o umbido a nu.

Visto que a única coisa que por ali não rareava eram pedras, breve os carvoeiros começaram a atacar os piratas à pedrada. Os mouros, por sua vez, respondiam também à pedrada. Com as pedras, por fim, a batalha acabou por tomar um aspeto mais vulgar, mas, uma vez que os carvoeiros o que queriam era entrar na gruta, cada vez mais atraídos pelo cheiro do bacalhau que empestava o ar, e os barbarescos só pensavam em escapar em direção à chalupa que ficara junto da praia, não havia na verdade grandes motivos de altercação entre as duas partes.

A certa altura deu-se da parte dos carvoeiros um ataque que lhes deixou caminho aberto para a gruta. Do lado dos maometanos resistia-se ainda sob uma autêntica chuva de pedradas quando, subitamente, repararam que o caminho da praia lhes estava livre. Que estavam portanto ali a fazer? Mais lhes valia içar as velas e fugir quanto antes.

Mal alcançaram a lancha, três piratas, todos nobres oficiais, deram-se pressa a desfraldar a vela. Com um salto de um pinheiro próximo do local, Cosimo lançou-se para o mastro, agarrou-se a uma travessa do mastro e lá em cima, mantendo-se bem agarrado com os joelhos, desembainhou a espada. Os três piratas voltaram-se contra ele, brandindo as cimitarras. Mas meu irmão, com golpes à esquerda e à direita, conseguia manter em respeito todos os três. A barca, ainda presa a terra, inclinava-se ora para um lado ora para outro, consoante as vicissitudes da luta. Surgiu a Lua detrás das nuvens naquele momento, e o luar fez sair lampejos da espada que o barão dera a seu filho e das afiadas lâminas maometanas. Meu irmão deixou-se escorregar pelo mastro e enterrou profundamente a espada no peito de um dos piratas, que caiu pela borda fora. Ágil como um lagarto muito vivo, Cosimo regressou ao local que ocupara anteriormente, defendendo-se com duas paradas fendentes dos assaltos dos outros dois, depois escorregou novamente e trespassou o segundo oficial, voltou ao seu lugar, travou uma breve escaramuça com o terceiro e com outra das suas rápidas descidas trespassou-o igualmente.

Os três oficiais maometanos ficaram metade metidos dentro de água, metade de fora, com as barbas cheias de algas. Os outros piratas, à entrada da gruta, estavam desmaiados devido às pedradas e aos golpes de pá que os carvoeiros lhes haviam vibrado. Cosimo, ainda empoleirado no mastro da barca, olhava com ar triunfante à sua volta quando, subitamente, saiu a correr da gruta, tal um gato a quem tivessem pegado fogo ao rabo, o cavaleiro-advogado, que ali tinha permanecido escondido até àquele momento. Correu pela praia, de cabeça baixa, deu um empurrão à barca, afastando-a de terra, e saltou lá para dentro; pegando nos remos, começou a remar muito depressa, até mais não poder, dirigindo-se para o mar alto.

– Cavaleiro! Mas que coisa fazeis? Estais louco? – dizia Cosimo, agarrado ao mastro da barca. – Voltemos para a praia! Mas para onde vos dirigis?

Mas qual quê! Estava bem de ver que Enea Silvio Carrega o que pretendia era alcançar o navio dos piratas e pôr-se a salvo. Desde aquela altura, a sua felonia tinha ficado irremediavelmente descoberta, e se continuasse na praia certamente o haveriam de desencantar do seu esconderijo e conduzi-lo-iam até ao patíbulo. Deste modo remava, remava furiosamente, e Cosimo, se bem que se encontrasse ainda com a espada desembainhada e, como o velhote estava desarmado e era, ainda para mais, de compleição débil, hesitava sem saber que atitude tomar. No fundo, desagradava-lhe profundamente ter de ser violento para com o próprio tio e, além disso, para conseguir atingi-lo tinha de descer do mastro para o fundo da barca, e a questão de saber se descer para o fundo de uma barca equivalia a descer para o solo, estando em terra, ou até de saber se já não teria violado as suas leis interiores ao passar de uma árvore com raízes para um mastro de barca, era demasiado complicada para que a pusesse a si mesmo naquele momento. Deste modo deixou-se estar sem fazer coisa alguma, com uma perna de um lado do mastro e outra do outro, deixando-se levar ao sabor das ondas que agitavam o batel, enquanto uma leve brisa principiava a engolfar as velas e o velho não parava de remar.

Ouviu um ladrido. Um estremecimento de alegria percorreu-lhe o corpo. O cão, o baixote, o fiel *Ottimo Massimo*, que durante a refrega ele tinha perdido de vista, estava ali agachado no fundo da barca e agitava a cauda como se nada se passasse. Ora, ora, refletiu Cosimo, não merecia a pena preocupar-se tanto: estava em família, acompanhado pelo seu tio e pelo cão, e dava um passeio de batel, o que, após tantos anos de vida simplesmente arbórea, sempre era uma distração agradável.

A Lua refletia-se no mar. O velho começava a evidenciar sinais de cansaço. Remava agora mais devagar e chorava, e a certa altura Cosimo ouviu-o mesmo murmurar:

– Ah, Zaira... Ah, Alá, Alá, Zaira... Ah, Zaira, *inshallah*...

E assim, inexplicavelmente, o cavaleiro-advogado começara a falar em turco e repetia, repetia sem descanso, entre as lágrimas que o banhavam, aquele nome de mulher que Cosimo nunca tinha ouvido.

– Que dizeis, cavaleiro? Mas que tendes? Para onde vamos, afinal? – perguntava o meu irmão.

– Ah... Zaira... Ah, Zaira... Ah, Alá, Alá... – respondia apenas o velho.

– Mas quem é Zaira, cavaleiro? É ao encontro dela que vos dirigis, por aqui?

E Enea Silvio Carrega acenava afirmativamente com a cabeça e continuava a falar em turco, por entre as lágrimas, e gritava à Lua aquele nome de mulher.

E o espírito buliçoso de Cosimo principiou imediatamente a arquitetar mil suposições sobre aquela mulher misteriosa. Talvez estivesse naquele momento prestes a desvendar-se o mais profundo segredo da vida daquele homem esquivo e misterioso. Se o cavaleiro-advogado, ao se dirigir ao navio dos piratas, tencionava reunir-se àquela mulher a quem chamava Zaira, certamente, então, devia tratar-se de uma mulher que vivia do outro lado, num daqueles países otomanos. Quem sabe se toda a vida de Enea Silvio Carrega tinha sido dominada pela nostalgia, pela saudade daquela mulher, quem sabe se ela representava para o cavaleiro-advogado a imagem mesma da felicidade perdida que ele perseguia sempre através das suas criações de abelhas ou dos seus trabalhos de hidráulica... Ou quem sabe se seria uma amante, uma esposa, que tivesse tido e depois deixado naquelas paragens, nos jardins maravilhosos daqueles países otomanos, ou até mesmo uma filha, uma sua filha a quem não via desde criança... Para poder encontrar-se com ela devia então ter tentado durante anos e anos estabelecer qualquer ligação com algum ou alguns daqueles navios turcos ou mouriscos que arribavam aos nossos portos e, finalmente, após inúmeras tentativas infrutíferas, deviam ter-lhe trazido notícias. E talvez tivesse sabido até que a tinham feito escrava e, como resgate, haviam-lhe proposto que fornecesse informações sobre as viagens das tartanas de Ombrosa. Ou então era aquele o preço que os outros exigiam antes de consentirem em recebê-lo a bordo e embarcá-lo para o país de Zaira.

Mas agora, completamente desmascarada a sua intriga, via-se constrangido a fugir de Ombrosa e aqueles bárbaros não poderiam, face às circunstâncias, recusar-se a recebê-lo entre eles e transportá--lo até ela, até Zaira. Naquelas palavras ofegantes e truncadas que ele pronunciava mesclavam-se os tons da esperança, da súplica e até do medo que o invadia: medo de que não fosse esta ainda a oportunidade tantos anos aguardada, medo de que qualquer desventura pudesse ainda vir separá-lo da mulher desejada.

Já quase não conseguia levantar os remos da água quando subitamente uma sombra se aproximou da barca. Era outra lancha de piratas barbarescos. Provavelmente, a bordo deviam ter ouvido os rumores abafados da batalha que em terra se travara e enviavam exploradores para averiguar o que se passava.

Cosimo deixou-se escorregar até meia altura do mastro, para poder ficar escondido atrás da vela. Em linguagem franca, o velho começou a gritar que o tirassem dali, que o levassem para bordo. E enquanto falava estendia-lhes os braços. Foi efetivamente recolhido pelos outros: dois janízaros de turbante, mal o apanharam ao alcance das mãos, fincaram-no pelos ombros, ergueram-no com leveza tal que dir-se-ia erguerem um caniço e atiraram com ele para o fundo da outra barca. O batel em que Cosimo se encontrava foi afastado graças à brusquidão e rapidez com que a operação fora executada. Uma rabanada de vento fez inchar ainda mais a vela e meu irmão, que já se imaginava preso e sucumbindo às mãos dos piratas, conseguiu deste modo escapar aos turcos.

Afastando-se embalado pelo vento, ao batel de Cosimo chegavam farrapos de vozes vindos da lancha dos piratas, como se a bordo se estivesse a travar uma violenta altercação. Uma palavra mais nítida pronunciada por um dos mouros soou-lhe como: – Traidor! –, e ouviu depois a voz do velho, que repetia como um idiota: – Ah, Zaira!

Não havia dúvidas do acolhimento que havia sido dispensado ao cavaleiro. Certamente haviam-no tomado por responsável da emboscada na gruta, da perda do produto das piratarias, da morte de alguns dos deles, enquanto simultaneamente o acusavam de os ter traído... Ouviu-se depois um grito mais forte, um ruído de corpo a cair à água e seguiu-se um silêncio pesado; Cosimo viu, nesse momento, a imagem nítida como se estivesse na realidade a presenciar a cena do barão nosso pai gritando: – Enea Silvio! Enea Silvio! – quando seguia o irmão natural pelos campos de Ombrosa; e, vencido por aquela imagem, escondeu o rosto entre duas pregas da vela.

Voltou a trepar para o topo do mastro para ver que rumo a barca havia tomado entretanto. Por entre a bruma, lobrigou qualquer coisa, um objeto, que boiava no meio do mar como que transportado pela corrente, uma espécie de boia, mas uma boia com algo agarrado... Um raio de luar súbito iluminou o objeto e distinguiu então que não se tratava de um objeto, mas de uma cabeça, uma cabeça com um fez enfiado. E Cosimo reconheceu então o rosto alterado do cavaleiro-advogado, que olhava o céu com o seu habitual ar assustadiço, de boca aberta. Da barba para baixo o resto do corpo encontrava-se completamente mergulhado dentro de água e não se via.

Cosimo gritou:

– Cavaleiro! Cavaleiro-advogado! Mas que fazeis? Porque não subis para bordo? Agarrai-vos à barca! Já vos dou uma ajuda! Cavaleiro!

Mas o tio não respondia: boiava, boiava, olhando o céu com o ar assustadiço de sempre, o olhar fixo, como se nada visse.

E Cosimo disse:

– Vá, *Ottimo Massimo*! Atira-te à água! Abocanha o cavaleiro pelo cachaço! Vá, *Ottimo Massimo*! Salva-o! Salva-o!

Obediente, o cão atirou-se à água e procurou abocanhar o cachaço do velho cavaleiro-advogado. Mas não conseguiu e, voltando à carga, lá se lhe aferrou à barba.

– Pelo cachaço, *Ottimo Massimo*, eu disse pelo cachaço! – insistiu Cosimo.

Mas o cão ergueu a cabeça pela barba e arrastou-a consigo para bordo do batel, e viu-se então que não existia pescoço, nem corpo, nem nada mais. Era apenas uma cabeça, a cabeça do cavaleiro-advogado Enea Silvio Carrega, decepada por um golpe de cimitarra.

XVI

O triste fim do cavaleiro-advogado foi mais tarde descrito por Cosimo em versões que divergiam bastante da original. Quando o vento empurrou para a praia a barca em que ele vogava encolhido sobre o mastro, *Ottimo Massimo* arrastando pela barba a cabeça decepada do velho, Cosimo contou as pessoas que tinham acorrido ao seu chamamento – já nesta altura, com a ajuda de uma corda, ele tinha passado do mastro da embarcação para uma árvore da praia – uma história assaz simples: no seu dizer, depreendia-se que o cavaleiro tinha sido raptado pelos piratas e depois morto por eles. É possível que ao dar esta versão do que acontecera Cosimo estivesse com o pensamento posto em nosso pai, cuja dor à notícia da morte do irmão natural e à vista daqueles piedosos restos seria certamente tão grande que Cosimo não teve coragem de contribuir para que ela se agravasse ainda mais revelando-lhe a felonia do cavaleiro-advogado.

Deste modo tentou, em seguida e porque tinha ouvido falar do grande desânimo em que vivia o barão após aquelas notícias, construir para o nosso tio natural uma glória a todos os títulos fictícia, inventando até uma luta secreta e astuta que aquele teria travado para derrotar os piratas, aos quais em tempos se teria dedicado, mas que, tendo-o descoberto agora, o procuravam arrastar com eles para o submeterem a torturas e suplícios. Mas era uma história repleta de contradições e lacunas, até porque havia qualquer coisa mais que Cosimo pretendia esconder: o desembarque do carregamento roubado pelos piratas na gruta da praia e a intervenção dos carvoeiros. Com efeito, se tal se tivesse vindo a saber, certamente a população de Ombrosa teria caído em peso sobre os bosques para reconquistar as mercadorias aos pobres carvoeiros, rotulando-os logo em seguida de ladrões.

Após algumas semanas, quando adquiriu a certeza de que os carvoeiros tinham dado bom destino às mercadorias conquistadas aos piratas, contou então o assalto que todos tinham realizado à gruta da praia. Deste modo, quem ainda teve a ideia de sair à reconquista do que restasse voltou com as mãos a abanar. Os carvoeiros tinham distribuído tudo em partes equitativas e o bacalhau havia sido desfibrado fio a fio, bem assim como o salame e o queijo. E do que tinha sobrado fizeram eles um grande banquete, no bosque, um banquete que durou um dia inteiro.

O nosso pai andava muito envelhecido e a dor que lhe causara a perda de Enea Silvio Carrega tivera estranhas consequências sobre o seu carácter. Deu-lhe a ideia fixa de fazer com que as obras empreendidas pelo irmão natural não fossem perdidas. Por isso, queria ser ele próprio a cuidar das criações de abelhas, e desempenhava-se da obrigação que a si mesmo impusera com grande presunção, ainda que até essa altura nunca tivesse sequer visto de perto uma colmeia. Quando se via necessitado de conselhos recorria a Cosimo, que com aquele período de relações mais íntimas com o cavaleiro-advogado sempre tinha aprendido alguma coisa; não que lhe fizesse diretamente perguntas a propósito do que pretendia saber, mas subtilmente desviava a conversa para a apicultura e escutava atentamente o que Cosimo lhe dizia, repetindo depois as mesmas palavras, sob a forma de ordens, num tom irritado e autossuficiente, aos camponeses que trabalhavam sob a sua vigilância, como se tudo aquilo fossem coisas que toda a gente tivesse a obrigação de saber. Procurava não se acercar em demasia dos cortiços por causa daquele seu pânico, em que sempre vivera, de ser picado, mas ainda assim pretendia mostrar a todos que era capaz de vencer esse pânico, e sabe Deus quanto esforço isso lhe exigiria! Do mesmo modo, dava as suas ordens para que se cavassem certos canais, a fim de completar um projeto que iniciara o infeliz Enea Silvio; se o tivesse conseguido terminar teria sido um caso excecional, porque o defunto nunca tinha conseguido completar inteiramente um só que fosse.

Esta tardia paixão do barão nosso pai pelos afazeres de ordem prática durou todavia pouco tempo. Um dia, quando passeava, entre assustadiço e nervoso, por entre os cortiços e canais de rega, e ao fazer um movimento brusco, viu vir na sua direção um enxame de abelhas. Tomado de pânico, começou a agitar as mãos, derrubou uma colmeia e fugiu com uma nuvem de abelhas no encalço. Correndo às cegas, acabou por cair dentro do canal de rega, que nessa altura todos procuravam encher de água. De lá o retiraram, todo encharcado.

Meteram-no na cama. Com a febre provocada pelas picadas e a que lhe causara o resfriamento do banho forçado, esteve uma semana retido no leito; depois dir-se-ia completamente curado. Mas o barão foi invadido então por um desalento tão profundo que nunca mais conseguiu recuperar o antigo estado.

Passava muito tempo no leito e tinha perdido toda e qualquer afeição pela vida. Nada do que tentara tinha resultado, já nem sequer falava do ducado, e o seu primogénito, conquanto fosse já um homem, continuava empoleirado pelas árvores da região; o irmão natural morrera assassinado pelos piratas, a filha estava casada e morava longe, com uma gente que era ainda mais antipática do que ela própria, eu era ainda demasiado criança para lhe poder fazer companhia e a generala tinha um feitio demasiado implicativo e autoritário. O barão começou a tresvariar, a dizer que agora até já os jesuítas lhe tinham ocupado a casa, de modo que lhe era impossível sair do quarto, e assim, cheio de amarguras e ideias loucas como sempre tinha vivido, a morte veio ao seu encontro.

Até mesmo Cosimo seguiu o funeral, passando de uma árvore para outra. Mas não conseguiu entrar no cemitério, porque os ciprestes, despojados de ramos como são, não permitem que quem quer que seja possa trepar para cima deles. Assistiu ao enterro do lado de fora dos muros do cemitério, e quando todos nós atirámos um punhado de terra sobre o caixão, ele lançou para a cova um raminho com folhas. E eu pensava tristemente que todos nós tínhamos vivido tão distantes de nosso pai como o próprio Cosimo, empoleirado nas suas árvores.

Agora Cosimo herdara o título. Era ele o barão di Rondò. A sua vida não se alterou por isso, contudo. É certo que cuidava da administração dos nossos bens, mas sempre de modo muito irregular. Quando os feitores e foreiros o procuravam, nunca sabiam onde ir encontrá-lo. E quando menos desejavam que ele os visse, topavam-no empoleirado num ramo, mesmo por cima das suas cabeças.

Para tratar dos assuntos familiares Cosimo aparecia agora muito frequentemente na cidade. Parava geralmente sobre a velha e nodosa nogueira da praia ou sobre os álamos próximos do porto. As pessoas cumprimentavam-no com grandes reverências, tratavam-no por Sr. Barão, e ele começou então a tomar atitudes já um pouco características dos velhos, como por vezes os jovens sentem prazer em imitar, e parava por ali, conversando e contando histórias a um grupo de cidadãos de Ombrosa que se dispunha e reunia quase habitualmente em redor da árvore de Cosimo.

Continuava a contar, mas sempre em versões diferentes, o triste fim do nosso tio natural. E, pouco a pouco, foi ficando a descoberto a conivência do cavaleiro com os piratas. Mas para refrear a imediata imaginação dos cidadãos acrescentava também a história de Zaira, quase como se o cavaleiro-advogado lha tivesse confidenciado antes de morrer, e, assim, por tal modo meu irmão soube conduzir o fio da história que conseguiu até levar os auditores a comoverem-se com a triste sorte do velho Enea Silvio Carrega.

Da pura e inteiramente abstrata invenção Cosimo tinha conseguido, ao que creio, atingir, por uma série de sucessivas aproximações, uma imagem quase totalmente verídica dos acontecimentos. Isto conseguiu ele umas duas ou três vezes, que eu o saiba; depois, como os cidadãos de Ombrosa nunca se mostrassem fartos de o ouvir contar aquela história e como cada dia crescesse o número de auditores que o escutavam em respeitoso silêncio e como, além disso, crescesse dia a dia a exigência de novos pormenores, foi forçado a fazer acrescentos, ampliações, hipérboles, a introduzir novos personagens e episódios, e assim a história começou a deformar-se e acabou por vir a tornar-se muito mais produto da imaginação do que o era da realidade.

Mas agora Cosimo tinha um público que ouvia de boca aberta tudo o que ele tivesse para lhes contar. Meu irmão tomou o gosto a contar histórias sobre a sua vida em cima das árvores, as suas caçadas, o salteador João dos Bosques, o cão *Ottimo Massimo*. Todos eles foram pretextos de novas histórias, que nunca tinham verdadeiramente aquilo a que se pode chamar um final. (Muitos e variados episódios desta história da sua vida são aqui reproduzidos tal e qual ele os narrava, cedendo às constantes solicitações do seu auditório plebeu. E apenas digo isto na intenção de pedir indulgência se tudo o que aqui escrevo não parecer verdadeiro e conforme a uma harmoniosa visão da humanidade e dos factos.)

Por exemplo, um daqueles ociosos perguntava-lhe:

– Mas, senhor barão, é então verdade que nunca haveis posto pé fora das árvores?

E Cosimo replicava:

– Infelizmente, não. Certa vez abandonei efetivamente as árvores, mas por engano. Encarrapitei-me na armação de um veado. Julguei passar para cima de um bordo, e afinal era um veado fugido da reserva de caça real e que estava ali parado. O veado sentiu o meu peso em cima dos cornos e deitou a fugir em direção ao bosque. Nem vos digo os balanços e sacões em que me vi metido! Eu lá em cima sentia-me trespassado por todos os lados, entre as pontas aguçadas dos cornos, os espinhos e os ramos do bosque que me arranhavam a cara... O veado debatia-se, procurando libertar-se de mim, e eu procurava manter-me agarrado como podia...

Suspendia a história nesta altura e os outros voltavam à carga:

– Mas... e como é que Vossa Senhoria conseguiu escapar de tais apuros?

E ele arranjava sempre finais totalmente diversos:

– Bem, o veado correu, correu, e foi reunir-se a uma manada de veados que, vendo-o com um homem empoleirado nos cornos, ora fugiam cheios de terror, ora se avizinhavam, curiosos. Por minha parte, apontei a espingarda, que trago sempre a tiracolo, e abati todos os veados que se colocavam sob a mira da espingarda. Com isto, matei mais de cinquenta peças...

– Senhor! Onde é que alguma vez houve notícias de existirem cinquenta veados cá para estas bandas? – perguntava, entre admirado e suspeitoso, um qualquer daqueles mendigos.

– Agora já se perdeu a raça. E sabeis porquê? Porque os cinquenta veados que abati eram todos fêmeas, percebem? De cada vez que o veado em que eu estava empoleirado procurava aproximar-se de uma corça, eu disparava, e aquela caía morta. E o veado não se resignava e tentava atirar-me ao chão, desesperado. Então... então decidiu matar-se. Correu para um alto penedo e atirou-se para o precipício. Mas eu ainda tive tempo de me agarrar aos ramos de um pinheiro que, por felicidade, ali havia, e eis-me aqui, são e salvo!

Doutras vezes, a história era acerca de uma batalha que se travara entre dois veados, e a cada golpe que um deles desferia Cosimo saltava para os cornos do outro até que, a um movimento mais brusco e forte, foi atirado pelos ares e, sem ter tido tempo de perceber o que se passava, deu consigo emaranhado entre os ramos de um carvalho próximo...

Em resumo: estava possesso daquela mania característica de quem conta histórias e que, a determinada altura, não sabe já se as mais belas são as verdadeiramente acontecidas e em relação às quais só o recordá-las é o suficiente para arrastar consigo um oceano de horas passadas, de sentimentos minuciosos, tédios, felicidade, incerteza, vanglória, náusea de si próprio, etc., ou as histórias inventadas, em que tudo pode acontecer segundo a vontade de cada um e todas as coisas aparecem fáceis. Mas depois constata-se que, por mais que se invente, já se está a falar novamente de coisas que aconteceram ou cuja compreensão existiu na realidade enquanto elas eram vividas.

Cosimo estava ainda na idade em que a ânsia de contar confere igualmente uma ânsia de viver e se crê que não se viveu o suficiente para se poder contar tudo aquilo que se deseja e, deste modo, partia para a caça, estava fora semanas inteiras, para depois voltar às árvores da praça arrastando pela cauda fuinhas, texugos e raposas, e contava aos cidadãos de Ombrosa, que o ouviam interessadamente, novas histórias que, conquanto tivessem o seu fundo de verdade, ao serem contadas se tornavam produto da sua imaginação, e, por serem produto da sua imaginação, se tornavam outra vez verdadeiras.

Mas misturada com aquela sua mania havia qualquer coisa mais, uma insatisfação mais profunda, uma espécie de carência que se revelava naquela sua ânsia de procurar pessoas que o escutassem.

Porque atrás dessa procura ocultava-se uma outra, diferente. Cosimo não conhecia ainda o amor, e sem o amor de que se pode dizer afinal que valha qualquer experiência? De que vale ter arriscado a vida quando não se conhece ainda o verdadeiro e profundo sabor dessa mesma vida?

As raparigas filhas dos hortelãos e pescadores atravessavam a pé a praça de Ombrosa e as pequenas damas faziam o mesmo percurso de carruagem. De cima da árvore Cosimo lançava olhares breves e sumários e não tinha ainda compreendido por que motivo procurava nelas qualquer coisa que, todavia, não encontrava inteiramente em qualquer dessas raparigas ou senhorinhas. À noite, quando nas casas despontavam as primeiras luzes e Cosimo permanecia sozinho em cima dos ramos, com os olhos amarelos dos mochos e corujas, acontecia-lhe por vezes sonhar com o amor. Enchia-se de admiração e inveja pelos casalinhos que se iam encontrar atrás das sebes ou nas alamedas frondosas e seguia-os com o olhar a perder-se na escuridão. Mas se por acaso acontecia deitarem-se ao pé da sua árvore, Cosimo afastava-se, cheio de vergonha.

Então, para vencer o natural pudor dos seus olhares, ficava durante muito tempo a observar o amor dos animais. Na primavera o mundo em cima das árvores era um autêntico mundo nupcial: os esquilos amavam-se com movimentos e guinchos quase humanos, as aves acasalavam-se no meio de um bater nervoso das asas e até mesmo os lagartos fugiam unidos, com as caudas como que atadas por um nó, e os porcos-espinhos pareciam tomar atitudes mórbidas para tornar ainda mais doce o abraço em que se envolviam. O baixote *Ottimo Massimo*, em nada intimidado pelo facto de ser o único baixote da região de Ombrosa, fazia a corte às enormes cadelas de pastor, ou às da raça dos cães-lobos, com redobrado ardor, fiando-se na natural simpatia que inspirava. Por vezes regressava de orelha murcha e mal ferido das mordidelas de que fora vítima; mas bastava apenas um caso de amor afortunado para o fazer sentir-se recompensado de todas as derrotas sofridas.

Até o próprio Cosimo era, como *Ottimo Massimo*, o único exemplar de uma espécie. No seu sonhar acordado imaginava-se amado pelas mais belas jovens; mas como poderia ele encontrar o amor vivendo sobre as árvores? No meio das suas fantasias, já nem sequer sabia como e onde aquelas coisas teriam acontecido, se sobre a terra ou lá em cima, onde ele se encontrava: um lugar sem local, imaginava ele, como um mundo que apenas se atinge caminhando sob ele e não por cima dele. Sim, talvez existisse algures, em qualquer local, uma árvore, apenas uma, tão alta que, a caminhar-se sobre ela, se atingisse um outro mundo, um mundo distante, a Lua.

Entretanto, com aquele hábito da cavaqueira na praça, ia-se sentindo cada vez menos satisfeito consigo mesmo. E quando num certo dia de mercado um homenzinho, vindo da vizinha cidade de Olivabassa, exclamou:

– Ah, com que então, vocês também têm o vosso Espanhol! – e, às perguntas dos outros, que lhe inquiriam o que pretendia dizer com aquilo, o outro respondeu: – Em Olivabassa há toda uma raça de espanhóis que vivem em cima das árvores! – Cosimo nunca mais sossegou enquanto não empreendeu, através das árvores do bosque, uma viagem à cidade de Olivabassa.

XVII

∾

Olivabassa ficava no interior. Cosimo só lá chegou após dois dias de viagem, superando perigosamente os locais de vegetação mais rala. Pelo caminho, à aproximação dos povoados, as gentes, que jamais o haviam visto, lançavam exclamações de espanto e alguns atiravam-lhe pedras, pelo que, após esses incidentes, meu irmão procurou proceder no seu caminho o mais discretamente e inobservado possível. Mas, à medida que se aproximava de Olivabassa, deu conta que, se algum lenhador, lavrador ou varejador de azeitonas o via, não dava mostras de qualquer estupor, antes pelo contrário, homens e mulheres saudavam-no tirando o chapéu, como se o conhecessem, e gritavam-lhe à passagem saudações que não pertenciam certamente ao dialeto local e que na boca daqueles camponeses soavam estranhamente, como: *Señor! Buenos dias, señor!*[1]

Era inverno, e as árvores estavam nuas. A povoação de Olivabassa era atravessada por uma dupla fila de plátanos e olmos. E meu irmão, avizinhando-se, reparou que entre os ramos desnudados havia gente, uma ou duas ou até mesmo três pessoas em cada árvore, sentadas ou em pé, numa atitude grave. Em poucos saltos reuniu-se-lhes.

Eram homens com vestimentas nobres, tricórnios emplumados, grandes mantos e damas de ar ainda mais nobre, com véus a

[1] Em espanhol no original.

175

cobrirem-lhes as cabeças, sentadas nos ramos às duas e três, algumas a bordar e olhando de quando em vez para a estrada, com breves movimentos laterais do busto e um apoiar do braço ao longo do ramo, como se se debruçassem a um peitoril.

Os homens saudaram-no, com um ar cheio de amarga compreensão.

– *Buenos dias, señor!*

E, por sua vez, Cosimo inclinou-se, descobrindo-se.

Um, o que parecia dotado de maior autoridade entre todos eles, obeso, engastado na forquilha de um plátano donde parecia não poder erguer-se, com manchas de fígado na pele, sobre as quais a sombra dos bigodes e da barba rasa transparecia negra, apesar da avançada idade de que dava mostras, pareceu perguntar a um seu vizinho, macilento este, definhado, vestido de negro e, todavia, com os mesmos vestígios de barba rente, quem era aquele desconhecido que chegara caminhando pela fila de árvores.

Cosimo pensou então que era chegado o momento de se apresentar.

Dirigiu-se até ao plátano onde estava instalado o senhor vestido de negro, fez uma vénia e apresentou-se:

– Sou o barão Cosimo Piovasco di Rondò, para vos servir.

– *Rondos? Rondos?* – disse o obeso. – *Aragonés? Gallego?*

– Não, senhor.

– *Catalán?*

– Não, senhor. Sou deste país.

– *Desterrado también?*

O cavaleiro definhado sentiu-se então na obrigação de intervir e servir de intérprete, muito pomposamente.

– Pergunta Sua Alteza Frederico Alonso Sanchez de Guatamurra y Tobasco se Vossa Senhoria é também um exilado, uma vez que o vemos caminhar por cima destes ramos.

– Não, senhor. Ou melhor: seria preferível dizer que não sou um exilado por qualquer decreto de outrem.

– *Viaja usted sobre los árboles por gusto?*

O intérprete voltou a traduzir.

– Sua Alteza Frederico Alonso de Guatamurra y Tobasco digna-se perguntar-lhe se é por seu bel-prazer que Vossa Senhoria cumpre este itinerário.

Cosimo pensou um momento antes de responder.

– Cumpro-o, na verdade, porque penso ter sido meu dever empreendê-lo, se bem que me não tenha sido imposto por quem quer que seja.

– *Feliz usted!* – exclamou Frederico Alonso Sanchez, suspirando. – *Ay de mí, ay de mí!*

E o de negro explicava, cada vez mais pomposo:

– Sua Alteza digna-se afirmar que Vossa Senhoria pode considerar--se muito afortunado por gozar assim de uma tão grande liberdade, a qual não podemos eximir-nos de a comparar à nossa constrição, em que aqui nos vedes, e que todavia suportamos, resignados à vontade de Deus Nosso Senhor – e benzeu-se.

Assim, alinhavando as lacónicas exclamações do príncipe D. Frederico Sanchez e as versões circunstanciadas do senhor vestido de negro, Cosimo conseguiu reconstruir a história da colónia que vivia sobre os plátanos. Eram nobres espanhóis que se haviam rebelado contra o rei Carlos III por motivo de umas questões de privilégios feudais impugnados e por tal condenados ao exilio, juntamente com as suas famílias. Reunidos em Olivabassa, tinha-lhes sido proibido continuarem a viagem: com efeito, aqueles territórios, em virtude de um tratado muito antigo firmado com Sua Majestade Católica, não podiam dar refúgio nem tão-pouco serem atravessados por quaisquer pessoas exiladas do reino de Espanha. A situação daquelas nobres famílias estava, pois, bem longe de se resolver, mas os magistrados de Olivabassa, que não desejavam por coisa alguma neste mundo arranjar atritos com as chancelarias estrangeiras, mas que nem por isso tinham quaisquer motivos de aversão àqueles ricos viajantes que nenhum mal lhes haviam feito, chegaram a uma solução de compromisso: a letra do tratado prescrevia que os exilados não poderiam jamais «tocar o solo» daquele território, pelo que bastaria que se empoleirassem nas árvores para permanecerem completamente em regra. Por conseguinte, os exilados tinham subido para cima dos plátanos e olmos de Olivabassa, com escadas de mão concedidas pela comuna e que, após a operação realizada, foram recolhidas. Estavam empoleirados lá no alto havia já uns bons meses, confiando na suavidade do clima, num próximo decreto de amnistia do rei Carlos III e na Providência Divina.

Possuíam uma vasta provisão de dobrões de Espanha e compravam víveres para se alimentarem, contribuindo deste modo para a prosperidade do comércio da cidade. Para fazerem subir os pratos tinham instalado uma espécie de elevador, um cesto com uma corda presa à asa. Sobre outras árvores havia alguns baldaquinos, sob os quais dormiam. Em suma, tinham-se sabido adaptar bem, ou melhor, tinham sido os habitantes de Olivabassa que os haviam tão bem apetrechado, porque recebiam em troca a sua recompensa. Por seu lado, os exilados não mexiam um único dedo durante todo o dia.

Era a primeira vez que Cosimo encontrava outros seres humanos habitando em cima das árvores e, por isso, começou logo a fazer perguntas de ordem prática.

– E quando chove, como fazeis?

– *Sacramos todo el tiempo, señor!*

E o intérprete, que, segundo depois Cosimo veio a saber, era o padre Sulpicio de Guadaleta, da Companhia de Jesus, exilado desde que a sua ordem tinha sido banida de Espanha, esclarecia as palavras do outro.

– Protegidos pelos nossos baldaquinos, elevamos os nossos pensamentos a Nosso Senhor Jesus Cristo e agradecemos-Lhe por nos dar ainda este pouco com que nos vamos bastando...

– Ides alguma vez à caça?

– *Con el visco, señor, algunas veces.*

– De vez em quando, um de entre nós cobre os ramos de visco, mas por seu livre alvedrio.

Cosimo não se fartava de descobrir como aqueles nobres exilados tinham resolvido os mesmos problemas que se lhe tinham deparado.

– E para vos lavardes, sim, para vos lavardes, como é que fazeis?

– *Por lavar? Hay lavanderas!* – disse D. Frederico com um encolher indiferente de ombros.

– Diz Sua Alteza D. Frederico que entregamos as nossas indumentárias às lavadeiras da região – apressou-se D. Sulpicio a traduzir. – Todas as segundas-feiras, para ser preciso, baixamos o cesto
com a roupa para lavar.

– Não era a isso que me referia. Queria perguntar-vos como con-
seguis lavar a cara e o corpo.

D. Frederico limitou-se a resmungar e a encolher novamente os
ombros, como se aquele fosse um problema que nunca tivesse posto
a si mesmo.

D. Sulpicio, porém, julgou-se no dever de interpretar a reação
do príncipe.

– Segundo o parecer de Sua Alteza, essas questões são de ordem
puramente particular e interessam apenas a cada qual.

– E, perdoai-me a pergunta: mas onde e como podeis fazer as
vossas necessidades?

– *Ollas, señor.*

E D. Sulpicio, sempre no seu tom modesto:

– Na verdade, somos forçados a usar certos cantarinhos...

Depois de se ter despedido de D. Frederico, o padre Sulpicio
guiou Cosimo na visita que este foi fazer aos vários membros da colónia, nas suas respetivas árvores residenciais. Todos estes fidalgos e
grandes damas conservavam, até mesmo na ilimitada incomodidade
da sua estada sobre as árvores, atitudes habituais e muito compostas.
Certos homens para permanecerem encavalitados nos ramos usavam
autênticas selas de cavalo, e tal facto causou grande admiração a
Cosimo, que, após tantos anos de vida em cima das árvores, jamais
pensara em pôr em prática semelhante sistema (utilíssimo por causa
dos estribos – notou imediatamente o meu irmão –, que eliminavam
assim o inconveniente de ter de deixar as pernas pendentes, o que,
após algum tempo de permanência na mesma posição, acabava por
causar formigueiros irritantes). Alguns apontavam óculos de marinha
(um de entre eles tinha mesmo o posto de almirante), que provavelmente serviam tão-só para olharem uns para os outros de uma árvore
para a outra, bisbilhotarem e trocarem cumprimentos rasgados. As
senhoras e as senhorinhas estavam sentadas todas sobre almofadas

por elas próprias bordadas (eram as únicas pessoas industriosas, pelo menos num certo sentido) ou então acariciando grandes gatos. Na verdade havia um grande número de gatos naquelas árvores, como se fossem aves, enquanto estas (talvez vítimas de visco) se limitavam a algumas pombas que voavam livremente de umas árvores para as outras e vinham pousar nas mãos das crianças, que as acariciavam tristemente.

Nesta espécie de salas de visita arbóreas Cosimo era recebido hospitaleiramente, mas com gravidade. Ofereciam-lhe café e, depois, subitamente, punham-se a falar dos seus palácios, que eles haviam sido forçados a abandonar, em Sevilha, em Granada, etc. Falavam também muito das suas propriedades e outros bens, celeiros e coudelarias que possuíam e convidavam-no a visitá-los no dia em que fossem reabilitados e totalmente reintegrados nas honras que lhes eram devidas. E, contudo, falavam do rei que os tinha banido de Espanha num tom que era simultaneamente de fanática aversão e reverência devota, frequentemente conseguindo separar exatamente a pessoa contra a qual as suas famílias se empenhavam em luta do título real de cuja autoridade, afinal, derivava a deles também. Porém, outras vezes, misturavam estes dois modos de consideração tão opostos entre si num único impulso da sua alma: e Cosimo, de todas as vezes que o discurso se desviava para a pessoa do soberano, ficava sempre sem saber que atitude tomar ou até mesmo como proceder.

Pairava sobre todos os gestos e palavras dos exilados uma aura de tristeza e luto, que em parte correspondia à sua própria natureza e em parte a uma voluntária determinação como tantas vezes acontece a quem combate por uma causa não bem definida nas suas convicções, e que, por isso mesmo, procura suprir com a grandiosidade do conteúdo.

Nas jovens – que a um primeiro olhar pareceram todas a Cosimo um pouco peludas de mais e de pele sombria – transparecia por vezes um sintoma fugaz de brio, mas sempre refreado a tempo. Duas delas jogavam, de um plátano para o outro, ao jogo da pela. Tiquetaque, tiquetaque, de um lado para o outro e depois um gritinho agudo: o volante caíra à rua. Apanhava-o um rapazola qualquer de Olivabassa, e para o atirar lá para cima exigia duas *pesetas*.

Em cima da última árvore, um ulmeiro, vivia um velho, a quem chamavam El Conde, sem cabeleira postiça e modesto no vestir. O padre Sulpicio, ao aproximarem-se dele, baixou a voz e Cosimo foi induzido a imitá-lo. De vez em quando, El Conde afastava um ramo com o braço e olhava o declive da colina e uma planície ou bosque ou campo seco que se perdiam ao longe no horizonte.

O padre Sulpicio murmurou a Cosimo uma história de um filho de El Conde, detido e torturado nas masmorras do rei Carlos III. Cosimo compreendeu que, enquanto todos aqueles fidalgos eram exilados no próprio sentido da palavra mas estavam constantemente a recordar por que motivo e como haviam chegado àquele estado e se encontravam ali, o único que sofria verdadeiramente era aquele velho. Aquele gesto de afastar o ramo como que esperando ver aparecer no horizonte uma outra terra, aquele profundar lento e dorido do olhar na distância ondulada como se esperasse que alguma vez o olhar pudesse vencer o horizonte sem mais entraves e conseguir finalmente descortinar as terras de um país tão distante dali era o primeiro sinal autêntico de exílio que era dado a Cosimo presenciar. E compreendeu então o quanto para aqueles fidalgos devia representar a presença do conde ali junto deles, como se fosse ela o traço de união que os mantinha reunidos e, simultaneamente, lhes desse um sentido. Era ele talvez o mais pobre de todos e sem dúvida o de menos autoridade de entre eles na pátria distante o que lhes dizia e indicava o que deviam sofrer e esperar.

Regressando das visitas, Cosimo viu, em cima de um amieiro, uma rapariguinha que não tinha visto antes. Trazia um balde.

– Mas como é possível que ao visitar todos não vos tivesse visto?

– Tinha ido buscar água ao poço – disse ela, sorrindo. Do balde ligeiramente inclinado caía, efetivamente, alguma água. Ele ajudou-a a transportá-lo.

– Então vós desceis das árvores, não é assim?

– Oh, não; mas há uma cerejeira inclinada que dá sombra ao poço. De lá de cima deitamos o balde. Vinde.

Caminharam por um ramo, ultrapassando o muro de um pátio. Ela guiou-o na passagem pelo ramo da cerejeira. Por baixo deles ficava o poço.

– Vedes, barão?

– Como sabeis que sou barão?

– Eu sei tudo – disse ela, sorrindo novamente. – As minhas irmãs informaram-me imediatamente da vossa visita.

– São as que jogavam à pela?

– Sim, são elas. Chamam-se Irena e Raimunda.

– São filhas de D. Frederico?

– Sim...

– E como vos chamais vós?

– Ursula.

– Vejo que sabeis caminhar por cima das árvores melhor do que qualquer outra pessoa daqui...

– Estava habituada desde pequenina: em Granada temos muitas árvores grandes no *patio*.

– Seríeis capaz de colher aquela rosa? – E indicou-lhe uma roseira trepadeira que tinha florido enrolada a um ramo.

– Não... e tenho pena.

– Bem, não tem importância. Colhê-la-ei eu para vós. – Afastou-se, colheu a flor e regressou com ela para junto de Ursula. A rapariguinha sorriu e estendeu as mãos.

– Quero ser eu próprio a colocá-la. Dizei-me onde a quereis.

– Nos cabelos, obrigada – e acompanhou com a sua a mão de Cosimo.

– Mas dizei-me: seríeis capaz – perguntou ainda Cosimo – de alcançar aquela amendoeira?

– Como é possível? – perguntou a rapariguinha, espantada. E riu. – Não sei voar...

– Ora esperai – e Cosimo preparou um laço. – Se permitirdes que vos amarre a esta corda, conseguirei fazer-vos passar para o outro lado.

– Oh... não... tenho medo – exclamou Ursula, mas sempre rindo.

– Não receeis. É o sistema que eu próprio emprego. Há anos que viajo sempre de um lado para o outro sem mais obstáculos e fazendo tudo sozinho.

– Santo Deus!

Cosimo conseguiu fazê-la passar para a outra árvore. Seguidamente, foi a vez dele.

Era uma amendoeira ainda jovem, tenra e não muito grande. Ficavam os dois muito juntos um ao outro. Ursula estava ainda muito corada e ofegante por causa do voo.

– Assustada?

– Não! – Mas o coração batia-lhe violentamente.

– Vede: a rosa não se perdeu – disse Cosimo. E tocou-lhe nos cabelos para fixar melhor a flor.

Assim, muito juntos em cima da árvore, qualquer gesto que fizessem se transformava num abraço que trocavam.

– Uh – disse ela. Cosimo tomou a iniciativa. E beijaram-se pela primeira vez.

Deste modo principiou o seu amor. O rapaz sentia-se feliz e como que aturdido. Ela feliz também, mas não surpreendida na verdade (às raparigas nada acontece por acaso, na realidade).

Era o amor, tão esperado por Cosimo e agora inesperadamente alcançado e tão belo que excedia tudo o que de bom pudesse ter imaginado anteriormente. Mas, para além da sua beleza, o que havia ali sobretudo de novo era o facto de ser tão simples, tão simples que, naquele momento, pareceu ao rapaz que deveria para sempre permanecer daquele modo.

XVIII

∾

Floriram os pessegueiros, as amendoeiras e cerejeiras. Cosimo e Ursula passavam os dias inteiros juntos, sobre as árvores floridas. A primavera espalhava um manto de alegria, até mesmo pela funérea vizinhança dos parentes.

Meu irmão soube imediatamente tornar-se útil na comunidade dos exilados, instruindo-os nos vários processos de passar de uma árvore para outra e encorajando aquelas nobres famílias a saírem da habitual compostura em que se encerravam para praticarem um pouco de movimento. Arranjou até pontes de cordame que permitiam aos exilados mais velhos trocarem visitas entre si sem grandes dificuldades. E deste modo, durante quase um ano de permanência entre eles, dotou a coletividade com muitos apetrechos por ele próprio inventados: reservatórios de água, pequenos fornos e até sacos de pele para dormir. O desejo de arranjar sempre novas invenções levava-o a secundar os usos e costumes daqueles fidalgos, até mesmo quando não estavam de acordo com as ideias dos seus autores preferidos: e assim, verificando o desejo em que viviam aquelas piedosas pessoas de se confessarem regularmente, cavou, no interior de um tronco, um confessionário, para dentro do qual podia entrar o magro padre D. Sulpicio e, de uma janelinha com cortina e uma pequena grade, podia ouvi-los desfiar o rosário dos seus pecados.

A pura paixão das inovações técnicas não bastava, em suma, para o eximir à observação das normas vigentes; e sentia a falta das ideias.

Deste modo, Cosimo escreveu ao livreiro Orbecche para que lhe enviasse de Ombrosa, pela posta e para Olivabassa, os volumes que tivessem chegado entretanto. E assim foi que conseguiu dar a Ursula para ler o *Paulo e Virgínia* e *A Nova Heloísa*.

Os exilados realizavam frequentemente as suas reuniões sobre um carvalho muito grande, autêntico parlamento, no qual elaboravam de comum acordo as cartas que decidiam enviar ao soberano. Estas cartas deviam ser, em princípio, sempre de indignado protesto e até de ameaça, dir-se-ia quase de ultimato; mas, a um certo ponto, um ou outro dentre eles propunha fórmulas mais brandas, mais respeitosas, e assim acabavam numa súplica em que se prosterna-vam humildemente aos pés de Sua Graciosa Majestade Carlos III, implorando-lhe o perdão.

Erguia-se então El Conde. Todos se calavam e o ouviam em respeito. El Conde, com o olhar fixo no alto, começava a falar, em voz baixa mas vibrante, dizendo tudo aquilo que lhe ia no coração. Quando voltava a sentar-se, os outros permaneciam sérios e silencio-sos. Nenhum deles era já partidário de que se enviasse uma súplica.

Agora Cosimo fazia parte da comunidade e tomava parte nos debates parlamentares. E aí, com ingénuo fervor juvenil, explanava as ideias dos filósofos e os erros frequentes dos soberanos e como os Estados podiam ser regidos apenas segundo a razão e a justiça. Mas entre todos eles os únicos que podiam realmente dar-lhe ouvidos e prestar atenção às suas palavras eram El Conde, que, pelo facto de ser velho, procurava sempre um modo de compreender e reagir, Ursula, que tinha lido uns tantos livros, e um par de rapazes mais espertos do que os outros. O resto da colónia era tudo cabeças duras, onde não entrava a mínima ideia.

Em resumo: com tudo isto, este conde, em lugar de passar todo o tempo a contemplar a paisagem, começou a sentir um desejo forte de ler livros. Rousseau pareceu-lhe um tanto ou quanto desagradável; mas Montesquieu, antes pelo contrário, agradava-lhe muito: era já um passo. Os outros fidalgos, porém, não sentiam necessidade alguma de instrução e progresso, nada, se bem que alguns deles pedissem a Cosimo, às escondidas do padre Sulpicio, que lhes emprestasse

Pulzella para lerem as páginas assinaladas. Deste modo, com o conde a adquirir novas ideias, as reuniões levadas a efeito sobre o enorme carvalho da praça alcançaram tomar novo rumo; desde então passou a falar-se de ir a Espanha fazer a revolução.

De início, o padre Sulpicio não suspeitou do perigo. Já de si ele não era muito inteligente e, educado fora de toda a hierarquia dos superiores, não sabia perscrutar intimamente os segredos mais ocultos das consciências. Mas mal conseguiu encadear as ideias e os factos (ou, segundo dizem outros, após ter recebido umas cartas que ostentavam as armas episcopais) começou a dizer que o Demónio se tinha introduzido naquela comunidade e que, por conseguinte, era de esperar a todo o momento a fúria dos céus, que se traduziria numa chuva de raios tão violenta que destruiria totalmente as árvores com todos os seus habitantes.

Certa noite, Cosimo foi acordado por uns queixumes. Pegou numa lanterna e foi na direção donde lhe pareciam vir os lamentos. Chegou ao ulmeiro onde vivia o conde e viu o velho já ligado ao tronco da árvore e o jesuíta apertando fortemente os nós da corda.

– Alto lá, padre! Que se passa?

– É o braço da Santa Inquisição, meu filho! Calhou a vez a este maldoso velho de confessar a heresia e abjurar o Demónio. Depois será a tua vez!

Cosimo desembainhou a espada e cortou as cordas.

– Tende cuidado, padre! Guardai-vos de semelhante ato, porque há ainda muitos outros braços que servem a razão e a justiça!

O jesuíta retirou de sob o manto uma espada desembainhada.

– Barão di Rondò, a vossa família desde há muito tem contas a ajustar com a minha Ordem!

– Ah, era então verdade o que dizia meu pai, que Deus tenha! – exclamou Cosimo, parando uma estocada do padre. – A Companhia não perdoa!

Bateram-se em equilíbrio sobre os ramos. D. Sulpicio era um excelente esgrimista e muitas vezes meu irmão se encontrou em dificuldades. Iam já no terceiro assalto da luta quando El Conde, regressando a si, se pôs a gritar. Acordaram os outros exilados, acorreram a ver o que dava azo a tão grande grita, interpuseram-se entre os dois contendores. O padre Sulpicio fez desaparecer imediatamente a sua espada e, como se nada se tivesse passado, pôs-se logo a recomendar calma aos circunstantes.

Conseguir votar ao silêncio um facto de tal maneira grave teria sido utopia e completamente impossível em qualquer outra comunidade que não esta. Mas todos ali estavam possuídos pelo desejo de reduzir ao mínimo todos os pensamentos que lhes ocorriam aos espíritos. Assim, o príncipe D. Frederico, mercê dos seus bons ofícios, conseguiu que se estabelecesse uma espécie de conciliação entre D. Sulpicio e El Conde, comprometendo-se ambos a deixar tudo no mesmo estado em que estava anteriormente à luta.

Cosimo, evidentemente, desconfiava sempre desta conciliação, e quando caminhava com Ursula pelas árvores temia sempre que o jesuíta o estivesse a espiar. Sabia que este último andava a intrigar junto de D. Frederico, enchendo-lhe os ouvidos de certos boatos, a fim de que o príncipe não permitisse que doravante a rapariguinha saísse com Cosimo. Aquelas nobres famílias, na verdade, tinham sido educadas segundo um código de usos e costumes muito severo; mas agora viviam todos em cima das árvores, exilados, e não se ligava tanta importância a certas coisas. Cosimo parecia-lhes um esplêndido jovem, titulado e, além do mais, sabia tornar-se útil, permanecia junto deles sem que jamais alguém lhe tivesse imposto semelhante conduta; e se compreendiam até que entre ele e Ursula devia existir qualquer ligação amorosa e os viam afastar-se em direção aos pomares, onde iam colher flores e fruta, fechavam complacentemente os olhos para não verem naquilo motivo de qualquer repreensão.

Porém agora, com D. Sulpicio a intrigar aos ouvidos de D. Frederico, este último já não podia fazer menção de quem ignora o que se passa. Chamou Cosimo à sua presença e, sobre o plátano que habitava, travou-se entre eles um animado colóquio. Ao lado de D. Frederico encontrava-se o padre Sulpicio, alto e todo vestido de negro.

– *Baron*, dizem-me que sois visto muito frequentemente em companhia de minha filha.

– Sim, Alteza, é verdade. Com efeito é ela quem me tem ensinado *a hablar vuestro idioma.*

– Que idade tendes?

– Vou fazer os *diez y nueve.*

– *Joven!* Demasiado jovem! Minha filha é uma menina em idade de arranjar marido. *Por qué* acompanhais tão habitualmente com ela?

– Ursula tem dezassete anos...

– Pensas já em *casarte?*

– Em quê?

– *Hombre*, vejo que minha filha te ensina mal *el castellano*. Pergunto se pensas já em escolher uma noiva, em constituir família.

O padre Sulpicio e Cosimo fizeram quase simultaneamente o mesmo gesto de estender as mãos diante deles. A conversa estava a tomar um rumo que não era de modo algum o desejado pelo jesuíta e ainda menos pelo meu irmão.

– A minha família, a minha casa... – disse Cosimo e acenou à sua volta, num gesto que abrangia os ramos mais altos, as nuvens – a minha casa é por toda a parte, é em todos os lugares onde possa estar, caminhando por cima...

– *No es esto* – e o príncipe D. Frederico Alonso abanou a cabeça com ar contrariado. – *Baron*, se quiserdes vir para Granada quando soar a hora do nosso regresso, tereis oportunidade de ver o mais rico feudo da Sierra. *Mejor que aquí.*

D. Sulpicio já não podia mais. Arriscou-se a aventurar:

– Mas, Alteza, este jovem é um voltairiano... Não deveis permitir que ele continue a dar-se com a vossa filha...

– *Oh, es joven, es joven*, as ideias vêm e vão, *que se case*, deixai-o casar-se que essas coisas logo lhe passarão depois. Vinde a Granada, vinde connosco.

– *Muchas gracias a usted...* Pensarei no vosso convite... – e Cosimo, girando entre as mãos o barrete de pele de gato selvagem, retirou-se com repetidas vénias.

Quando teve oportunidade de voltar a ver Ursula estava pensativo.

– Sabes, Ursula, o teu pai chamou-me para falar comigo... Falou-me em certas coisas...

Ursula assustou-se.

– Não quer que continuemos a ver-nos?

– Não é isso... Queria que eu, quando vós não estiverdes mais exilados, fosse convosco para Granada...

– Ah, sim! Que bom!

– Mas, vês tu, eu gosto muito de ti, mas vivi sempre em cima das árvores e aqui quero continuar...

– Oh, Cosimo, mas lá nas nossas terras também temos árvores muito bonitas...

– Sim, está bem, mas para fazer a viagem convosco teria de descer, e uma vez tendo descido...

– Não te preocupes, Cosimo. Por enquanto estamos ainda exilados e quem sabe se assim ficaremos toda a vida.

E meu irmão não se preocupou mais com o caso.

Mas as previsões de Ursula falharam por completo. Passado pouco tempo, chegou, dirigida a D. Frederico, uma carta ostentando as armas reais espanholas. O grupo, por graciosa indulgência de Sua Majestade Católica o Rei Carlos III de Espanha, tinha sido perdoado e podia regressar do exílio. Os nobres exilados poderiam regressar às suas próprias casas e voltar a entrar na posse dos seus próprios haveres.

Subitamente, uma grande agitação e bulício espalhou-se pelos plátanos.

– Vamos voltar! Vamos voltar! Acabou-se! Madrid! Cádis! Sevilha!

A notícia correu célere pela cidade. Os habitantes de Olivabassa acorreram de todos os lados, com escadas de mão. Os exilados começaram a descer, entre a alegria e os festejos do povo, que reunia as bagagens dos nobres.

– Mas ainda não está acabado! – exclamava El Conde. – As cortes hão de ter notícias nossas! E não só as cortes, a coroa também!

Naquela altura, porém, poucos ou nenhuns dos seus companheiros de exílio pareciam na disposição de lhe dar ouvidos. As damas preocupavam-se, subitamente, com os seus vestidos, que já não deviam estar à moda, e pensavam em renovar o guarda-roupa. O conde fez então um grande discurso aos únicos auditores que ainda poderia encontrar, os habitantes de Olivabassa:

– Agora, que regressamos a Espanha, vereis! Uma vez lá, será a nossa vez de ajustarmos contas! Eu e este jovem aqui a meu lado saberemos fazer justiça! – e apontava para Cosimo. E Cosimo, confundido, limitava-se a fazer sinal de que não.

D. Frederico, transportado em braços do plátano para terra, gritou a meu irmão:

– *Baja, joven bizarro!* – com largos gestos de convite. – Jovem valoroso e bom, descei! Vinde connosco para Granada!

Mas Cosimo, muito encolhido no seu ramo, eximia-se a aceitar o convite.

E o príncipe:

– *Como no?* Tratar-vos-ei como filho meu!

– O exílio terminou! – dizia El Conde. – Finalmente poderemos meter mãos à obra e realizar todos aqueles projetos que durante tanto tempo meditámos! Mas que ficareis a fazer sobre as árvores, barão? Já não tendes motivo para tal!

Cosimo alargou os braços.

– Eu subi para cima destas árvores primeiro do que qualquer de vós, meus senhores, e aqui permanecerei para além da vossa partida!

– Descei! – gritou El Conde.

– Não! Permanecerei! – respondeu o barão.

Ursula, que tinha sido das primeiras a descer, juntamente com as irmãs, e que até aí estivera muito ocupada a encher uma carruagem com as suas bagagens, precipitou-se em direção à árvore.

– Então ficarei junto de ti! Ficarei junto de ti! – e correu para uma escada.

Quatro ou cinco pessoas impediram-na, porém, de realizar o seu intento e afastaram-na dali enquanto retiravam a escada da árvore.

– *Adiós*, Ursula, que sejas sempre feliz! – disse Cosimo, enquanto a levavam à força para uma carruagem que partia.

Por baixo dele soou um ladrido de alegria. *Ottimo Massimo*, que durante todo aquele tempo em que o seu dono tinha permanecido em Olivabassa tinha demonstrado uma nítida insatisfação e descontentamento, talvez acrescida ainda pelas suas constantes bulhas com os gatos dos espanhóis, parecia agora regressar, feliz, para junto de Cosimo. Pôs-se a perseguir, mas de brincadeira, os poucos gatos que tinham ficado esquecidos pelas árvores e que eriçavam o pelo e lhe bufavam no focinho.

Uns a cavalo, outros de carruagem, outros ainda de berlinda, os exilados partiram. Breve a estrada ficou deserta. Sozinho sobre as árvores de Olivabassa continuou o meu irmão. Presas aos ramos viam-se ainda algumas penas, algum pedaço de nastro ou renda agitada pelo vento, um para-sol com franja, um leque e uma bota com espora.

XIX

Era um verão todo luas cheias, coaxar de rãs, cantos de tentilhões. E foi nesse verão que o barão di Rondò voltou a ser visto em Ombrosa. Parecia ter sido tomado por uma inquietação de pássaro habituado à liberdade das matas: saltava de ramo para ramo, metediço, assombradiço, sem objetivo nem destino.

Breve começaram a correr boatos de que uma tal rapariga chamada Checchina, que morava do outro lado do vale, fosse sua amante.

Era verdade que aquela rapariga vivia numa casa solitária, sozinha com uma tia surda, e um ramo de oliveira passava-lhe mesmo à altura da janela do quarto. Os maldizentes e ociosos da praça discutiam sobre se ela era ou não na verdade amante de Cosimo.

– Vi-os, eu vi-os aos dois. Ela estava ao peitoril e ele em cima de um ramo. Ele esbracejava como um morcego e ela ria-se!

– Em chegando a uma certa hora, ele dá o salto!

– Qual quê! Pois se jurou nunca mais descer de cima das árvores durante toda a sua vida!...

– Ora bem!... Se foi ele quem estabeleceu a regra, também pode ser ele a estabelecer as exceções...

– Enfim... se se começa com exceções...

– Mas não, juro-vos. E ela que salta da janela para cima do ramo onde ele está...

– E como é que se arranjam, hem? Deve ser bastante incómodo...

– Pois eu cá digo que nunca tocaram um no outro. Pode ser verdade que ele a corteje, ou melhor, ela é que lhe arrasta a asa. Mas lá de cima é que ele não desce...

Sim, não, ele, ela, o peitoril, o salto, o ramo... as discussões eram um nunca-acabar. Os noivos e os homens casados, daí em diante, ai se viam as suas apaixonadas ou consortes deitar uma olhadela, por mais furtiva que fosse, para uma árvore qualquer! Por seu lado, as mulheres, mal se encontravam, «ci ci ci». E quem era o objeto destes segredos? Ele, naturalmente, Cosimo.

Mas, com Checchina ou sem ela, meu irmão lá ia resolvendo as suas ligações amorosas sem ter de descer das árvores. Encontrei-o, certa vez, correndo pelas árvores do bosque com um colchão às costas, com a mesma naturalidade com que estávamos habituados a vê-lo trazer a tiracolo espingardas, cordas, machados, alforges, cantis ou até mesmo polvorinhos.

Uma certa Doroteia, dama galante, confessou-me um dia ter-se encontrado com ele, mas por iniciativa própria e não com mira no dinheiro, apenas com a intenção de fazer uma ideia.

– Então e que ideia ficaste a fazer?

– Ora... fiquei satisfeita...

Uma outra, uma tal Zobeida, contou-me que tinha sonhado com «o homem das árvores» (era este o nome que lhe dava), e esse sonho era tão informado e minucioso, com uma tal abundância de pormenores, que mais creio o tivesse vivido na realidade e não em sonhos como dizia.

Evidentemente, não sei a que ponto são verdadeiras estas histórias nem o caminho que elas tomavam com meu irmão, mas o certo é que Cosimo devia sem dúvida exercer um certo fascínio sobre as mulheres. Desde a altura em que passara mais de um ano com os espanhóis, tinha adquirido o hábito de cuidar aturadamente da sua pessoa e deixara de andar pelas árvores embrulhado em peles, como um urso, trazia regra geral calções e casaca talhada com muito esmero e chapéu de forma, à inglesa, e fazia a barba e andava sempre com a cabeleira muito bem posta e penteada. Deste modo, era quase totalmente impossível descobrir se, vestido daquele modo, se preparava para ir à caça ou antes se dirigia a qualquer encontro galante.

Verdade seja que uma dama fidalga, já na idade madura, de Ombrosa e cujo nome não refiro (vivem ainda hoje em dia os filhos e sobrinhos e poderiam ofender-se, se bem que, naquele tempo, fosse voz corrente), viajava sempre de carruagem sozinha, com o velho cocheiro a guiar, e dava ordens para que a levassem por aquele troço de estrada que atravessa o bosque.

À certa altura ordenava:

– Giovita – chamando pelo cocheiro –, este bosque está cheio de cogumelos. Vamos, pega neste cesto e torna a trazê-lo cheio – e dava-lhe uma alcofa. O pobre homem, com os seus reumatismos todos, lá descia do lugar, colocava a alcofa ou o cesto ao ombro, saía da estrada e punha-se a dar grandes voltas por entre os fetos todos orvalhados e adiantava-se, adiantava-se pelo bosque fora, no meio das grandes faias, inclinando-se para esquadrinhar por baixo de todas as folhas, a ver se conseguia colher algum cogumelo. Entretanto, a nobre dama desaparecia da carruagem, como se tivesse sido raptada para o céu, por entre as espessas ramarias que cobriam a estrada. Mais não se sabe, a não ser que, por vezes, a quem quer que acontecia passar pelo bosque naquelas alturas, se deparava a cena da carruagem completamente vazia. Depois, misteriosamente, tal como tinha desaparecido, a nobre dama voltava a instalar-se na carruagem, fitando o longe com um olhar lânguido. Regressava Giovita, o cocheiro, todo enlameado e com uns poucos cogumelos no fundo da alcofa. Subia para o seu lugar e voltavam a partir.

Histórias deste género contavam-se muitas, especialmente em casa de umas certas madamas genovesas que promoviam reuniões para proprietários abastados (também eu frequentei os salões dessas madamas, em solteiro), e assim, com tantos boatos, deve ter dado a essas senhoras um súbito desejo de irem visitar o barão. Fala-se ainda hoje, na verdade, de um carvalho, que ficou a ser conhecido pelo nome de Carvalho das Cinco Pardocas, e nós, os velhos, sabemos muito bem o que é que este nome pretende significar. Foi um tal Gè, comerciante de uvas e passas, que contou a história, e era ele homem a quem se pudesse dar todo o crédito. Foi num belo dia de sol, e esse tal Gè andava à caça no bosque; chega junto daquele carvalho e que coisa veem os seus olhos? Cosimo tinha-as feito trepar todas cinco lá para cima, uma aqui outra acolá, gozando a frescura, todas nuas, com as sombrinhas abertas para não ficarem com queimaduras do sol. E o barão lá estava, no meio delas, lendo versos latinos, e diz esse tal Gè que não teve ocasião de fixar se eram de Ovídio ou de Lucrécio...

Muitas coisas e variadas se contavam, na verdade, mas o que houvesse de verdade em tudo aquilo não sei: naquela altura ele mostrava-se reservado e pudico nestas coisas; quando, porém, foi indo para velho, contava, contava sem peso nem medida, até que por fim já contava demasiado e, para mais, histórias sem pés nem cabeça, de que ele próprio já não percebia lá muito bem o sentido. Verdade seja que por essas alturas se tomou o hábito de lhe atribuir as culpas em todos os casos de raparigas que apareciam grávidas sem se saber de quem. Uma rapariga chegou, certa vez, ao ponto de afirmar que, andando a colher azeitonas, se sentiu erguida no ar por dois possantes e compridos braços que dir-se-ia pertencerem a um macaco... Passado pouco tempo deu à luz um par de gémeos. Verdadeiros ou falsos, a verdade é que Ombrosa se encheu de bastardos do barão. Agora já são crescidos e, para dizer a verdade, há um ou outro que se lhe assemelha: mas isso até poderia acontecer por simples sugestão, porque as mulheres grávidas ao verem subitamente Cosimo no seu caminho, a saltar de um ramo para outro, ficavam por vezes muito impressionadas.

Mas enfim, eu não acredito lá muito neste género de histórias nitidamente arranjadas para explicar os partos suspeitos.

Não sei se teve, na realidade, tantas mulheres como se diz, mas sei que, por outro lado, as que o tinham conhecido preferiam guardar silêncio acerca do caso.

E depois, se tinha na realidade possuído tantas mulheres, não se encontra explicação para aquelas noites de lua brilhante em que ele andava, como um gato, em desassossego pelas figueiras, ameixoeiras e romeiras em redor do povoado, naquela zona de hortas e pomares sobranceira à cercadura exterior das casas de Ombrosa, lamentando-

-se e emitindo uma espécie de suspiros, ou bocejos, ou lamentos, que, por mais que ele quisesse controlar e tornar manifestações toleráveis, vulgares, em vez disso lhe saíam da garganta como uivos ou lamentações ululadas. E os habitantes de Ombrosa, que já sabiam do que se tratava e eram apanhados e despertos a meio do sono, não se assustavam e limitavam-se a voltar-se no meio dos lençóis, dizendo:

– É o barão que anda à procura de mulher. Queira Deus que a encontre, para nos deixar dormir sossegados.

Outras vezes, um velho qualquer, daqueles que sofrem de insónia e assomam à janela de boa vontade mal entendem qualquer rumor, olhava para a horta e distinguia a sombra de meu irmão entre os ramos de figueira, projetada fantasmagoricamente no solo pelos reflexos do luar.

– Vossa Senhoria não consegue dormir esta noite?

– Não. Dou voltas e mais voltas e não consigo pregar olho – dizia Cosimo, como se estivesse a falar estando deitado numa cama, com o rosto mergulhado na macieza dos travesseiros, nada mais esperando senão sentir o abaixar pesado das pálpebras, enquanto, em vez disso, continuava ali suspenso como um acrobata. – Não sei o que me deu esta noite: uma quentura, um nervoso: talvez seja do tempo que vai mudar. Não sentis também que o tempo vai mudar?

– Eh... sinto, sinto... Mas, sabe Vossa Senhoria, eu sou um velho, ao passo que vós tendes sangue novo, um sangue que puxa...

– Bem, lá puxar, puxa...

– Então vede se ele vos puxa um pouco para mais longe destes locais, senhor barão, que aqui não há nada que vos possa dar consolo: isto são tudo pobres famílias que se levantam de madrugada e que agora querem é dormir...

Cosimo não respondia, dirigia-se para outras hortas. Mas soube sempre manter-se dentro dos justos limites e pelo seu lado os habitantes de Ombrosa souberam sempre tolerar estas suas estranhezas: em parte porque ele continuava sempre sendo o barão e em parte porque era um barão diferente dos outros.

Por vezes, aquelas notas ferinas que lhe saíam do peito encontravam outras janelas mais curiosas de as escutar; bastava o sinal do acender-se de uma candeia, de um murmúrio de risos aveludados, de palavras femininas entre a luz e a sombra, que nunca se chegava a compreender se eram de mofa sobre ele ou antes para o atrair, ou fingir que o chamavam, para já se tratar de algo sério, para já ser amor, em relação àquele abandonado que saltava pelos ramos como um lunático.

Então, uma mais afoita assomava à janela como que para ver o que se passava, ainda quente da cama, com os seios descobertos, os cabelos soltos, o riso branco aflorando-lhe aos lábios. E travavam-se diálogos entre ambos.

– Que é isto? Um gato?

E ele:

– É homem, é homem.

– Um homem a miar?

– Ora, suspiro.

– Porquê? Que te falta?

– Falta-me uma coisa que a ti sobra.

– O que é?

– Chega aqui que logo te digo...

Jamais teve complicações com os homens, ou vinganças, sinal – ao que me parece – de que isto não constituía grande perigo. Só uma vez foi ferido, misteriosamente. Uma manhã a notícia espalhou-se rapidamente. O cirurgião de Ombrosa teve de trepar para cima da nogueira onde ele estava estendido, lamentando-se. Tinha uma perna cheia de chumbinhos de espingarda, daqueles pequenos que normalmente se usam para caçar passarinhos: foi necessário tirá-los um a um, com uma pinça. Doeu-lhe e esteve mal, mas depressa se curou. Nunca se soube o que tivesse sido; ele disse que tinha disparado um tiro inadvertidamente enquanto saltava de um ramo.

Convalescente, imóvel em cima da nogueira, retemperava-se retomando os seus estudos mais severos. Começou nessa altura a escrever um *Projeto de Constituição para Um Estado Ideal Fundado em cima das Árvores*, em que descrevia a imaginária República de Arbórea, habitada apenas por homens justos. Começou com um tratado sobre as leis e os governos, mas enquanto escrevia a sua inclinação para inventor de histórias complicadas tomou-lhe a primazia e dali resultou uma mixórdia de aventuras, duelos e histórias eróticas, inseridas estas num capítulo sobre o direito matrimonial. O epílogo do livro deveria ter sido este: o autor, tendo fundado o Estado Perfeito em cima das árvores, e convencido toda a humanidade a aí se estabelecer e viver feliz, descia para habitar sobre a terra que ficara deserta. E digo deveria ter sido porque a obra nunca chegou a ser terminada. Em todo o caso, ele mandou um resumo do seu trabalho a Diderot, assinando simplesmente: *Cosimo Rondò, leitor da Enciclopédia.*

E Diderot agradeceu-lhe com um bilhete.

XX

⁓

Não posso dizer que esteja muito habilitado a falar dessa época, porque data de então a minha primeira viagem pela Europa. Tinha já feito os meus vinte e um anos e podia gozar o património familiar conforme melhor me aprouvesse, já que a meu irmão pouco bastava e nossa mãe também não gastava muito mais, até porque, pobrezinha, tinha envelhecido muito nestes últimos tempos. Meu irmão queria passar-me uma doação de usufruto de todos os bens, comprometendo-me eu a dar-lhe todos os meses uma pensão, a pagar-lhe as taxas e impostos e a manter em ordem os negócios familiares. Não tinha mais que tomar a meu cargo a direção dos negócios e escolher uma esposa. Imaginava-me já diante daquela espécie de vida regular e pacífica que, não obstante as grandes agitações da transição do século, consegui viver na verdade.

Mas antes de começar essa vida resolvi conceder a mim próprio um período de viagem. Fui mesmo até Paris, precisamente a tempo de presenciar a triunfal receção tributada a Voltaire, que regressava, após muitos anos de ausência, para a reposição de uma sua tragédia. Mas não tenciono aqui escrever as memórias da minha vida, que certamente não mereceriam ser escritas, pretendo apenas revelar como durante o decurso da minha viagem fui frequentemente colhido pela fama que se tinha espalhado acerca do homem das árvores de Ombrosa, fama que se havia estendido até mesmo às nações estrangeiras.

Finalmente vi um dia num almanaque uma figura estranha com a seguinte legenda por baixo: «*L'homme sauvage d'Ombreuse (République Génoise). Vit seulement sur les arbres.*»[1] Tinham-no representado como um ser todo coberto de lanugens, com uma barba muito longa e cauda comprida, comendo um gafanhoto. Esta figura era, no capítulo da sua aparência, um híbrido de hermafrodita e de sereia.

Perante fantasias deste género, eu habitualmente guardava-me bem de revelar que o homem selvagem era meu irmão. Mas não pude impedir-me de o proclamar alto e bom som quando, em Paris, fui convidado para uma receção em honra de Voltaire. O velho filósofo estava instalado numa poltrona, rodeado por uma corte de madamas, alegre como um Pai Natal e malicioso como um porco-espinho.

Quando soube que eu procedia de Ombrosa, apostrofou-me:

– *C'est chez vous, mon cher chevalier, qu'il y a ce fameux philosophe qui vit sur les arbres comme un singe?*[2]

E eu, picado, não pude conter-me sem lhe responder imediatamente:

– *C'est mon frère, Monsieur, le baron de Rondeau.*[3]

Voltaire, aparentemente muito surpreendido, até talvez porque o irmão daquele fenómeno lhe parecia uma pessoa tão normal, pôs-se a fazer perguntas.

– *Mais c'est pour être plus proche du ciel que votre frère reste là-haut?*[4]

– Meu irmão sustenta a tese – respondi-lhe – de que todo aquele que quiser olhar a terra convenientemente deve manter-se à distância necessária para o poder fazer – e Voltaire deu mostras de ter apreciado muito a minha resposta.

– *Jadis, c'était seulement la Nature qui créait des phénomènes vivants* – concluiu ele –; *maintenant c'est la Raison.*[5]

---

[1] O homem selvagem de Ombrosa (República Genovesa). Vive só sobre as árvores.

[2] É na sua terra, meu caro cavaleiro, que mora esse famoso filósofo que vive sobre as árvores como um macaco?

[3] É meu irmão, senhor, é o barão di Rondò.

[4] Mas é para estar mais próximo do céu que seu irmão vive lá em cima?

[5] Outrora, era apenas a Natureza que criava os fenómenos vivos... Hoje é a Razão.

E o velho sábio voltou às discussões que se travavam acerca das suas beatices teístas.

Mas breve fui forçado a interromper a minha viagem e a regressar a Ombrosa, chamado por um despacho urgente. A asma de nossa mãe tinha-se agravado imprevisível e subitamente, e a pobrezinha já não abandonava o leito.

Quando passei os portões da nossa *villa* e alcei o olhar para a nossa casa tinha a certeza que o iria encontrar ali.

Cosimo estava empoleirado num alto ramo de amoreira, mesmo junto ao peitoril da janela do quarto de nossa mãe.

– Cosimo! – chamei eu, com voz fraca. Fez-me um sinal que simultaneamente significava que a mãe estava um pouco mais animada, mas que continuava em estado grave e que entrasse, mas sem barulho.

O quarto estava mergulhado na penumbra. A mãe, deitada na cama, com uma pilha de travesseiros que a erguiam pelos ombros, parecia ainda mais alta do que sempre a tínhamos conhecido. Em redor dela algumas criadas e outras mulheres da casa. A nossa irmã Battista ainda não tinha chegado, porque o conde seu marido, que devia acompanhá-la, tinha sido detido mais tempo do que aquele com que contava nas suas propriedades por causa da vindima. Na penumbra do quarto, apenas a janela espalhava uma mancha de luz clara que enquadrava meu irmão Cosimo, imóvel sobre o ramo da árvore.

Inclinei-me para beijar a mão de nossa mãe. Reconheceu-me imediatamente e pousou-me a mão na cabeça.

– Oh, já chegaste, Biagio... – Falava com um fiozinho de voz, quando a asma não lhe apertava demasiadamente o peito, provocando-lhe falta de ar. Mas, ainda assim, falava correntemente e com grande bom senso. O que me chocou, porém, foi o senti-la quase indiferente a mim e mais voltada para Cosimo, como se fosse ele que estivesse à sua cabeceira. E de cima da árvore Cosimo respondia-lhe.

– Já tomei há muito tempo o meu remédio, Cosimo?

– Não, mamã. Foi ainda há poucos minutos. Esperai mais um pouco, porque agora pouco ou nenhum alívio vos traria.

A certa altura, a mãe pediu:

– Cosimo, dá-me um gomo de laranja.

E eu estranhei muito o pedido. Mas mais atónito fiquei ainda quando vi que Cosimo alongava para dentro do quarto e através da janela uma espécie de arpão ou croque de barco e com ele atingia um gomo de laranja pousado num pires em cima de uma cómoda e o depositava na mão de nossa mãe.

Notei que para todas estas pequenas coisas ela preferia pedir o auxílio de Cosimo.

– Cosimo, passa-me o xale.

E ele, com o arpão, procurava entre a roupa acumulada na poltrona, descobria o xale, erguia-o e estendia-lho.

– Tome, mamã.

– Obrigada, meu filho.

Falava-lhe sempre como se estivesse a um passo de distância dele, mas notei que nunca lhe pedia coisas que ele não conseguisse fazer de cima da árvore. Em tais casos, pedia auxílio sempre a mim ou às mulheres que a rodeavam.

De noite a generala não sossegava. Cosimo continuava a velá-la de cima da árvore, com uma lanterninha pendurada no ramo, para que a mãe conseguisse vê-lo na escuridão.

A manhã era a pior altura para a asma. O único remédio era procurar distraí-la, e Cosimo, com uma flauta, tocava algumas árias ou imitava o canto dos pássaros do bosque, ou então apanhava borboletas e fazia-as depois voar para dentro do quarto, ou, ainda, construía pacientemente festões com flores de glicínia.

Foi num dia de sol. Com uma taça em cima da árvore, Cosimo pôs-se a fazer bolas de sabão e soprava-as para dentro do quarto, em direção ao leito da enferma. A mãe via aquelas bolas diáfanas, irisadas, voarem e encherem o quarto e murmurava:

– Oh, que jogos vocês arranjam! – no mesmo tom de voz que, quando éramos crianças, desaprovava sempre as nossas brincadeiras por serem demasiado fúteis e infantis. Mas agora, talvez pela primeira vez na sua vida, tinha real prazer em participar num jogo nosso. As bolas de sabão chegavam-lhe perto do rosto e ela, com um sopro, fazia-as voar para longe, e sorria. Por fim, uma bola de sabão chegou-lhe próximo dos lábios e não voou para longe. Inclinámo-nos para ela. Cosimo deixou cair a taça das mãos. Estava morta.

Aos lutos sucedem-se, mais cedo ou mais tarde, os acontecimentos festivos. É uma lei da vida. Um ano depois da morte de nossa mãe fiquei noivo de uma jovem da nobreza dos arredores. Mas foi o bom e o bonito para convencer a minha prometida esposa à ideia de que teria de vir morar para Ombrosa: tinha um receio injustificado do meu irmão. O simples pensamento de que era um homem que se movia por entre as folhas das árvores, que espiava pelas janelas todos os movimentos dos habitantes da casa, que aparecia quando menos era esperado, enchia-a de terror, até porque jamais na sua vida tinha visto Cosimo e fazia dele uma ideia muito semelhante à de um índio. Para lhe fazer passar esse medo dei uma festa ao ar livre, por baixo das árvores, para a qual Cosimo foi também convidado. Cosimo comia sentado num ramo por cima de nós, com os pratos sobre uma mesinha que instalara lá no alto, e devo dizer, em abono da verdade, que, se bem que ele estivesse um pouco desabituado das festas e refeições tomadas em sociedade, se comportou exemplarmente e sem qualquer razão de queixa da nossa parte. A minha noiva tranquilizou-se um pouco, constatando que, à parte o viver em cima das árvores, Cosimo era um homem em tudo igual aos outros; mas nunca a minha noiva conseguiu, no decurso até da nossa vida de casados, deixar de alimentar, em relação a ele, uma invencível desconfiança.

Até mesmo quando, depois, já casados, nos estabelecemos juntos na nossa *villa* de Ombrosa, ela fugia o mais possível não só às conversas com o cunhado, mas também a encontrar-se com ele, se bem que Cosimo, coitado, estivesse sempre a trazer-lhe ramos de flores que ele próprio colhia ou peles de alto preço dos animais que caçava. Quando começaram a nascer-nos os filhos e, mais tarde, continuaram a crescer, minha esposa ficou com a ideia fixa de que a proximidade de tão estranho tio podia exercer uma má influência na educação dos nossos descendentes. E não sossegou enquanto não mandámos restaurar o castelo no nosso velho feudo de Rondò, desde há muito tempo desabitado. Passámos a viver lá mais frequentemente do que em Ombrosa, a fim de que os nossos filhos, à vista do tio, não se sentissem tentados a seguir tão maus exemplos.

Até o próprio Cosimo começava a dar conta do tempo que passava e o sinal mais evidente era o baixote *Ottimo Massimo*, que estava a tornar-se velho e já nem sequer sentia vontade de se juntar às matilhas de sabujos, atrás das raposas, nem tentava mais aqueles absurdos amores com as enormes cadelas e mastins. Passava a vida deitado, como se, pela pequeníssima distância que separava a sua barriga da terra, quando estava de pé, não valesse a pena manter-se direito. Estendido ao comprido, bem se podia ver como era comprido desde a cauda até à ponta do focinho e, deitado aos pés da árvore sobre que se encontrava Cosimo, erguia por vezes um olhar cansado para o patrão, agitando molemente a cauda. Cosimo andava descontente: a sensação do correr do tempo comunicava-lhe uma espécie de insatisfação da sua vida, de passar o tempo andando de cá para lá sobre uns quantos ramos. E nada já era capaz de lhe dar uma completa satisfação, nem a caça, nem os seus fugazes amores, nem os próprios livros. Nem ele próprio sabia o que queria: tomado por aquelas suas fúrias súbitas, que agora se iam tornando tão frequentes, trepava rapidíssimo para os raminhos mais tenros e frágeis, como se procurasse outras árvores que crescessem sobre aquelas em que ele próprio vivia, para poder trepar para outras que se erguessem ainda sobre essas.

Um dia *Ottimo Massimo* mostrou-se muito inquieto. Parecia que respirava um novo ar de primavera. Erguia o focinho, farejava, dava voltas sobre si mesmo. Duas ou três vezes se ergueu, correu indeciso de um lado para o outro e voltou a deitar-se. De repente deitou a correr. Corria pausadamente, e de vez em quando parava para retomar fôlego. Sobre os ramos, Cosimo seguia-o.

Ottimo Massimo tomou o caminho do bosque. Parecia ter em mente uma direção muito precisa, porque, se bem que de vez em quando parasse, alçasse uma perna e fizesse as suas necessidades contra uma árvore, repousando e olhando de língua de fora o dono que o seguia, breve se erguia novamente e retomava a corrida na direção que o chamava, sem incertezas nem hesitações. Dirigia--se, assim, para paragens pouco frequentadas por Cosimo e por ele quase desconhecidas, porque eram terrenos reservados às coutadas do duque Tolemaico. O duque Tolemaico era um velho caquético, e não ia à caça sabe-se lá desde há quanto tempo, mas nas suas terras nenhum caçador podia meter o pé, porque os guardas de caça eram muitos e sempre vigilantes. Cosimo, que já tinha tido de se haver com eles, preferia passar ao largo. Agora, *Ottimo Massimo* e Cosimo adiantavam-se pela coutada do príncipe Tolemaico, mas nem um nem outro pensavam sequer em perseguir qualquer peça de caça, por mais insignificante que fosse: o baixote trotava seguindo um chamamento secreto que só ele devia entender e o barão estava tomado por uma impaciente curiosidade de descobrir onde iria ter o cão.

Assim, o baixote alcançou um ponto em que a floresta terminava e à frente se estendia um longo prado. Dois leões de pedra, sentados sobre pilastras também em pedra, dominavam um brasão. Para além, devia estender-se certamente um parque, um jardim, uma parte mais privada das terras do duque Tolemaico. Mas não: havia apenas aqueles dois leões de pedra e, para além deles, o prado, um prado imenso, de erva verde e curta e cujo extremo se via tão-somente à distância, longínquo: um fundo de carvalhos de negra folhagem. Por cima, o céu estava coberto com um ligeiro manto de nuvens. Não se ouvia o canto de um único pássaro.

Para Cosimo, aquele prado era uma paisagem que o enchia de temor. Tendo vivido sempre entre a vegetação espessa dos bosques de Ombrosa, seguro de poder alcançar todo e qualquer local que pretendesse, caminhando pelas suas vias secretas, bastava ao barão ter diante de si uma tal extensão sem árvores, impraticável, toda nua sob o céu, para experimentar imediatamente uma angustiante sensação de vertigem.

Ottimo Massimo lançou-se a trote através do prado e, como se de súbito tivesse redescoberto toda a juventude perdida, corria com grande velocidade.

Do freixo onde se tinha empoleirado, Cosimo começou a assobiar, a chamá-lo:

– Vem aqui! *Ottimo Massimo!* Vem aqui! Aqui! *Ottimo Massimo!* Mas onde vais tu? – O cão, porém, já não lhe obedecia, nem sequer se voltava: corria, corria pelo prado, até que dele se via apenas um pontinho negro e minúsculo, semelhante a uma vírgula, a sua cauda agitando-se entre a erva. Por fim até esta deixou de se ver.

Em cima do freixo Cosimo torcia as mãos. Estava habituado às fugas e às ausências do baixote, mas agora *Ottimo Massimo* desaparecia neste prado para Cosimo invencível e a sua fuga aliava-se e formava um todo com a angústia experimentada pouco antes. Simultaneamente, aquilo conferia-lhe uma indeterminada esperança, uma esperança de que algo houvesse para além daquele prado.

Estava remoendo estes pensamentos quando sentiu passos por baixo do carvalho onde se encontrava. Viu um guarda de caça que passava, de mãos nos bolsos, assobiando. Para dizer a verdade, tinha um ar bastante pacífico e distraído, demasiado pacífico até para poder ser um daqueles terríveis guardas de caça da coutada. Todavia, as insígnias na sua farda eram as armas do corpo ducal e Cosimo encolheu-se todo contra o tronco. Mas, depois, o pensamento de que o seu cão tinha desaparecido venceu-o e dirigiu-se ao guarda de caça.

– Eh, senhor guarda, diga-me: viu por acaso um cão baixote por estes lados?

O guarda de caça ergueu o olhar.

– Ah, sois vós! O caçador que voa com o cão que rasteja! Não, não vi baixote nenhum! Então e esta manhã, o que é que caçastes, hem, vamos lá?

Cosimo tinha reconhecido nele um dos seus mais zelosos adversários. E disse:

– Mas qual o quê! Fugiu-me o cão e vim atrás dele até aqui... Veja... até tenho a espingarda descarregada...

O guarda de caça riu.

– Ah, sim? Pois então carregue-a e cace à sua vontade, até se fartar! Agora já tanto faz!

– Agora porquê?

– Agora porque o duque morreu. Já não há ninguém que se interesse pela coutada.

– Ah, sim? O duque morreu? Pois não sabia!

– Morreu e foi enterrado já há uns bons três meses. E existe presentemente um litígio entre os herdeiros do primeiro e do segundo matrimónio, além da viúva nova.

– Tinha uma terceira mulher?

– Que desposou quando tinha oitenta anos, um ano antes de morrer. Ela era uma rapariga de vinte e um anos ou pouco mais. Devia ser louca. Uma mulher que nunca esteve com ele nem sequer um dia e que só agora começa a visitar as suas possessões. Ainda por cima, parece que estas não lhe agradam.

– Como não lhe agradam?

– Ora! Instala-se num palácio, num feudo, com toda a sua corte atrás dela... porque traz sempre consigo uma legião de pespegos, e três dias passados acha tudo feio, tudo triste, e volta a partir. Então os outros herdeiros atiram-se sobre a propriedade como lobos, arrogando-se direitos. E ela: «Ah, sim, agrada-vos? Então fiquem com tudo!» Agora está instalada no pavilhão de caça, mas sabe-se lá quantos dias ficará... Cá por mim, digo que são poucos.

– E onde fica esse pavilhão de caça?

– Além, depois do prado, por baixo daquela mata de carvalhos escuros que se vê daqui.

– Então o meu cão foi para lá...

– Talvez tenha ido à procura de um osso... Perdoe-me, mas quer-me cá parecer que Vossa Senhoria o traz um pouco magro... – e rompeu numa gargalhada.

Cosimo não respondeu. Olhava o prado invencível e esperava que o baixote voltasse.

Não voltou durante todo esse dia. No dia seguinte Cosimo estava novamente em cima do freixo, contemplando o prado, como se o desânimo por que se sentia tomado não lhe permitisse fazer outra coisa senão olhar a extensão de ervas verdes.

Nessa tarde, quase ao anoitecer, o baixote reapareceu. Primeiro um pontinho negro no fundo do prado, que o olhar aguçado de Cosimo conseguia distinguir, e que depois se vinha avizinhando, cada vez mais visível.

– *Ottimo Massimo!* Vem aqui! Mas onde estiveste tu?

O cão parara, abanava a cauda, olhava o dono, ladrava, parecendo convidá-lo a que o seguisse, a ir com ele, mas dava conta da distância que o dono não podia vencer e voltava atrás, dava passos incertos e hesitantes e regressava ao local de partida.

– *Ottimo Massimo!* Vem aqui! *Ottimo Massimo!*

Mas o baixote afastava-se e voltou a desaparecer na distância do prado.

Mais tarde, passaram dois guardas de caça.

– Vossa Senhoria continua à espera do cão? Mas eu cá vi-o no pavilhão de caça e posso dizer que estava em boas mãos nessa altura!

– Como?

– Sim, a marquesa, ou melhor, a duquesa viúva (nós chamamos-lhe marquesa porque era marquesinha antes de se casar) fazia-lhe tantas festas como se o cão sempre lhe tivesse pertencido. É um cão com muita sorte aquele que Vossa Senhoria tem, e esperto, permiti que vo-lo diga. Encontrou sítio onde estar bem e deixa-se ficar...

E os dois guardas afastaram-se, rindo.

Mas *Ottimo Massimo* não voltava. Cosimo estava todos os dias em cima do freixo, olhando o prado como se nele pudesse ler qualquer indício do que desde há tempos o vinha atormentando: a própria sensação de distância, de invencibilidade, de uma espera que pode prolongar-se, irremediavelmente, por toda uma vida.

XXI
∾

Um dia Cosimo observava, como sempre, o prado, de cima do freixo. Brilhou o sol por um momento e um raio correu célere pelo prado e o verde-ervilha da erva transformou-se de súbito num verde-esmeralda.

Lá em baixo, na escuridão do bosque de carvalhos, algumas folhas se moveram e um cavalo surgiu, correndo pela erva. O cavalo era montado por um cavaleiro todo vestido de negro, com um grande manto. Mas não: não era um manto, mas uma saia; e não era um cavaleiro, era uma amazona, corria a galope no cavalo e era loura.

O coração de Cosimo começou a bater mais depressa e tomou-o a esperança de que aquela amazona se avizinharia o bastante para que ele pudesse ver-lhe o rosto e que este seria lindíssimo. Mas para além deste esperar que ela se avizinhasse e da esperança de poder ver-lhe o rosto havia ainda uma terceira esperança, um terceiro ramo de fé que se entrelaçava nos outros dois, e era esse o desejo de que esta cada vez mais luminosa beleza correspondesse a uma necessidade de reconhecer uma impressão conhecida e quase esquecida, uma recordação de que apenas uma ténue linha permaneceu, uma cor. E quereria fazer submergir tudo o resto, ou melhor, reencontrá-lo em qualquer coisa de presente, de atual.

E, com tal ânimo, não via que a amazona se aproximava da orla do prado perto do local onde ele se encontrava, onde se erguiam as duas pilastras com os leões sentados; mas esta espera começou a tornar-se dolorosa, porque tinha dado conta de que a amazona não sulcava o prado em linha reta em direção aos leões, mas em diagonal, de modo que breve desapareceria novamente na margem fronteira do bosque.

Ia já perdê-la de vista quando ela voltou bruscamente o cavalo e retomou a direção do prado, mas agora noutra diagonal, de sentido contrário à anterior, e que a traria um pouco mais para ao pé donde ele se encontrava, ainda que a fizesse igualmente desaparecer na margem oposta do bosque.

Entretanto Cosimo constatou com aborrecimento que do bosque tinham saído para o prado dois cavalos castanhos, montados cada um por seu cavaleiro, mas procurou eliminar imediatamente este pensamento, decidindo que os cavaleiros nenhuma importância tinham afinal, bastava ver como se desesperavam para aqui e para acolá atrás dela. Certamente não os devia ter sequer em considera-ção. E, todavia, era forçado a confessar que o aborrecia a presença inoportuna e súbita daqueles dois cavaleiros.

Mas eis que, antes de desaparecer no prado, a amazona voltou uma vez mais o cavalo, deste feita para trás, afastando-se em direção contrária à do local onde se encontrava o meu irmão... Mas não, o cavalo girava sobre si mesmo e galopava agora para cá. A manobra parecia ter sido executada de propósito para desorientar os dois cavaleiros hesitantes, que agora, de facto, galopavam longe e não tinham compreendido que ela corria em direção oposta.

Tudo agora corria na realidade a favor dele: a amazona galopava ao sol, cada vez mais bela e correspondendo cada vez mais àqueles fragmentos das recordações de Cosimo. A única coisa autentica-mente alarmante era o contínuo ziguezague do seu percurso, que não deixava prever qualquer das intenções que a animassem. Nem sequer os dois cavaleiros compreendiam para onde ela se dirigia e procuravam seguir as suas evoluções, acabando por fazer grandes percursos inúteis, mas sempre com muito boa vontade e presteza.

E eis que, antes que Cosimo tivesse tempo para compreender bem o que se passava, a dama a cavalo alcançou a margem do prado, perto da árvore onde meu irmão estava empoleirado, passou por entre as duas pilastras encimadas pelos leões que quase parecia terem sido colocados ali para lhe renderem homenagem e voltou-se para o prado e para tudo aquilo que ficava para além do prado, com um largo gesto, que dir-se-ia ser de adeus, e galopou para diante, passou sob o freixo. Desta vez Cosimo teve oportunidade de a ver bem, de lhe ver o rosto e a figura, muito direita na sela. Era um rosto simultaneamente de mulher adulta e de criança, com uma testa que parecia feliz pela proximidade daqueles olhos tão belos, e estes por sua vez felizes de pertencerem àquele rosto; o nariz, a boca, o queixo, o colo, todas as partes do seu corpo felizes pela perfeição de todas as outras partes desse mesmo corpo e tudo, tudo, tudo recordava a rapariguinha vista há doze anos brincando num baloiço, no primeiro dia que ele passara sobre as árvores: Sofonisba Viola Violante d'Ondariva.

Esta descoberta, ou melhor, o ter levado, desde o primeiro momento, esta inconfessada descoberta ao ponto de a poder proclamar a si próprio, encheu Cosimo de uma excitação febril. Quis gritar-lhe, chamá-la, para que ela erguesse o rosto e o olhar para o alto do freixo onde ele se encontrava e o visse, mas da garganta saiu-lhe apenas um som semelhante ao piar de uma narceja, e ela não se voltou.

Agora o cavalo branco galopava pelo bosque de castanheiros e os cascos pisavam as castanhas espalhadas por terra, abrindo-as e revelando a cortiça lenhosa e o interior claro dos frutos. A amazona dirigia o cavalo ora numa direção ora noutra, o que levava Cosimo a imaginá-la já distante e inatingível ou, saltando de árvore para árvore, a vê-la reaparecer, cheio de surpresa, na perspetiva dos troncos, e esta maneira de prosseguir o seu caminho acrescentava cada vez mais foros de autenticidade à recordação que crepitava na mente do barão. Queria fazer chegar a ela um apelo, um sinal da sua presença, mas vinha-lhe somente aos lábios o assobio da perdiz cinzenta, e ela não lhe prestava atenção.

Os dois cavaleiros que a seguiam pareciam compreender ainda menos as intenções e o percurso e continuavam a cavalgar em direções misturadas, enfiando pelas matas de carvalhos ou afundando-se em terrenos pantanosos, enquanto ela continuava segura do seu caminho e indomável. Dava frequentemente uma espécie de ordens secas e breves, mas que deviam tratar-se de incitamentos aos cavaleiros, erguendo o braço com o pingalim ou prendendo um ramo de alfarrobeira e soltando-o logo em seguida como que para dizer que era por ali que deviam ir. Subitamente os cavaleiros lançavam-se naquela direção a galope, pelos prados e ribeiras. Porém, ela voltara já o cavalo noutra direção e não os olhava mais.

«É ela! É ela!», pensava Cosimo, cada vez mais inflamado pela esperança, e queria gritar o seu nome, mas dos lábios saía-lhe apenas um som triste e prolongado como o de uma gaivota.

Porém, notava que todas aquelas escapadas e enganos provocados aos cavaleiros pareciam dispor-se como que em torno de uma linha que, sendo irregular e ondulada, não excluía contudo de modo algum uma possível e oculta intenção. E, adivinhando esta intenção e desistindo da empresa impossível de continuar a segui-la, Cosimo disse para consigo mesmo: «Irei para um local que, se for na verdade ela, logo se vê. Não pode ter vindo para estes sítios senão com o propósito de lá ir.» E, caminhando pelas suas sendas secretas, dirigiu-se ao velho parque abandonado dos marqueses d'Ondariva.

Naquela sombra, naquele ar cheio de aromas, naquele local onde as folhas e os ramos tinham outras cores e outra substância, sentiu-se tão preso pelas recordações da infância que quase se esqueceu da amazona ou, se não se esqueceu dela, concluiu que talvez pudesse não ser ela, mas aquela esperança de que fosse tornava-se verdadeira e era quase real.

Entretanto, sentiu um rumor. Eram os cascos do cavalo branco pisando o saibro. Vinha pelo jardim, já não em corrida, mas vagarosamente, como se a amazona quisesse observar e reconhecer minuciosamente todas as coisas. Os cavaleiros não davam sinal de si; a amazona devia tê-los feito perder o seu rasto.

Viu-a, então: observava o tanque, o pequeno quiosque, as ânforas. Olhava as plantas, que se haviam tornado enormes, com raízes aéreas pendentes, e as magnólias, que se haviam transformado num autêntico bosque, quase impenetrável. Mas não o via a ele, a ele que procurava chamá-la com o arrulhar das rolas, com o trilo de um canário, com sons que se perdiam no chilrear constante e variegado dos pássaros do jardim.

Tinha desmontado e caminhava agora a pé, conduzindo pelas rédeas o cavalo, atrás dela. Alcançou a *villa*, largou as rédeas e passou o pórtico.

Começou a gritar:

– Ortensia! Gaetano! Tarquinio! Isto precisa de ser pintado de branco. É necessário envernizar as persianas. Pendurem os tapetes aqui! E quero aqui a mesa, além a cómoda, no meio a mesinha, e os quadros têm de ser todos mudados de lugar!

Cosimo só então notou que aquela casa, que ao seu olhar distraído parecera a princípio fechada e desabitada como sempre, estava agora aberta, formigando de pessoas: criados que limpavam, consertavam, davam brilho, colocavam móveis nos seus lugares, batiam tapetes.

Era Viola que voltava! Era Viola que voltava a Ombrosa para aí residir novamente, que retomava a propriedade da *villa*, tanto tempo abandonada, e donde tinha partido ainda menina! E o bater jubiloso do coração de Cosimo não era já na verdade muito diferente de um bater de medo, porque o ela ter regressado, o tê-la assim sob o seu olhar, imprevisível e orgulhosa, podia querer significar que nunca a viria a possuir só para si, nem sequer em recordação, nem sequer naquele secreto perfume de folhas e no colorido da luz através do verde. Podia querer significar que ele seria obrigado a fugir de Viola e, deste modo, a fugir também da recordação que acarinhava desde a sua infância.

Com este bater do coração, alternando entre a felicidade e o medo, Cosimo via-a mover-se no meio dos criados, fazendo transportar divãs, clavicórdios e outros móveis e depois passar à pressa para o jardim, montar o cavalo, seguida pela legião de criados, que esperavam ainda outras ordens, e depois voltar-se para os jardineiros, dizendo-lhes como deviam reorganizar as áleas e canteiros incultos, colocar nos passeios o saibro que as chuvas haviam consumido e voltar a dispor nos seus lugares as cadeiras de palhinha e o baloiço...

Indicou, com grandes gestos, o lugar para o baloiço, o ramo onde certa vez ele estivera preso e onde devia voltar a ser colocado, esclarecendo qual o comprimento que deviam ter as cordas e a amplitude do trajeto que o baloiço deveria descrever. Assim, dando ordens com gestos largos, o olhar alcançou finalmente uma árvore, a magnólia, onde certo dia Cosimo lhe tinha aparecido. E sobre a magnólia voltou a revê-lo, tal como naquele dia do passado.

Ficou surpreendida. Muito surpreendida. Mas não o evidenciou. Recuperou-se imediatamente da surpresa e tomou um ar suficiente, como era seu hábito. Mas tinha ficado, na verdade, muito surpreendida. Riam-lhe os olhos, a boca e os dentes tão iguais àqueles que tinha em menina.

– Tu! – e depois, procurando o tom de voz de quem fala afinal de uma coisa muito natural, mas sem conseguir ocultar completamente o seu interesse e uma nota de alegria: – Ah, então tens continuado sempre em cima das árvores, sem nunca teres descido?

Cosimo conseguiu articular aquela voz, que lhe queria sair da garganta como um canto de pássaros, num:

– Sim, sou eu, Viola. Ainda te lembras?

– Sem nunca, nem uma só vez, teres posto pé em terra?

– Nunca.

E ela, como se já tivesse feito muitas concessões:

– Vês então como conseguiste? Não deve certamente ter sido tão difícil.

– Esperava o teu regresso.

– Esplêndido! Eh, vós aí, para onde é que levam isso? Deixem ficar aí tudo que eu já lá vou ver! – Voltou a fitá-lo. Naquele dia Cosimo estava vestido com o seu traje de caça: hirsuto, com o barrete de pele de gato selvagem e espingarda a tiracolo.

– Pareces o Robinson!

– Também leste? – disse ele imediatamente, para lhe mostrar que conhecia o significado das palavras dela.

Mas Viola já se tinha voltado novamente para os criados:

– Gaetano! Ampelio! As folhas secas! Isto está tudo cheio de folhas secas! – E voltando-se novamente para ele: – Daqui a uma hora, ao fundo do parque. Espera por mim. – E afastou-se, dando ordens, montada a cavalo.

Cosimo atirou-se para a ramaria cerrada: ah, como teria querido que fosse mil vezes mais cerrada, que fosse uma avalancha de folhas, ramos e espinhos e madressilvas e avencas em que pudesse afundar--se e aprofundar-se e só depois de ter submergido por completo entre tudo aquilo começar a compreender se era verdadeiramente feliz ou se estava louco de medo!

Sobre a enorme árvore ao fundo do parque, com os joelhos apertando bem o ramo, olhava as horas constantemente num relógio de bolso enorme que tinha pertencido ao avô materno, o general Von Kurtewitz, e dizia para consigo mesmo: não vem. Mas Viola chegou quase pontualmente, montada a cavalo; parou o animal por baixo da árvore, sem sequer olhar para cima; não trazia já o chapéu nem o casaquinho de amazona: a blusa branca bordada e com rendas e a saia negra e pregueada davam-lhe um aspeto quase monacal. Erguendo-se sobre os estribos, pousou uma das mãos no ramo; Cosimo ajudou-a; ela, trepando para cima da sela, alcançou o ramo e, sempre sem olhar para ele, subiu rapidamente, procurou uma forquilha cómoda entre dois troncos e sentou-se. Cosimo ajoelhou-se aos pés dela e não arranjou outras palavras para começar:

– Voltaste, então, Viola?

Viola olhou-o, ironicamente. Era muito loura, como em menina.

– Como é que sabes? – disse.

E ele, sem compreender a mofa:

– Vi-te a cavalgar no prado da coutada do duque.

– A coutada é minha. Mas quero que se encha de urtigas! Sabes tudo? A meu respeito, quero eu dizer?

– Não... soube ainda há pouco que eras viúva...

– Claro que sou viúva – deu um golpe com o pingalim na saia negra, acomodando-a. Começou a falar, num repente, muito depressa. – Tu nunca sabes nada de nada. Passas a vida em cima das árvores a meter o nariz na vida das outras pessoas e mesmo assim nunca sabes nada. Casei com o velho Tolemaico porque os meus me obrigaram, porque me obrigaram a casar com ele. Diziam que eu só gostava que os rapazes me fizessem a corte e que não podia continuar sem um marido. Um ano! Durante um ano fui duquesa de Tolemaico, e nunca estive junto do velho mais do que uma semana. Não, nunca mais porei os pés em nenhum dos castelos e palácios e ruínas que o velho tinha! Que se encham de ervas! Doravante viverei aqui, onde sempre vivi quando era criança. Aqui ficarei até me apetecer, evidentemente, e depois ir-me-ei embora: sou viúva e, finalmente, posso fazer aquilo que muito bem me apetecer. Para dizer a verdade, sempre fiz aquilo que me apetecia: até o casar com o duque Tolemaico foi por minha livre vontade. Não é verdade que me tivessem obrigado a casar com ele. Queriam simplesmente que me casasse a todo o custo e eu, então, escolhi o pretendente mais decrépito que existisse. «Assim tenho a certeza de que serei eu primeiro a enviuvar», foi o que disse. E, como vês, fui realmente eu quem enviuvou primeiro...

Cosimo estava meio aturdido com aquela autêntica avalancha de notícias e afirmações perentórias, e Viola parecia-lhe mais distante do que nunca: cortejada, viúva e duquesa, pertencia a um mundo inatingível, e tudo o que conseguiu dizer foi:

– E quem era que te cortejava?

E ela:

– Pronto. Já estás com ciúmes. Olha que nunca te permitirei que sejas ciumento.

Cosimo estremeceu e sentiu na realidade todos aqueles sentimentos que o ciúme provoca e levam à discussão. Mas, subitamente, pensou: «Como? Ciumento? Mas por que motivo admite ela que eu possa sentir ciúmes dos que lhe fazem a corte? Porque diz: *nunca te permitirei*? É quase como confessar que nós...»

Então, enrubescendo, comovido, teve desejos de lhe falar, de lhe fazer perguntas, de ouvir, mas foi ela a primeira a perguntar-lhe, secamente:

– E agora conta-me tu: que tens feito?

– Tenho feito imensas coisas – começou ele –, tenho ido muitas vezes à caça. Tenho caçado até javalis, mas sobretudo raposas, lebres, fuinhas, tordos... e melros também, evidentemente. Depois foram os piratas. Desembarcaram piratas turcos e houve uma grande batalha; meu tio foi morto. E li muitos livros, para mim e para um amigo meu, um salteador que foi enforcado; tenho toda a enciclopédia de

Diderot. Cheguei até a escrever-lhe e ele respondeu-me, de Paris, e fiz imensos trabalhos: podei, salvei um bosque dos incêndios...

– ... E amar-me-ás sempre acima de todas as coisas e serias capaz de fazer tudo, tudo por mim?

Ao ouvir aquelas palavras de Viola, Cosimo, amedrontado, disse:
– Sim...

– És um homem que viveu sempre em cima das árvores só para mim, para estar preparado para me amar...

– Sim... Sim...

– Beija-me.

Encostou-a contra o tronco, apertou-a nos braços, beijou-a. Erguendo o rosto, apercebeu-se então da beleza dela, e era como se fosse aquela a primeira vez que a via.

– Como és bela...

– Para ti! – e desabotoou a blusa branca. O peito era tão jovem e com dois botões de rosa. Cosimo apenas conseguiu aflorá-la levemente. Viola começou a correr por entre os ramos tão depressa que parecia voar, e ele corria atrás dela, mantendo o olhar fixo na saia negra.

– Mas para onde me levas? – dizia Viola, como se fosse Cosimo a conduzi-la, e não ela a arrastá-lo atrás de si.

– Para aqui – disse Cosimo, e começou então ele a guiá-la. A cada passagem de um ramo para outro segurava-lhe a mão ou o cotovelo, ensinando-a a passar.

– Para aqui – e dirigiam-se para umas oliveiras protegidas por uma ladeira muito íngreme. Do cimo de uma delas, o mar, de que então tinham visto apenas breves retalhos através das folhas e dos ramos, como se tivesse sido quebrado e feito em pedaços, descobriram-no então, calmo, límpido e vasto como o céu. O horizonte abria-se, largo e muito alto, e o azul era extenso e desértico, sem uma única vela. Contavam-se os castelos de espuma apenas enunciados pelas ondas. Somente um levíssimo murmúrio, como que um suspiro, se elevava do quebrar das ondas nos seixos da praia.

Com os olhos deslumbrados, Cosimo e Viola voltaram a descer para a sombra verde-escura da folhagem.

– Para aqui.

Numa nogueira, sobre um tronco deitado, existia uma escavação côncava, a ferida antiga de um machado. Era aí um dos refúgios de Cosimo. Tinha estendido uma pele de javali e, pousados em redor, havia um garrafão, alguns instrumentos de caça e uma flauta.

Viola deitou-se sobre a pele de javali.

– Trouxeste aqui outras mulheres?

Ele hesitou. E Viola:

– Se não trouxeste, não és homem, não és nada...

– Sim... uma ou outra...

Levou uma bofetada na cara, com a mão muito aberta.

– Era então assim que me esperavas?

Cosimo passou a mão pela face corada e não sabia o que dizer; mas ela estava outra vez bem-disposta:

– E como eram? Como eram? Diz-me...

– Não eram como tu, Viola, nenhuma delas era como tu...

– E como sabes como é que eu sou?... Que sabes tu?...

Tinha-se tornado muito doce. E Cosimo, com estas transições súbitas de disposição, não se sentia capaz de vencer a adoração que tinha por ela. Aproximou-se, suavemente... Viola era de ouro e mel.

– Viola...

– Cosimo...

Conheceram-se. Ele conheceu-a e conheceu-se a si próprio, porque na verdade nunca se tinha conhecido. E ela conheceu-o e conheceu-se a si própria, porque, muito embora sempre se tivesse conhecido, nunca pudera reconhecer-se daquela maneira.

XXII

A primeira peregrinação que ambos realizaram foi àquela árvore que, numa incisão profunda na casca, tão velha já e deformada que não parecia sequer obra de mãos humanas, tinha escrito: *Cosimo, Viola* e, mais abaixo, *Ottimo Massimo.*

– Aqui em cima? Mas quem é que cá esteve?

– Eu, há muito tempo.

Viola estava comovida.

– E isto, o que quer dizer? – Indicava, intrigada, as palavras: *Ottimo Massimo.*

– É o meu cão. Isto é: o teu. O baixote.

– *Turcaret?*

– *Ottimo Massimo.* Foi o nome que lhe dei.

– *Turcaret!* Se soubesses o quanto eu chorei quando, depois de partir, dei conta de que não o tínhamos levado connosco na carruagem... Oh, pouco se me dava então o não voltar a ver-te! Mas estava desesperada por não ter levado o baixote!

– Se não fosse ele, não te tinha reencontrado! Foi ele quem farejou no ar a tua presença, foi ele quem descobriu que estavas perto e não descansou enquanto não te encontrou...

– Reconheci-o logo, mal o vi chegar, abanando a cauda, com a língua de fora... Os outros diziam: «Mas donde surgiu este cão?» Inclinei-me para o observar. Vi-lhe a cor do pelo, as malhas. «Mas este é o *Turcaret!* O baixote que eu tinha quando ainda era criança em Ombrosa!»

Cosimo ria. Inesperadamente, ela torceu o nariz:

– *Ottimo Massimo...* que nome tão feio! Mas onde vais buscar uns nomes assim tão feios? – Cosimo entristeceu-se com aquela reação.

Para *Ottimo Massimo*, porém, a felicidade não tinha agora limites.

O seu velho coração de cachorro, dividido entre a amizade e fidelidade a dois donos, tinha reencontrado finalmente a paz, após ter lutado dias e dias para atrair a marquesa aos confins da coutada, para perto do freixo onde Cosimo continuava à espera dele. Tinha-lhe puxado pela saia ou então fugia levando na boca um objeto qualquer, correndo em direção ao prado, convidando-a a que o seguisse. E Viola perguntava:

– Mas que é que queres? Para onde me levas? *Turcaret!* Dá cá isso! Mas que cão embirrento que eu vim encontrar!

O reencontrar o baixote reacendera na sua memória as recordações da infância, a nostalgia de Ombrosa. E, repentinamente, preparava-se para abandonar o pavilhão ducal e para regressar à velha *villa* de árvores estranhas.

Viola estava de regresso. Para Cosimo principiava também ali o mais belo período da sua vida. E até para Viola, que percorria os campos montada no seu cavalo branco, e apenas avistava o barão entre os ramos e o céu erguia-se da sela, principiara um período maravilhoso. Subia pelos troncos oblíquos e pelos ramos quase tão hábil já a caminhar por cima das árvores como ele. E em toda a parte ia reunir-se a Cosimo.

– Oh, Viola, eu já nem estou em mim, eu sentia-me capaz de trepar até sei lá onde...

– Até mim – dizia Viola, muito suavemente. E ele andava como louco de felicidade.

O amor era para ele um exercício heroico: o prazer misturava-se frequentemente com provas do seu ardor, de generosidade, de dedicação e de tensão de todas as faculdades da sua alma. O mundo deles eram as árvores mais intrincadas, de ramos mais torcidos e difíceis.

– Além! – exclamava, indicando uma outra forquilha de ramos, e juntos se içavam para a atingir. Iniciava-se então entre eles uma competição de acrobacias que culminava sempre em novos abraços.

Amavam-se suspensos no vago, sustendo-se ou agarrando-se aos ramos. Viola seguia atrás de Cosimo, quase voando.

A obstinação amorosa de Viola chocava com a teimosia de Cosimo, se bem que por vezes se desencontrassem. Meu irmão fugia à languidez, às molezas, às pequenas perversidades refinadas: nada lhe agradava para além do que fosse o amor natural. As virtudes republicanas pairavam no ar: preparavam-se já épocas que seriam a um tempo licenciosas e austeras. Cosimo, amante insaciável, era simultaneamente um estoico, um asceta, um puritano. Sempre em busca de felicidade amorosa, continuava todavia sendo inimigo da vontade. Chegava a desconfiar dos beijos, das carícias, dos afagos verbais, de todas as coisas que ofuscassem ou pretendessem substituir-se às saudações da natureza. Foi Viola quem lhe descobriu a exuberância; e com Viola nunca Cosimo conheceu a insatisfação após o amor, essa insatisfação que tantos teólogos predicavam; assim, chegou mesmo a escrever sobre este assunto uma carta filosófica a Rousseau. Este, certamente bastante perturbado, não lhe respondeu.

Mas Viola era também uma mulher requintada, caprichosa, viciada, católica de alma e coração. O amor de Cosimo satisfazia-lhe os sentidos, mas deixava-lhe insatisfeita a fantasia. Por isso as suas súbitas alterações de temperamento e sombrios ressentimentos. Mas tudo isto bem pouco durava, tão variada era a vida que levavam e o mundo que os rodeava.

Cansados, procuravam refúgio escondidos sobre as árvores de copa mais frondosa: ramarias que lhes envolviam os corpos como uma folha que os embrulhasse, pavilhões suspensos, com panejamentos que ondeavam ao vento, ou colchões de penas. Nestes pequenos pormenores se explicava o génio de Viola: onde quer que se encontrasse, a marquesa tinha o dom de criar em torno de si abastança, luxo e uma complicada comodidade; complicada à vista, mas que ela obtinha com miraculosa facilidade porque tinha o dom de tornar realidade todas as coisas que pretendia, ainda que a todo o custo.

Sobre estas alcovas aéreas onde ambos se encontravam pousavam, cantando, os pintarroxos. Por entre os panejamentos entravam, por vezes, casais de borboletas de asas matizadas, perseguindo-se umas às outras. Nas tardes de verão, quando o sono surpreendia os dois amantes abraçados, entrava de vez em quando na alcova um esquilo, procurando qualquer coisa para roer, e acariciava-lhes o rosto com a sua cauda emplumada, ou mordiscava qualquer objeto. Passaram a fechar mais cuidadosamente as tendas que haviam erguido: mas uma família de arganazes roeu o teto do pavilhão e um belo dia quando menos esperavam esta caiu-lhes em cima.

Naquela altura iam-se descobrindo um ao outro, contando mutuamente as suas vidas, interrogando-se.

– E sentias-te só?

– Faltavas-me tu.

– Mas pergunto se te sentias só não em relação a mim, mas ao resto do mundo?

– Não. Porquê? Tinha sempre qualquer coisa a fazer com os outros: colhi fruta, podei, estudei filosofia com o abade, bati-me com os piratas. Não acontece o mesmo na vida de toda a gente?

– Não. Só tu és assim, e por isso te amo.

Mas o barão ainda não tinha compreendido bem o que Viola aceitava nele e aquilo que não aceitava. Por vezes bastava um pequeno nada, uma palavra ou um tom de voz dele para fazer nascer a irritação da marquesa.

Cosimo, por exemplo, dizia:

– Com o João dos Bosques, lia romances, muitos romances; com o cavaleiro-advogado estabeleci projetos hidráulicos...

– E comigo?

– Contigo amo. Como o podar, como a fruta...

Viola ficava silenciosa, imóvel. De repente, Cosimo reparava que se lhe tinha desencadeado a irritação: os olhos tinham-se-lhe tornado subitamente de gelo.

– Mas porquê? O que foi, Viola? Que tens? O que foi que eu disse?

Ela estava muito distante, dir-se-ia que nada vendo nem ouvindo, cem milhas distante dele, com o rosto impenetrável como se fosse talhado em mármore.

– Mas não, Viola. Por favor... Mas que foi? Porquê? Viola, escuta...

Viola erguia-se, ágil, sem necessidade de ajuda, e começava a descer da árvore.

Cosimo ainda não compreendera qual tivesse sido o seu erro, ainda não tivera tempo para pensar e tentar descobri-lo. E talvez até de facto preferisse não pensar nele, não compreender, a fim de melhor poder proclamar a sua inocência:

– Mas não, não compreendeste com certeza o que eu queria dizer... Viola, escuta-me...

Seguia-a até aos ramos mais baixos.

– Viola, não te vás embora assim... não... Viola...

Então ela falava, mas dirigindo-se ao cavalo, e não a ele. Montava, dizia breves palavras ao cavalo e partia.

Cosimo começava a desesperar-se, a saltar de uma árvore para outra.

– Não, Viola, diz-me o que foi... Viola!

Mas ela galopava sempre, afastando-se dele. Pelos ramos, Cosimo tentava segui-la.

– Suplico-te, Viola! Amo-te! Viola! – mas já não a via. Trepava para ramos frágeis, com saltos perigosos. – Viola! Viola!

Quando tinha a certeza de a ter perdido de vista e não podia reprimir os soluços, ei-la porém que passava a trote por baixo da árvore, sem erguer o olhar.

– Olha, olha, Viola! Olha o que eu faço! – e começava a dar cabeçadas violentas contra um tronco, de cabeça descoberta (tinha, na verdade, uma cabeça duríssima).

Viola nem sequer olhava. Já ia longe.

Cosimo esperava que ela voltasse, aos ziguezagues por entre as árvores.

– Viola! Estou desesperado! – e pendurava-se de cabeça para baixo no vazio, preso pelas pernas a um ramo e dando bofetadas e socos com as mãos na própria cara e na cabeça. Ou, então, desatava a calcar e pisar ramos com fúria destruidora, e em poucos instantes um olmeiro frondoso ficava todo nu e desguarnecido como se ali tivesse caído uma saraivada violenta.

A certo ponto, imprevisivelmente também, Viola, assim como fora tomada por uma súbita irritação, assim também se acalmava.

De todas as loucuras de Cosimo, que pareciam nem sequer a ter perturbado um pouco, uma delas, uma qualquer, era o suficiente para a encher repentinamente de piedade e de amor.

– Não, Cosimo, querido, espera por mim! – Saltava da sela e precipitava-se a trepar por um tronco. Do alto, os braços já estendidos de Cosimo ajudavam-na a elevar-se.

Retomava o amor com fúria semelhante à que havia desencadeado a discussão. Na verdade, era tudo uma e a mesma coisa, mas Cosimo não compreendia nada.

– Porque me fazes sofrer assim?

– Porque te amo.

Desta feita, era ele quem se irritava:

– Não, não me amas, não pode ser verdade! Quem ama deseja a felicidade e repele a dor.

– Quem ama deseja apenas o amor, ainda que para tal seja necessário experimentar a dor.

– Então fazes-me sofrer de propósito.

– Sim, para ter a certeza de que me amas.

A filosofia do barão recusava-se porém a ir mais longe.

– A dor é um estado de alma negativo.

– O amor é tudo.

– A dor deve ser sempre combatida.

– Ao amor nada se recusa.

– Certas coisas nunca as admitirei.

– Tens de as admitir, inevitavelmente, uma vez que me amas e que sofres.

Assim como os desesperos, clamorosos eram também em Cosimo as explosões de alegria incontrolável. Desde então, a sua felicidade atingia um ponto em que ele sentia necessidade de se afastar da amante e correr, saltando, gritando e proclamando as maravilhas da sua dama.

– *Yo quiero the most wonderful puellam de todo el mondo!*[1]

---

[1] Amo a rapariga mais admirável de todo o mundo!

Vadios e velhos marinheiros, que passavam a vida sentados nos bancos de Ombrosa, haviam agora tomado o hábito de presenciar estas suas rapidíssimas aparições. Viam-no vir saltando pelos álamos da praça e, parando, declamar:

> *Zu dir, zu dir, gunàika,*
> *Vo cercando il mio ben,*
> *En la isla de Jamaica,*
> *Du soir jusqu'au matin!*[1]

Ou então, de outras vezes:

> *Il y a un pré where the grass grows toda de oro*
> *Take me away, take me away, che io ci moro!*[2]

E desaparecia.

Os seus estudos das línguas clássicas e modernas, conquanto pouco aprofundados, permitiam-lhe abandonar-se a esta clamorosa predicação dos seus sentimentos. E quanto mais o seu ânimo era tomado por uma intensa emoção, tanto mais se ia tornando obscura a sua linguagem. Recorda-se que, certa vez, decorrendo as festas do padroeiro, as gentes de Ombrosa se tinham reunido na praça e observavam o pau de sebo, os festões e o estandarte. O barão apareceu em cima de um plátano e, com um daqueles saltos dos quais apenas a sua agilidade acrobática era capaz, saltou para cima do pau de sebo, trepou até ao cimo e gritou:

– *Que viva die schöne Venus posterior!*[3] – deixou-se escorregar pelo pau ensebado até quase à terra, parou, voltou rapidamente para cima, arrancou do troféu uma rósea e arredondada forma de queijo e, com

---

[1] Para ti, para ti, trepadeira,
Vou cercando a minha árvore,
Na ilha de Jamaica,
Da noite até manhã!
[2] Há um prado onde se cultiva erva toda de oiro
Agarra-me, agarra-me, que eu morro!
[3] Viva a bela Vénus posterior!

outro salto dos seus, regressou ao plátano, fugindo e deixando os habitantes de Ombrosa de boca aberta e meio atordoados.

Todas estas exuberâncias agradavam particularmente à marquesa e faziam a sua felicidade; levavam-na a procurar retribuí-las em manifestações de amor outro tanto furiosas e desenfreadas. Os habitantes da nossa região de Ombrosa quando a viam galopar desenfreadamente, com o rosto quase mergulhado na crina branca do cavalo, sabiam logo que corria para mais um dos seus encontros com o barão. Até mesmo no montar a cavalo ela exprimia uma força amorosa, mas neste terreno não podia Cosimo segui-la; e a paixão equestre de que Viola dava mostras, se bem que ele a admirasse muito, era todavia para Cosimo um secreto motivo de ciúme e de rancor, porque via Viola dominar um mundo mais vasto do que o seu e compreendia que nunca poderia ter a pretensão de a conservar só para si, de a fechar nos confins do seu reino suspenso e maravilhoso. Por seu lado, a marquesa talvez sofresse por não poder ser simultaneamente amante e amazona: tomava-a por vezes uma indistinta necessidade de que o amor dela e de Cosimo fosse um amor a cavalo, e já não lhe bastava o correr sobre as árvores, teria querido correr a galope sobre os ramos, atrás de Cosimo.

Na realidade, o cavalo, à força de correr por aquele terreno de obstáculos e despenhadeiros, tornara-se montês como um cabrito e Viola já podia levá-lo de corrida contra certas árvores, por exemplo velhas oliveiras de tronco esburacado. O cavalo chegava por vezes até à primeira forquilha de ramos e ela tomou o hábito de o amarrar não já ao solo, mas aos ramos altos das oliveiras. Desmontava e deixava-o roer folhas e raminhos tenros.

Foi assim que, quando certo dia um bisbilhoteiro que passava pelo olival ergueu os olhos curiosos e viu em cima de uma árvore o barão e a marquesa abraçados e depois foi contar o caso a toda a gente, acrescentou:

– E o cavalo branco estava com eles, em cima de um ramo! – foi tomado por mentiroso e ninguém acreditou nas suas palavras. Ainda desta vez o segredo dos amantes foi preservado.

XXIII

ᏅᎧ

Os factos que acabo de narrar provam que os habitantes de Ombrosa, assim como tinham sido pródigos em boatos e mexericos sobre a anterior vida galante do meu irmão, assim também agora, em face àquela paixão que quase se pode dizer se desencadeara mesmo sobre as suas cabeças, mantinham uma respeitosa reserva, como se se sentissem diante de qualquer coisa que era superior a eles próprios. Não pretendo com isto afirmar que a conduta da marquesa não fosse objeto de reprovações e comentários: mas era-o simplesmente pelos seus aspetos exteriores, como aquele galopar desenfreado (– Mas onde irá ela, com esta fúria toda? – perguntavam para com eles mesmos, contudo sabendo muitíssimo bem que Viola se dirigia a um encontro com Cosimo) ou aquela mania de colocar mobília em cima das árvores.

Adquirira-se já então o hábito de considerar tudo como uma moda dos nobres, uma daquelas inumeráveis extravagâncias (– Agora vivem todos em cima das árvores: homens e mulheres!... Não terão mais nada que inventar?); em suma, viviam-se tempos talvez mais tolerantes, é certo, mas mais hipócritas também.

Sobre os álamos da praça, só com grandes intervalos era possível ver-se aparecer o barão e, quando tal sucedia, era sinal de que a marquesa tinha partido. Porque Viola andava por fora, às vezes, durante meses seguidos para tratar dos seus bens, dispersos por toda a Europa. Estas partidas correspondiam sempre a momentos em que as relações entre ambos tinham subitamente arrefecido e a marquesa se sentia irritada e ofendida com Cosimo por este não compreender aquilo que ela queria fazer-lhe ver acerca do amor. Não que Viola ao partir continuasse ofendida com ele; conseguiam sempre fazer as pazes primeiro; mas Cosimo ficava sempre com a suspeita de que ela se tivesse resolvido a fazer aquela viagem por estar farta dele, porque ele próprio não conseguia retê-la. Talvez Viola se estivesse fartando dele, talvez até que, numa qualquer ocasião da viagem, uma pausa de reflexão a decidisse a nunca mais regressar a Ombrosa.

Assim, meu irmão vivia numa constante angústia. Por um lado procurava retomar a sua vida habitual antes de a ter reencontrado, procurava voltar às suas caçadas e pescarias, seguir os trabalhos agrícolas, os seus estudos, as cavaqueiras na praça da vila, como se na verdade nunca tivesse feito outra coisa (sobrevinha nele o teimoso orgulho juvenil de quem não quer admitir ter sofrido as influências de qualquer outra pessoa) e, simultaneamente, compreendia o quanto lhe proporcionava aquele amor, quanta amargura, quanta vaidade; por outro lado verificava que muitas coisas já não tinham para ele o mesmo interesse de outrora, compreendia que sem Viola a vida lhe parecia sem significado, que os seus pensamentos buscavam sempre, incansavelmente, as recordações que lhe tinham ficado dela. Quanto mais procurava, fora do turbilhão da presença de Viola, voltar a dominar as paixões e prazeres, numa sábia economia do espírito, mais sentia o vazio que ela deixara atrás de si ou a febre que o invadia ao esperar por ela. Em suma, estava enamorado precisamente como Viola desejava que estivesse, e não como ele próprio pretendia estar; era sempre a mulher quem triunfava, ainda quando estava longe; e Cosimo, para contrariedade sua, acabava também por apreciar esse sofrimento.

Repentinamente, tão repentinamente como partira, a marquesa regressava. Recomeçavam então sobre as árvores os períodos de amor e, com eles, os dos ciúmes também. Onde tinha estado Viola? Que tinha feito? Cosimo estava ansioso por saber todas estas coisas; mas, ao mesmo tempo, tinha medo da maneira como ela respondia às suas perguntas, sempre por acenos, a cada novo aceno encontrando maneira de insinuar qualquer motivo de suspeita para Cosimo. E ele compreendia que Viola procedia daquela maneira só para o atormentar. Todavia, essas insinuações poderiam ser bem verdadeiras; neste estado de alma, ora escondia o seu ciúme, ora o deixava irromper violentamente; e Viola respondia de modo sempre diferente e imprevisível às reações de meu irmão. Umas vezes parecia-lhe mais do que nunca ligada a ele; outras, Cosimo tinha a impressão de que nunca conseguiria reacender nela o amor que anteriormente parecia experimentar.

Na verdade, qual fosse a vida da marquesa durante as suas viagens era coisa que nós, em Ombrosa, estávamos longe de poder avaliar, distantes como vivíamos da capital e dos seus mexericos cortesãos. Mas foi naquela altura que eu realizei a minha segunda viagem a Paris, para selar certos contratos (um fornecimento de limões, porque naquela altura muitos nobres também se haviam dedicado ao comércio e eu contava-me entre os primeiros a dar realização a essa ideia).

Uma noite, num dos mais ilustres salões parisienses, encontrei Viola. Estava vestida e ornamentada com uma tão sumptuosa *toilette* e um vestido tão esplendoroso que, se não me enganei ao reconhecê-la, antes a identifiquei logo ao primeiro olhar, foi porque era na verdade uma mulher impossível de confundir com qualquer outra. Saudou-me com indiferença, mas depressa encontrou maneira de se afastar comigo e, chamando-me à parte, sem esperar resposta entre uma pergunta e outra, atacou:

– Tendes notícias de vosso irmão? Regressais breve a Ombrosa? Tomai, dai-lhe isto em minha recordação.

E, tirando do seio um lencinho de seda, meteu-mo na mão. Depois deixou-se alcançar pela corte de admiradores que arrastava atrás de si.

– Conheceis a marquesa? – perguntou-me, lentamente, um amigo meu, de Paris.

– Só de fugida – respondi. E era verdade: Viola, durante as suas permanências em Ombrosa, contagiada pelos hábitos selvagens de Cosimo, não cuidava de frequentar a nobreza vizinha.

– Raramente se viu tanta beleza junta a uma tal inquietação – disse o meu amigo. – Pretendem os mexericos e boatos desta capital que ela passa de um amante para outro num abrir e fechar de olhos e que assim consegue que nenhum possa proclamá-la sua e dizer-se privilegiado. Mas de vez em quando desaparece por meses e meses, e dizem que se retira para um convento, onde vai macerar-se, em penitência pelos seus atos.

A custo contive o riso ao ver como eram encarados em Paris os períodos que a marquesa passava sobre as árvores com meu irmão, e que eram, assim, julgados períodos de penitência; mas ao mesmo tempo, os boatos perturbaram-me, fazendo-me prever tempos de tristeza e desânimo para Cosimo.

Para lhe evitar surpresas chocantes, quis pô-lo de sobreaviso e, mal regressei a Ombrosa, fui procurá-lo. Fez-me perguntas circunstanciadas da viagem, das novidades de França, mas não consegui dar-lhe nenhuma notícia da política ou da literatura de que ele próprio não estivesse já informado.

Por último, tirei do bolso o lencinho de Viola.

– Em Paris, num salão, encontrei uma dama que te conhece e me deu isto para ti, com saudades.

Fez descer rapidamente o cestinho, voltou a içá-lo com o lencinho dentro e levou-o ao rosto, aspirando-lhe o perfume.

– Ah, viste-a? Viste-a? E como é que ela estava? Diz-me, Biagio: como é que ela estava?

– Muito bela e esplendorosa – respondi lentamente –, mas dizem que o perfume dela é aspirado por muitos narizes...

Escondeu o lencinho no peito, como se receasse que lho quisessem arrancar. O rosto fez-se-lhe muito vermelho.

– E não tinhas contigo uma espada para fazer morrer na garganta de quem te dizia semelhantes mentiras?

Tive de confessar que tal ideia jamais me havia passado pela cabeça.

Permaneceu um bocado silencioso. Depois encolheu os ombros.

– Tudo mentiras. Só eu sei que ela é apenas minha – e desapareceu pelos ramos, sem se despedir de mim. Reconheci naquele proceder a sua maneira habitual de recusar o quer que fosse que o obrigasse a sair do seu mundo.

Desde então passámos a vê-lo triste e impaciente, saltitando de um lado para outro, sem nada conseguir fazer. Se de vez em quando o ouvíamos assobiar à porfia com os melros, o seu assobio era sempre mais nervoso e taciturno.

A marquesa chegou, por fim. Como sempre, o ciúme dele deu-lhe imenso prazer: em parte incitou-a e em parte satisfê-la. Voltaram os belos dias de amor e meu irmão sentia-se feliz.

Mas a marquesa, agora, não perdia qualquer oportunidade de acusar Cosimo de ter do amor uma ideia estreita.

– Mas que queres dizer? Que sou ciumento?

– Fazes bem em ser ciumento. Mas não é isso: o pior é que pretendes submeter o ciúme à razão.

– Evidentemente: assim o torno mais eficaz.

– Mas tu raciocinas de mais. Alguma vez o amor foi racional?

– Pensando, amo-te mais. Todas as coisas, uma vez pensadas, vêm aumentar a sua força.

– Vives em cima das árvores, mas tens a mentalidade de um notário com reumatismo.

– Todas as empresas, até mesmo as mais ardentes, devem ser vividas com ânimo simples.

Continuava a lavrar sentenças, até ela se afastar, fugindo dele: então voltava a correr atrás de Viola, desesperando-se e arrancando os cabelos.

Foi por essa altura que ancorou na nossa baía um navio almirante da esquadra inglesa. O almirante deu uma festa em honra dos nobres de Ombrosa e dos oficiais dos outros navios de passageiros; a marquesa, naturalmente, também foi; nessa noite Cosimo voltou a experimentar com redobrada violência a dor do ciúme. Dois oficiais de dois navios diferentes apaixonaram-se por Viola e era frequente vê-los em terra, cortejando a dama e procurando superar-se um ao outro nas atenções que lhe dispensavam. Um deles era lugar-tenente do navio almirante inglês; o outro era também lugar-tenente num navio, mas da frota napolitana. Tendo alugado cada um o seu alazão, os dois lugar-tenentes passeavam pelas terras da marquesa e, quando se encontravam, o napolitano deitava ao inglês um olhar chamejante, enquanto das pálpebras semicerradas do inglês saíam lampejos acerados como a ponta de uma espada.

E Viola? Agradando-lhe a corte, deu-se a ficar horas seguidas em casa, aparecendo ao peitoril da janela à *matinée*, como se fosse uma viuvinha ainda muito fresca, que mal tivesse abandonado o luto. Cosimo, que entretanto deixara de a ter tanto tempo consigo em cima das árvores e nunca mais ouvira aproximar-se o galope tão seu conhecido do cavalo branco, andava como doido e o lugar onde passou a estar mais frequentemente foi (ele também) diante do peitoril da janela, mantendo debaixo de olho Viola e os dois lugar-tenentes dos navios.

Estudava a maneira de poder dar um tiro certeiro nos seus rivais, ou algo que os fizesse regressar imediatamente aos respetivos navios. Mas, ao ver que Viola mostrava de igual modo apreciar a corte de um como do outro, sentia voltar-lhe a esperança de que ela apenas procurasse divertir-se à custa de ambos, dele próprio e nada mais. Mas nem por isso descurou a sua vigilância: ao primeiro sinal que ela evidenciasse de preferir um deles ao outro, estava pronto a intervir imediatamente.

Uma certa manhã viu passar o inglês. Viola estava à janela.

Sorriram um para o outro. A marquesa deixou cair um bilhetinho. O oficial apanhou-o ainda em voo, leu-o, inclinou-se com o rosto afogueado e esporeou o cavalo, afastando-se. Um encontro! Era então o inglês o mais afortunado! Cosimo jurou a si próprio que não deixaria o inglês tranquilo até essa tarde.

Com isto passa o napolitano. Viola atirou-lhe também um bilhete. O oficial leu-o, levou-o aos lábios e beijou-o apaixonadamente. Mas então... seria este afinal o escolhido? E o outro, nesse caso? Contra qual dos dois oficiais devia Cosimo agir? Certamente contra um dos dois, pois a um deles devia Viola ter marcado um encontro; com respeito ao outro, devia apenas tratar-se de mais uma das suas brincadeiras. Ou pretenderia zombar de ambos?

Quanto ao local do encontro, Cosimo dirigia as suas suspeitas sobre um quiosque que existia ao fundo do parque. Pouco tempo antes a marquesa tinha-o feito alindar e restaurar, e Cosimo já se roía todo de ciúmes, porque iam longe os tempos em que ela enchia os cumes das árvores de divãs e tendas; agora preocupava-se mais com os lugares onde ele não entraria nunca. «Vigiarei atentamente o pavilhão», disse Cosimo para consigo próprio. «Se marcou um encontro com um dos lugar-tenentes, só poderá ser ali.»

E escondeu-se entre a folhagem frondosa de um castanheiro-da-índia.

Pouco antes do sol-posto, ouviu-se o galope de um cavalo. Chega o napolitano. «Ah, eis a altura! Vou provocá-lo!», pensou Cosimo e, com uma zarabatana, atirou-lhe ao pescoço um pedacinho de esterco de esquilo. O oficial estremeceu e olhou à sua volta. Cosimo preparava-se para abandonar o ramo quando, com este movimento, viu, do lado oposto da sebe, o lugar-tenente inglês que descia também do seu cavalo e amarrava as rédeas a uma estaca. «Então é ele: era o outro que passava por aqui por acaso.» E atirou-lhe, com a zarabatana, um projétil de esterco ao nariz.

– *Who's there?*[1] – disse o inglês, e ia para atravessar a sebe, quando deu de cara com o seu colega e rival napolitano, que, tendo descido do cavalo e ouvido rumores suspeitos do outro lado da sebe, perguntou também:

– Quem vem lá?

– *I beg your pardon, Sir*[2] – disse o inglês –, mas sou forçado a convidar-vos a que abandoneis este local imediatamente!

– Se aqui estou, estou no meu completo direito – disse o napolitano. – E parece-me que é a mim que cabe convidar-vos a que abandoneis imediatamente este local, senhor!

[1] Quem é?
[2] Perdão, *sir*.

– Nenhum direito tendes superior ao meu – replicou o inglês. – *I'm sorry*[1], mas não vos permito que aqui continueis.

– É uma questão de honra – retorquiu o outro –, e juro-o sobre o meu nome, Salvatore di San Cataldo di Santa Maria Capua Vetere, da Marinha das Duas Sicílias!

– Sir Osbert Castlefight, o terceiro do mesmo nome! – apresentou-se o inglês. – E digo-vos que é também a minha honra a impor que abandoneis o campo.

– Não sem vos ter trespassado primeiro com esta espada! – e desembainhou-a.

– Senhor, já que pretendeis bater-vos... – disse Sir Osbert, pondo-se em guarda.

Bateram-se.

– Era aqui que vos pretendia ter há muito tempo, colega! – disse o napolitano, e atirou-lhe uma estocada. E Sir Osbert, aparando-a:

– Desde há muito que seguia as vossas manobras, tenente, e sempre esperei por esta ocasião!

Iguais em força e destreza, os lugar-tenentes esgotavam-se em assaltos e fintas sem conto. Estavam no auge da sua luta quando ouviram a voz de Viola:

– Parai, em nome do Céu! – Aparecera, mais bela do que nunca, à soleira do pavilhão.

– Marquesa, este homem... – disseram os dois lugar-tenentes ao mesmo tempo, baixando as espadas e apontando um para o outro.

E Viola:

– Meus caros amigos! Embainhai novamente as vossas espadas, suplico-vos! Pretendeis assim assustar a vossa dama? Agradava-me particularmente este pavilhão por ser o local mais silencioso e recatado do parque e eis que, apenas me sento nele a descansar, sou logo despertada pelo tinir das vossas espadas!

– Mas, *milady* – disse o inglês –, não fostes vós quem me convidou a vir aqui?

[1] Lamento.

– Mas o vosso bilhete dizia que esperaríeis aqui por mim, senhora... – disse o napolitano.

Da garganta de Viola escapou-se uma gargalhada cristalina e ligeira como um bater de asas.

– Ah, sim, sim, é verdade, tinha-vos convidado... ou a vós... Oh, como me sinto confundida... pois bem, porque esperais? Entrai, sentai-vos, peço-vos...

– *Milady*, julguei que se tratasse de um convite apenas para mim. Iludi-me. Inclino-me diante de vós e peço-vos licença para me retirar.

– O mesmo queria eu dizer, senhora, e despedir-me de vós.

A marquesa ria.

– Meus bons amigos... Meus bons amigos... Estou tão confusa e assustada... Julgava ter convidado Sir Osbert a uma hora... e D. Salvatore a outra hora... não, não, não, perdoai-me: à mesma hora, mas em locais diferentes... Oh, não, mas como pode isto ser?... Pois bem, visto que vos encontreis ambos aqui, por que motivo não nos sentaremos a conversar como pessoas civilizadas?

Os dois lugar-tenentes olharam-se, depois olharam para ela.

– Devemos então acreditar, marquesa, que haveis mostrado apreciar as nossas intenções apenas para vos poderdes divertir à nossa custa?

– Porquê, meus bons amigos? Pelo contrário, pelo contrário... a vossa assiduidade não podia de maneira nenhuma deixar-me indiferente... Gosto tanto de vós ambos... agradais-me tanto, um e outro... essa a minha pena... Se escolhesse a elegância de Sir Osbert, teria de vos perder, meu apaixonado D. Salvatore... E escolhendo o ardor do tenente di San Cataldo teria de renunciar a vós, *sir*! Oh, porque não... porque não...

– Porque não que coisa, senhora? – perguntaram ambos, em uníssono.

E Viola, baixando os olhos:

– Porque não poderei ser de ambos ao mesmo tempo...?

Do alto do castanheiro-da-índia ouviu-se um restolhar de ramos. Era Cosimo que já não conseguia manter-se calmo por mais tempo.

Mas os dois lugar-tenentes de navio estavam demasiado perturbados para ouvirem aquele ruído. Recuaram ambos um passo, ao mesmo tempo que diziam:

– Isso nunca, senhora!

A marquesa ergueu o seu belo rosto, com um sorriso radioso.

– Pois bem, pertencerei ao primeiro de vós que, como prova do seu amor por mim, para me agradar em tudo, se decida imediatamente a partilhar-me com o seu rival!

– Senhora!...

– *Milady!...*

Os dois lugar-tenentes inclinaram-se para Viola com uma breve reverência, voltaram-se de frente um para o outro, deram as mãos e abraçaram-se.

– *I was sure you were a gentleman, Signor Cataldo*[1] – exclamou o inglês.

– Tão-pouco eu alguma vez tive a menor sombra de dúvida sobre a vossa honra, Mister Osbert – replicou o napolitano.

Voltaram costas à marquesa e dirigiram-se cada um para o seu cavalo.

– Meus amigos... Porque estais assim tão ofendidos... Patetas... – dizia a marquesa. Mas os dois oficiais já tinham os pés nos estribos. Era aquele o momento que Cosimo esperava desde há muito tempo, antecipadamente gozando a vingança que lhes tinha preparado; ambos os oficiais iriam ter uma bem dolorosa surpresa. Mas, ao mesmo tempo, vendo a firme disposição em que ambos se encontravam de se despedirem imediatamente da marquesa, Cosimo já se sentia em parte reconciliado com eles.

Demasiado tarde! O terrível maquinismo da vingança não podia ser impedido! No espaço de um segundo, Cosimo, generosamente, decidiu preveni-los:

– Alto lá – gritou, de cima da árvore –, não montem a cavalo.

Os dois oficiais ergueram vivamente o rosto.

– *What are you doing up there?* Que fazeis aí em cima? Mas como vos permitis? *Come down!*[2]

---

[1] Tinha a certeza que era um cavalheiro, senhor Cataldo.
[2] O que está a fazer aí em cima? [...] Desça daí.

Atrás deles ouviu-se o riso de Viola, uma das suas gargalhadas de ave canora.

Estavam os dois perplexos. Havia então um terceiro, que, ao que tudo levava a crer, tinha assistido a toda a cena. A situação tornava-se cada vez mais complexa.

– *In any way*[1] – disseram ambos –, nós os dois continuamos e continuaremos solidários!

– Pela nossa honra!

– Nenhum de nós consentirá em partilhar *milady* com quem quer que seja!

– Nunca em vida nossa!

– Mas se um de vós decidisse finalmente consentir...

– Nesse caso, continuaríamos à mesma sempre solidários! Consentiríamos ambos.

– De acordo! E agora vamos!

Perante este diálogo, Cosimo mordeu um dedo de raiva por ter sido ingénuo a ponto de impedir o cumprimento da vingança. «Pois então, que se cumpra!», decidiu para consigo mesmo, e desapareceu no interior do bosque. Os dois oficiais ergueram-se nos estribos para montar. «Agora vão gritar», pensou Cosimo, e tapou as orelhas com as mãos. Ressoou por todo o parque um duplo urro. Os dois lugar-tenentes tinham-se sentado em cima de dois porcos-espinhos escondidos sobre as gualdrapas das selas.

– Traição! – exclamaram, atirando-se por terra, numa explosão de saltos e gritos e voltas sobre eles mesmos, parecendo querer culpar a marquesa do acontecido.

Mas Viola, mais indignada ainda do que eles próprios, gritou, para o alto das árvores:

– Macaco maligno e monstruoso! – e começou a trepar pelo tronco do castanheiro-da-índia tão rapidamente desaparecendo da vista dos dois oficiais que estes a teriam julgado engolida pela terra.

Entre os ramos Viola encontrou-se diante de Cosimo. Olharam-se com os olhos chamejantes, e esta ira conferia-lhes um aspeto de

[1] De qualquer forma.

pureza, como se fossem dois arcanjos. Pareciam prestes a lançar-se um contra o outro, numa explosão de fúria, quando a marquesa exclamou:

– Oh, meu querido! – numa voz ardente. – É assim, é precisamente assim, que te quero sempre: ciumento, implacável! – Lançara-lhe os braços ao pescoço e abraçaram-se. Cosimo já nem se lembrava de nada do que se tinha passado.

Ela deslizou-lhe por entre os braços, afastou o rosto do dele como que refletindo e depois disse:

– Mas vê lá tu como aqueles dois me amam! Estavam até prontos a dividir-me entre eles...

Cosimo pareceu lançar-se contra ela, depois ergueu-se entre os ramos, batendo com a cabeça no tronco.

– São dois veeeermes...!

Viola afastara-se dele, com o rosto impenetrável como o de uma estátua.

– Tens muito que aprender com eles. – Voltou-se e desceu veloz-mente da árvore.

Os dois oficiais, esquecidos das contendas passadas que os opu-nham, não tinham encontrado outra solução se não começarem pacientemente a procurar mutuamente os espinhos que se lhes tinham enfiado no traseiro. Viola interrompeu-os.

– Depressa! Vinde na minha carruagem!

Desapareceram atrás do pavilhão. A carruagem partiu. Em cima do castanheiro-da-índia, Cosimo escondia o rosto entre as mãos.

Começou assim uma época de tortura para Cosimo, mas também para os dois rivais. E poderia dizer-se, todavia, que fosse para Viola uma época de alegria? Eu creio antes que a marquesa atormentava os outros apenas porque pretendia atormentar-se a si própria. Os dois nobres oficiais passavam a vida juntos, aos pés dela, inseparáveis, sob a janela de Viola ou nos salões da *villa*, quando ela os convidava, ou ainda escorrendo as suas mágoas pelas mesas da hospedaria da vila. Ela elogiava-os a ambos e pedia-lhes sempre cada vez mais provas de amor, às quais eles se declaravam sempre prontos. Já estavam dispostos a dividi-la entre eles, a ficarem cada um com metade e, não só isto, como também a partilhá-la até com outros. Uma vez tendo enveredado pela senda das concessões, já não podiam parar, movidos ambos pelo desejo de conseguir finalmente desse modo comovê-la e obter a realização das promessas dela, presos, ao mesmo tempo, pelo pacto de solidariedade que haviam firmado cada um com o seu rival, ambos devorados pelo ciúme e pela esperança de cada um suplantar o outro e pelo apelo da obscura degradação em que se sentiam cada vez mais afundar.

A cada nova promessa que arrancava aos oficiais de marinha Viola montava imediatamente a cavalo e ia comunicá-la a Cosimo.

– Sabes que o inglês está disposto a fazer tal e tal por mim...? E o napolitano por sua vez... – gritava-lhe, mal o via empoleirado num ramo de árvore.

Cosimo não respondia.

– Isto é amor absoluto – insistia ela.

– Porcarias absolutas isso é que são todos! – urrava Cosimo, desaparecendo.

Era este modo cruel de se amarem a que agora se dedicavam, e não encontravam maneira de sair daquele círculo vicioso.

O navio almirante inglês partiu.

– Vós ficais, não é verdade? – perguntou Viola a Sir Osbert.

Sir Osbert não se apresentou a bordo; foi declarado desertor. Por solidariedade, e para não se ver suplantado nas suas manifestações de apreço por Viola, D. Salvatore desertou também.

– Eles desertaram! – anunciou Viola triunfalmente. – Tudo por mim! E tu...

– E eu? – berrou Cosimo, com um olhar tão feroz que Viola não teve coragem de acrescentar mais palavra.

Sir Osbert e Salvatore di San Cataldo, desertores das marinhas das respetivas majestades, passavam dias inteiros na hospedaria, jogando aos dados, pálidos, inquietos, procurando superar-se um ao outro, enquanto Viola ia atingindo o cume do seu descontentamento, descontentamento de si própria e de tudo o que a rodeava.

Montou a cavalo e dirigiu-se ao bosque. Cosimo lá estava, em cima de um carvalho. Ela parou por baixo da árvore, numa pequena clareira.

– Estou farta.

– Deles?

– De todos vós.

– Ah.

– Eles ao menos deram-me as maiores provas de amor...

Cosimo cuspiu.

– ... Mas não me chegam.

Cosimo ergueu os olhos e fitou-a.

E ela:

– Tu não acreditas que o amor seja dedicação absoluta, renúncia a si próprio...

Estava ali, na pequena clareira, bela como nunca, e a frieza que apenas tornava mais nítidos os seus contornos e a arrogância da sua figura não estava muito distante dele, bastava um pouco para a receber nos seus braços... Podia dizer qualquer coisa, Cosimo sabia que poderia dizer qualquer coisa para ir ao encontro dela, para se reconciliarem, poderia dizer-lhe: «Diz o que queres que eu faça. Estou pronto...», e seria de novo a felicidade entre eles, a felicidade clara, sem obstáculos nem sombras. Mas, em vez daquelas palavras, murmurou:

– Não pode haver amor se não formos, cada qual, nós próprios, com todas as forças.

Viola fez um gesto de contrariedade, que era simultaneamente um gesto de cansaço. E, todavia, poderia tê-lo compreendido, como na verdade o compreendia e tinha nos lábios as palavras que iria murmurar: «Sabes como eu te amo...», pronta a subir para a árvore, para junto de Cosimo... Moveu os lábios. Mas disse:

– Sê então tu próprio, mas sozinho.

«Mas, então, ser eu próprio não tem sentido...», eis o que Cosimo pensava e pretendia dizer-lhe. Mas, em lugar daquilo, articulou:

– Se preferes aqueles dois vermes...

– Não te permito que desprezes os meus amigos! – gritou ela, e pensava: «Mas a mim só me importas tu, é só para ti, só para ti, que faço tudo isto!

– Só eu então posso ser desprezado...

– A tua maneira de pensar!

– Formo um todo com a minha maneira de pensar.

– Então adeus! Parto ainda esta noite. Nunca mais voltarás a ver-
-me.

Correu para a sua *villa*, fez as malas, partiu sem sequer dizer adeus aos lugar-tenentes. Manteve a sua palavra. Nunca mais voltou a Ombrosa. Andou por França, e os acontecimentos históricos contrariaram a sua vontade, quando ela afinal nada mais desejava do que regressar. Estalou a Revolução, depois a guerra: a marquesa, a princípio interessada no novo curso dos acontecimentos (vivia na *entourage* de Lafayette), emigrou seguidamente para a Bélgica e de lá para a Inglaterra. Na névoa de Londres, durante os longos anos da guerra contra Napoleão, sonhava com as árvores de Ombrosa. Depois casou com um lorde qualquer interessado na Companhia das Índias e estabeleceu-se com o marido em Calcutá. Da varanda de sua casa olhava as florestas de árvores muito mais estranhas do que as do jardim onde passara a sua infância e parecia-lhe a todo o momento ver Cosimo aparecer por entre as folhas. Mas era a sombra de um macaco ou de um jaguar.

Sir Osbert Castlefight e Salvatore di San Cataldo permaneceram unidos para a vida e para a morte e entregaram-se à carreira de aventureiros. Foram vistos nas casas de jogo de Veneza, em Göttingen, na Faculdade de Teologia, em S. Petersburgo, na corte de Catarina II e, finalmente, acabaram por lhes perder as pistas.

Cosimo continuou por muito tempo a vagabundear pelos bosques, chorando, consumido, recusando-se a tocar na comida. Chorava muito alto, como os recém-nascidos. E as aves, que outrora fugiam, cheias de medo, de pousar próximo daquele infalível caçador, aproximavam-se agora, pousando nos topos das árvores vizinhas ou voando-lhe por cima da cabeça. Os pardais piavam, trilavam os cardeais, arrulhavam as rolas, trinavam os tordos, chilreavam centenas de pássaros; e dos ninhos construídos bem no alto saíam esquilos, arganazes e ratos dos campos, unindo os seus chios ao coro, e assim se movia meu irmão, no meio desta nuvem de lamentações.

Seguiu-se o tempo das suas violências destruidoras: todas as árvores, a começar pelo cume, arrancando-lhes folha por folha, rapidamente as deixava nuas como no inverno, ainda que não fosse de temperamento destruidor. Depois voltava ao cimo da árvore de ramos nus e espezinhava todos os raminhos mais tenros até deixar apenas as pernadas bem largas e grossas. Voltava a subir e, com um canivete, começava a tirar-lhes a casca, e viam-se então muitas árvores descascadas, deixando a descoberto o branco do lenho, como cicatrizes recentes de uma ferida profunda.

Em todo este destruir não existia, segundo creio, ressentimento de espécie alguma pela atitude tomada por Viola ao partir sem nunca mais voltar, mas apenas um doloroso remorso por a ter perdido, por não a ter sabido manter ligada a si próprio, por a ter ferido com um orgulho injusto e idiota que não tinha razão de ser. Porque, só agora o compreendia verdadeiramente, ela tinha-se-lhe mantido sempre fiel e se gostava de arrastar atrás de si aqueles dois oficiais era apenas com a intenção de lhe dar a entender que só a ele o amava, que só a ele, Cosimo, achava digno de ser o seu único amante; e todas as suas insatisfações e caprichos não passavam de sintomáticas revelações da sua insaciável ideia fixa de fazer crescer a paixão que os ligava – e que ambos sentiam um pelo outro –, não admitindo, por isso, que essa paixão pudesse atingir um limite e ele... oh, ele, ele, ele nunca compreendera nada daquilo e nunca soubera proceder como ela merecia!... Só tinha sabido irritá-la, a ponto de a ter perdido.

Durante algumas semanas manteve-se pelo bosque, só, isolado como nunca na sua vida tinha estado; nem sequer tinha o baixote, *Ottimo Massimo*, que lhe pudesse fazer companhia, porque Viola levara-o consigo ao partir.

Quando meu irmão voltou a aparecer em Ombrosa, estava radicalmente transformado. Nem eu próprio podia alimentar ilusões por mais tempo: desta vez Cosimo tinha na verdade enlouquecido.

XXIV

Que Cosimo era louco sempre se tinha apregoado em Ombrosa desde que, aos doze anos, ele tinha subido para cima das árvores, recusando-se sempre a descer. Mas, em seguida, como quase sempre acontece, esta sua loucura tinha sido aceite por toda a gente. Não me refiro apenas à obstinação de viver sempre lá em cima, mas às várias estranhezas do seu carácter. E, por fim, já todos o consideravam mais como um original do que como um louco. Depois, em pleno período dos seus amores com Viola, seguiram-se aquelas suas manifestações em línguas e idiomas incompreensíveis, especialmente aquela durante a festa em honra do padroeiro, que a maior parte das pessoas julgou uma manifestação sacrílega, interpretando as suas palavras como um grito, um protesto herético, quem sabe se em cartaginês, língua dos pelagianos, ou então uma confissão de socinianismo, em polaco. Desde então começou a correr o boato: – O barão enlouqueceu! – e os mais avisados comentavam: – Ora, como é que pode enlouquecer alguém que já era louco por natureza?

No meio destes juízos contraditórios Cosimo tinha, na realidade, enlouquecido. Se anteriormente andava vestido de peles da cabeça aos pés, doravante passou a ornamentar a cabeça com penas, à maneira dos aborígenes da América, penas de poupa ou de verdilhão, de cores muito vivas e garridas. Por fim, não só na cabeça usava penas, mas também nas suas vestes. Acabou por mandar fazer casacas todas recobertas de penas e por imitar os hábitos dos vários pássaros, como os picanços; além disso, tirava dos troncos lombrigas e larvas que louvava como se de grandes pitéus se tratassem.

Pronunciava até discursos apologéticos em favor das aves às pessoas que se reuniam para o ouvir e troçar dele, por baixo das árvores onde se encontrava; e, de caçador que sempre fora, deu em protetor dos animais de penas e proclamava-se, então, umas vezes corujão, outras pintarroxo, com oportunas camuflagens; e empreendia grandes discursos em que acusava os homens que não sabiam reconhecer nas aves os seus verdadeiros amigos, discursos que se iam transformando depois em requisitórios contra toda a sociedade humana, sob a forma de eloquentes parábolas. Até mesmo as aves tinham dado conta daquela sua mudança de ideias e aproximavam-se agora tranquilamente dele, ainda que por baixo da árvore estivessem pessoas a escutar as suas palavras. Deste modo, ele podia bem ilustrar a verdade dos seus discursos com exemplos vivos, que apontava, pousados em todos os ramos das proximidades.

Devido a esta sua virtude, falou-se muito entre os caçadores de Ombrosa em usá-lo como chamariz, mas jamais qualquer deles ousou disparar contra os pássaros que pousavam perto de Cosimo. Porque o barão, até mesmo agora que se tinha modificado tanto e parecia tão fora do seu juízo perfeito, continuava a inspirar um certo sentimento de respeito e de sujeição; troçavam dele, é verdade, e frequentemente ele tinha por baixo das árvores onde se encontrasse um verdadeiro séquito de gaiatos e vagabundos que zombavam dele, mas também continuavam a respeitá-lo e, quando falava, escutavam-no sempre com atenção.

As suas árvores viam-se agora cobertas de folhas escritas e até de cartazes com máximas de Séneca e de Shaftesbury pintadas. Pendurava também objetos: chapéus de penas, velas de igreja, pequenas foices, coroas, bustos de mulher, pistolas, balanças, ligando estes objetos todos uns aos outros numa certa ordem e disposição. As gentes de Ombrosa passavam horas e horas a tentar adivinhar que coisa quereriam significar aqueles objetos: os nobres, o papa, a virtude, a guerra...; eu creio mesmo que certas vezes os objetos não tinham significado algum, mas serviam apenas para apurar o engenho e dar a entender que até mesmo as ideias mais fora do comum podiam muito bem ser as mais justas.

Cosimo começou até a compor certos escritos, como *O Verso do Melro, O Picanço Que Bate, Os Diálogos dos Mochos*, e a distribuí-los publicamente. Assim, foi precisamente neste período de demência que aprendeu a arte de estampar e começou a imprimir umas espécies de libelos ou gazetas (entre as quais figurava *A Gazeta das Pegas*), que mais tarde ele unificou, reunindo-as sob um só título: *O Monitor dos Bípedes*. Tinha levado para cima de uma nogueira uma bancada, um caixilho, uma prensa, uma caixa repleta de caracteres, um garrafão de tinta, e passava os dias inteiros a compor as suas páginas e a tirar cópias. Por vezes, dava-se o caso de alguma aranha ser esmagada entre a prensa e o papel e ficava estampada na página a sua marca; outras vezes, um arganaz saltava para cima de uma página ainda fresca de tinta e sujava tudo com golpes de cauda; outras vezes ainda, os esquilos levavam letras do alfabeto para as suas tocas, julgando que se tratasse de algo comestível, como aconteceu com a letra Q, que, pela sua forma arredondada com aquela espécie de pedúnculo em baixo, foi tomada por um fruto. E Cosimo teve de passar a abrir certos artigos com palavras como: «Cuando» e «Cuantas vezes».

Com tudo isto ele passava o tempo, mas eu sempre fiquei com a impressão de que, naquela época, meu irmão não só estava louco de todo como ainda começava a imbecilizar-se, facto este sem sombra de dúvida mais grave e doloroso, porque a loucura, no mal como no bem, é uma força da natureza, ao passo que a imbecilidade é uma debilidade dessa mesma natureza, sem contrapartida.

Na verdade, durante o inverno, ele parecia reduzir-se a uma espécie de letargo profundo. Metia-se dentro do seu saco de peles, amarrado a um tronco, apenas com a cabeça de fora, como um ninhego, e era até mesmo para admirar se, nas horas de maior calor, se arriscava a dar três ou quatro saltos no exterior, para se dirigir à reentrância sul do rio Merdanzo, a fim de satisfazer as suas necessidades. De resto, passava o dia inteiro metido no saco, a ler aos bocadinhos (acendendo, quando se fazia escuro, uma pequena lamparina de óleo), ou a falar em voz baixa consigo próprio ou ainda a cantarolar. Mas a maior parte do tempo passava-a ele a dormir.

Para se alimentar tinha umas reservas misteriosas de provisões, mas aceitava que lhe oferecessem pratos de sopa e de massa, quando qualquer alma bem-intencionada lhos levava lá acima, servindo-se de uma escada de mão. De facto, tinha nascido, entre a gente miúda, uma espécie de superstição acerca de Cosimo. Dizia-se que oferecer qualquer coisa ao barão podia trazer fortuna; sinal de que ele suscitava temor ou compaixão, acreditando eu mais que a segunda destas coisas. Mas este facto de o herdeiro do título de barão di Rondò viver de esmolas públicas pareceu-me em boa verdade desgostante: e, sobretudo, pensei no barão nosso pai, que Deus tenha, se tivesse sabido daquilo. Por minha parte, até então, não encontrava nada em que me reprovar, porque meu irmão sempre desprezara a comodidade da família e me tinha até passado uma procuração pela qual, como já narrei, após lhe ter dado mensalmente uma pequena pensão (que ele gastava quase toda em livros) não tinha em relação a ele outros deveres. Mas agora, vendo-o incapaz de procurar o seu próprio alimento, experimentei enviar lá acima, com uma escada de mão, um dos nossos lacaios, de libré e cabeleira branca, com um quarto de peru e um copo de vinho da Borgonha, num tabuleiro de prata. Temia que ele recusasse a oferta, por uma daquelas suas misteriosas questões de princípio, mas em vez disso aceitou logo com muito boa vontade e, desde então, sempre que nos lembrávamos, mandávamos-lhe uma porção boa das nossas refeições, por um criado que lhas ia levar ao cimo da árvore.

Em resumo, era uma decadência infeliz. Felizmente deu-se por essa altura a invasão dos lobos, e Cosimo pôde voltar a dar provas das suas melhores e mais abnegadas virtudes. Era um inverno gélido e a neve caíra ininterruptamente sobre os nossos bosques e campos. Grupos de lobos, que a fome expulsara dos Alpes, desceram até ao nosso rio. Um lenhador qualquer encontrou-os e correu, apavorado, a dar a notícia ao povoado. Os habitantes de Ombrosa, que, desde os tempos dos turnos de guarda aos incêndios, haviam aprendido a unir-se nos momentos de perigo, começaram a fazer turnos de sentinela em redor da vila, para impedir a aproximação daquelas feras esfaimadas. Mas nenhum deles se arriscava a sair para além do povoado, principalmente à noite.

– Ah, como é pena que o barão não seja já o mesmo dos outros tempos! – dizia-se em Ombrosa.

Aquele inverno ríspido não tinha sido sem consequências para a saúde de Cosimo. Deixava-se estar sempre aninhado no seu saco, como um bicho no casulo, com o pingo no nariz, aspeto surdo e inchado.

Deu-se o alarme por causa dos lobos e as pessoas que passavam por baixo apostrofavam-no:

– Ah, barão, noutros tempos terias sido tu a montar guarda, em cima das tuas árvores! E agora somos nós que temos de te montar guarda a ti também!

Ele continuava com os olhos semicerrados, como se não compreendesse ou nada mais lhe importasse. Em vez disso, a certa altura ergueu a cabeça e disse, roucamente:

– As ovelhas. Para caçar os lobos. Temos de pôr ovelhas em cima das árvores. Ovelhas amarradas aos ramos.

As pessoas reuniram-se apressadamente à sua roda, para escutar que maluqueiras dizia ele daquela vez, e troçar. Porém ele, tossindo e escarrando, saiu do saco e disse:

– Já vos vou mostrar onde – e desapareceu pelos ramos.

Sobre algumas nogueiras ou carvalhos, entre o bosque e os terrenos cultivados, em locais e posições escolhidas com grande cuidado, Cosimo ordenou que lhe levassem ovelhas ou cordeiros ainda novos e tenros. Amarrou-os aos ramos, vivos, balindo muito, mas de modo que não lhes pudessem chegar os lobos. Sobre cada uma destas árvores escondeu depois uma espingarda carregada e a postos. Vestiu-se ele também de ovelha: capuz, casaco, calças, tudo de pura pele de carneiro. E pôs-se à espera, à noite, recebendo o orvalho que caía sobre as folhas, numa das árvores preparadas com a isca. Todos julgavam e diziam aos quatro ventos que aquela era a mais maluca de todas as suas maluqueiras.

Mas naquela noite os lobos desceram, tal como ele tinha previsto. Tendo sentido o cheiro das ovelhas, ouvindo-lhes os balidos lancinantes e vendo-as depois amarradas aos cimos das árvores, a matilha reuniu-se toda junto das árvores, ululando com as fauces esfaimadas muito abertas e deixando ver os dentes aguçados, empinando-se com as patas apoiadas aos troncos. E eis que então, silenciosamente, se aproximava Cosimo pelos ramos; os lobos ao verem aquela forma semiovelha, semi-homem que saltava pelos ramos como um pássaro, deixaram-se ficar, extasiados, de fauces escancaradas. Até que... «Bum!, bum!», apanharam com duas balas certeiras na garganta. Duas: porque uma das espingardas trazia-a Cosimo com ele (e voltava depois a carregá-la, de todas as vezes que disparava) e a outra já estava pronta, em cima de cada árvore onde houvesse uma ovelha; portanto, de cada vez ficavam dois lobos mortos sobre a terra gelada. Por este processo conseguiu exterminar um grande número de feras, e a cada novo disparo a matilha deitava a fugir desorientada. Então, os caçadores, acorrendo aos locais onde ouviam os urros, disparavam, sobre os lobos, tomando à sua conta os que porventura restassem.

Depois, Cosimo passou a contar episódios muito diferentes acerca destas caçadas aos lobos, e eu próprio confesso que já não sei qual das versões fosse a autêntica. Por exemplo: – A luta corria pelo melhor quando, dirigindo-me à árvore onde estava amarrada a última ovelha, encontrei no caminho três lobos que tinham conseguido trepar para cima dos ramos e se preparavam para a catrafilar. Semicego e enregelado pelo frio como me encontrava, cheguei quase até ao focinho dos lobos sem dar conta de que eles estavam ali. Os lobos, ao verem uma ovelha a caminhar de pé pelos ramos, voltaram-se contra ela, abrindo as fauces ainda tintas de sangue. Eu tinha a espingarda descarregada, porque, ao fim de tanta fuzilaria, ficara sem pólvora; e não podia alcançar a espingarda que tinha preparado e estava em cima da árvore, porque entre mim e ela havia os lobos. Estes estavam em cima de um ramo secundário e mais tenro, mas sobre mim tinha ao meu alcance uma ramagem mais robusta. Comecei a caminhar, retrocedendo sobre o ramo em que me encontrava, afastando-me lentamente do tronco. Lentamente também, um dos lobos começou a seguir-me. Eu tinha-me pendurado com as mãos ao ramo de cima e fingia com os pés que caminhava por aquele ramo mais tenro; na realidade estava apenas suspenso pelos braços. O lobo, enganado, arriscou-se a avançar e o ramo partiu-se-lhe sob as patas, enquanto eu, de um salto, me elevava para o ramo de cima. O lobo caiu com um ganido, dir-se-ia de um cão autêntico, e partiu os ossos todos, ficando para ali estendido.

– E os outros dois lobos?

Os outros dois tinham ficado a estudar-me, imóveis. Então, rapidamente, despojei-me da pele de ovelha e atirei-a contra eles. Um dos lobos, ao ver voar por cima dele aquela sombra branca de ovelha, procurou ferrá-la com os dentes, mas, tendo-se preparado para fincar um grande peso e encontrando em vez disso uma pele vazia, perdeu também o equilíbrio com o impulso, e acabou igualmente por ir partir as pernas e o pescoço no solo.

– Mas ficou ainda um...

– ... Ficou ainda um. Mas, como eu me tinha imprevistamente aligeirado nas roupas ao deitar fora aquela pele de ovelha, o frio fez-me espirrar com uma daquelas violências de fazer tremer céus e terra. O lobo, ao ouvir aquele som tão violento, estranho e novo, teve um tal sobressalto que caiu da árvore ao chão, partindo as pernas e o pescoço, como os outros dois, e ficando estendido ao lado deles.

Era desta maneira que meu irmão ia contando os seus feitos de batalha. O certo é que o frio que apanhou nessas noites, estando ele já tão doente como estava, por pouco não lhe foi fatal. Esteve ainda alguns dias entre a vida e a morte, e foi curado a expensas da comuna de Ombrosa, em sinal de reconhecimento. Estendido numa maca, vivia rodeado por uma multidão de doutores que subiam e desciam à árvore com escadas de mão. Para o observarem foram chamados os melhores médicos das regiões vizinhas, e estes trataram-no o melhor que podiam e sabiam, com clisteres, sangrias, sinapismos e dietas. Já ninguém falava do barão di Rondò como se se tratasse de um louco, mas todos se referiam a ele como um dos maiores e mais engenhosos fenómenos do século.

Isto até se ter curado. Depois de curado, continuou a dizer-se que: «Sábio como dantes, louco como sempre.» Verdade seja que nunca mais lhe deu para ter tantas estranhezas. Continuou a dar à estampa um semanário intitulado, não já, como dantes, *O Monitor dos Bípedes*, mas *O Vertebrado Racional.*

XXV

Não me lembro bem se já naquela época tinha sido fundada em Ombrosa uma loja de pedreiros-livres: fui iniciado na maçonaria muito mais tarde, somente depois da primeira campanha napoleónica, juntamente com grande parte da burguesia dos arredores e da pequena nobreza daquelas regiões, e não sei, por consequência, afirmar com precisão quais tenham sido as primeiras relações de meu irmão com a loja. A propósito, porém, citarei um episódio que ocorreu pouco antes da altura em que agora estou a escrever, e que várias testemunhas confirmaram como sendo verdadeiro.

Chegaram um dia a Ombrosa dois espanhóis. Eram apenas viajantes de passagem por ali, e nada mais. Alojaram-se em casa de um tal Bartolomeo Cavagna, pasteleiro, conhecido pelas suas ideias franco-maçónicas. Parece que os dois espanhóis declinaram a sua identidade como sendo confrades, pertencendo à Loja de Madrid. E pediram-lhe que os levasse essa noite a assistir a uma sessão da maçonaria de Ombrosa, que ainda nessa altura se reunia à luz de tochas e candeias, numa clareira escusa da floresta. De tudo isto apenas chegaram boatos e uma ou outra hipótese mais arriscada: o certo é que no dia seguinte os dois espanhóis, mal saíram de casa, foram seguidos por Cosimo di Rondò, que, sem ser visto, os espiava do alto da sua árvore.

Os dois viajantes entraram no pátio de uma hospedaria afastada da vila. Cosimo instalou-se em cima de uma glicínia. A uma mesa estava sentado um freguês que os esperava; não se lhe via o rosto, que trazia escondido por um chapéu negro de largas abas muito tesas. As três cabeças, ou melhor, os três chapéus, conversaram longamente, inclinados para o quadrado branco da toalha estendida em cima da mesa, e, após terem conjurado durante um grande bocado, as mãos do desconhecido começaram a escrever sobre um papel estendido qualquer coisa que os outros dois ditavam e que, pela ordem como ele dispunha as palavras, umas por baixo das outras, dir-se-ia tratar--se de uma lista de nomes.

– Bom dia a Vossas Senhorias! – disse Cosimo.

Os três voltaram-se num repente, olhando, como que fulminados, o homem que, instalado em cima das glicínias, lhes dirigira a palavra. Mas um deles, o de chapéu com abas mais largas, baixou imediatamente a cabeça, tanto que tocou com o nariz na toalha, a fim de esconder o rosto. Meu irmão teve ainda tempo para entrever um rosto que não lhe era totalmente desconhecido.

– *Buenos días a usted!* – disseram os outros dois. – Dizei-nos: é costume nestas terras apresentarem-se as pessoas aos forasteiros surgindo do céu, como pássaros? Esperamos que Vossa Senhoria desça imediatamente e nos explique a razão do vosso proceder!

– Quem está no alto pode ser visto distintamente de todos os lugares – disse o barão –, ao passo que há ainda muita gente que se esconde para não mostrar a cara.

– Pois sabei que nenhum de nós é forçado a mostrar-vos o rosto, *señor*, assim também como não é forçado a mostrar-vos outro rosto, o traseiro!

– Sei que para certas pessoas é questão de honra manterem o rosto escondido.

– E quais, por exemplo?

– Os espiões, por exemplo!

Os dois comparsas estremeceram. O freguês inclinado para a toalha falou então, mas sem erguer o rosto.

– Ou, também por exemplo, os membros das sociedades secretas... – disse, lentamente.

Esta frase podia ser interpretada de muitas maneiras. Cosimo pensou e depois disse, com voz forte:

– Essa vossa frase, senhor, pode ser objeto de várias interpreta-ções. Dizeis «membros de sociedades secretas» insinuando que o seja eu ou insinuando que o sejais vós ou que o sejamos ambos, ou que não seja eu nem vós tão-pouco? Para que jogais, então, com uma frase que pode servir tanto para uma interpretação como para a sua contrária?

– *Como, como, como?* – disse, desorientado, o homem do chapéu de abas muito largas e tesas. E, esquecendo-se de que devia continuar com o rosto inclinado, olhou diretamente para Cosimo, fitando-o nos olhos. Então, Cosimo reconheceu-o: era D. Sulpicio, o jesuíta seu inimigo, dos tempos de Olivabassa!

– Ah! Não me tinha então enganado! Tirai a máscara, reverendo padre! – exclamou o barão.

– Vós! Tinha a certeza de que só podíeis ser vós! – disse o espanhol, e tirou o chapéu, descobrindo o crânio calvo.

– D. Sulpicio de Guadalete, *superior de la Compañia de Jesus.*

– Cosimo di Rondò, pedreiro-livre e confesso!

Os outros dois espanhóis apresentaram-se também, com uma breve inclinação.

– D. Calisto!

– D. Fulgencio!

– Sois também jesuítas?

– *Nosotros también!*

– Mas a vossa ordem não foi dissolvida por ordem recente do papa?

– Não para dar tréguas aos libertinos e aos heréticos do vosso jaez! – disse D. Sulpicio, desnudando a espada.

Eram jesuítas espanhóis que, após a dissolução da ordem, percor-riam os campos, procurando formar uma milícia armada em todos os locais por onde passavam, a fim de combater as ideias novas e o ateísmo.

Também Cosimo tinha desembainhado a sua espada. Reuniu-se em torno deles muita gente.

– Descei, então, se pretendeis bater-vos connosco *caballerosa-mente* – disse o espanhol.

Um pouco mais distante ficava um bosque de nogueiras. Era o tempo da colheita e os camponeses tinham estendido lençóis que iam de uma árvore para outra, a fim de recolher as nozes que caíam. Cosimo correu para uma nogueira, saltou para cima do lençol e deixou-se ali estar, direito, mantendo-se em equilíbrio nos pés, que lhe escorregavam pelo lençol, assemelhando-se a uma enorme maca.

– Subi antes vós com duas escadas, D. Sulpicio, porque eu já desci mais do que o habitual! – e agitou a espada.

O espanhol saltou também para cima do lençol estendido. Era difícil manterem-se de pé, porque o lençol tendia a afundar-se no local onde eles se encontravam e a enrolar-se por cima deles, deixando-os cair por terra. Mas os dois contendores estavam tão irados que conseguiram cruzar os ferros.

– *Para maior glória de Deus!*

– *Pela Glória do Grande Arquiteto do Universo!*

E trocavam estocadas.

– Antes de vos enfiar esta lâmina no corpo – disse Cosimo –, dai-me notícias da senhorita Ursula.

– Morreu num convento!

Cosimo ficou perturbado pela notícia (que, contudo, eu continuo a pensar tivesse sido uma mentira propositada) e o ex-jesuíta aproveitou a ocasião para desferir um golpe traiçoeiro. Com uma estocada a fundo, cortou cerce uma das cordas que, ligada aos ramos, sustentavam o lençol da parte de Cosimo. Cosimo teria sem dúvida caído se não tivesse sido extremamente lesto a atirar-se para a parte do lençol onde se encontrava D. Sulpicio, agarrando-se a um tronco. No salto, a sua espada desviou a guarda do espanhol e penetrou-lhe profundamente no ventre. D. Sulpicio abandonou-se, escorregou pelo lençol inclinado do lado onde ele tinha cortado a corda e caiu por terra. Cosimo trepou para cima da nogueira. Os outros dois ex-jesuítas ergueram o corpo do companheiro ferido ou morto (nunca se chegou a saber bem), fugiram e nunca mais voltaram a ser vistos.

As pessoas reuniram-se em redor do lençol manchado de sangue. Desde esse dia em diante meu irmão passou a gozar da fama geral de ser franco-mação.

O segredo que a Sociedade manteve não me permitiu colher mais pormenores. Quando entrei para ela como membro ativo, como já disse, ouvi falar de Cosimo como de um irmão mais velho cujas relações com a Loja não eram lá muito claras.

Uns definiam-no como um «dormente», outros julgavam-no um herético que tivesse apenas mudado de rito, e a maior parte deles considerava-o apóstata. Mas sempre evidenciaram grande respeito pela sua atividade precedente. Nem sequer vou ao ponto de excluir que tivesse sido ele aquele lendário mestre «Pica-Pau Pedreiro» a quem se atribuía a fundação da Loja «ao Oriente de Ombrosa», até porque, por outro lado, a descrição dos primeiros ritos que aí se realizaram revelava bastante a influência do barão: basta dizer que os neófitos eram vendados, içados para cima de uma arvore e novamente arreados presos a cordas.

É verdade que, entre nós, as primeiras reuniões de franco-maçons se realizaram à noite, a coberto, numa clareira do bosque. Por conseguinte, a presença de Cosimo parecia mais do que justificada, tanto no caso em que tivesse sido ele a receber dos seus correspondentes no estrangeiro os opúsculos com a Constituição maçónica e a fundar a Loja, como no caso em que tivesse sido um outro qualquer, provavelmente depois de ter sido iniciado em França ou em Inglaterra, a introduzir os ritos em Ombrosa. Talvez seja possível que a maçonaria existisse aqui desde há uns tempos já, sem Cosimo saber, e que ele, casualmente, uma noite, caminhando pelas árvores do bosque, tivesse descoberto numa clareira uma reunião de homens com estranhos paramentos e arneses, iluminados pela luz de candelabros, e que tivesse parado a ouvir o que eles diziam e a observar o que faziam e intervindo depois para interromper a reunião com uma qualquer das suas saídas desconcertantes, como, por exemplo: – Se ergueres um muro, pensa nos que ficam do lado de fora! – (frase que o ouvi repetir muito frequentemente) ou então uma qualquer outra saída das suas. E os maçons, reconhecendo a sua elevada doutrina, tê-lo-iam feito entrar na Loja, com cargos especiais e permitindo que ele trouxesse consigo um grande número de ritos e símbolos novos.

Verdade seja que, durante todo o tempo que meu irmão teve lá que fazer, a maçonaria ao ar livre (como lhe chamarei por conveniência de a distinguir daquela que depois passou a reunir-se num edifício fechado) teve um ritual muito mais rico, em que entravam corujas, telescópios, pinhas, bombas hidráulicas, fetos, espantalhos, aranhões e tábuas pitagóricas. Havia até grande abundância de caveiras, mas não apenas humanas, bem assim como crânios de vacas, lobos e águias. Estes referidos objetos e outros ainda, entre os quais se contavam colheres de pedreiro, os esquadros e os compassos da habitual liturgia maçónica, eram naquele tempo encontrados pendurados nos ramos, com bizarras disposições, o que se atribuía, uma vez mais, à loucura do barão. Somente a poucas pessoas deixava então entender que estes preparos tinham um significado mais sério; mas nunca foi possível estabelecer uma separação nítida entre os primeiros símbolos e os posteriores, excluindo os que, logo de princípio, tivessem sido símbolos isotéricos de qualquer sociedade secreta.

Porque Cosimo, muito antes de ter entrado para a maçonaria, estava já filiado em várias associações ou conferências de misteres, como, por exemplo, a de S. Crispim dos Sapateiros, ou a dos Virtuosos Cutileiros, a dos Justos Armeiros, ou a dos Barbeiros Conscienciosos. Realizando para si mesmo quase todas as coisas de que necessitava, conhecia os mais variados artesanatos e podia vangloriar-se de ser membro de muitas e diversas corporações, que, por sua parte, se sentiam bem contentes de poder contar entre os seus membros com um das famílias nobres, dotado de bizarro engenho e mais do que provado desinteresse.

Como esta paixão que Cosimo sempre demonstrou pela vida das associações se conciliasse de algum modo com a sua perpétua fuga ao consórcio civil é coisa que nunca compreendi lá muito bem e que encarei sempre como uma das não menores singularidades do seu carácter. Dir-se-ia que ele, quanto mais se decidia a viver completamente isolado nos seus ramos, maior necessidade sentia de criar novas relações entre si próprio e o género humano. Mas por mais que se dedicasse, de alma e coração, a organizar uma nova sociedade, estabelecendo-lhe meticulosamente os estatutos, a finalidade, e escolhendo cuidadosamente os homens mais dotados e capazes para desempenhar todos os cargos, nunca os seus companheiros sabiam, contudo, até que ponto podiam contar com ele, quando, como e onde poderiam encontrá-lo ou quando ele, imprevisivelmente, se sentiria preso pela sua natureza de pássaro livre e não se deixaria mais apanhar por ninguém. Talvez que, se quisermos mesmo reduzir a um único impulso estas suas atitudes contraditórias, seja necessário pensar também que Cosimo era igualmente um inimigo de todo e qualquer tipo de convivência humana vigente no seu tempo, e talvez por isso mesmo a tudo fugisse e se afadigasse obstinadamente a experimentar as novas ideias; porém, nenhuma delas lhe parecia justa e suficientemente diversa das outras; daí os seus contínuos períodos de absoluta vida selvagem.

Era uma ideia de sociedade universal o que ele tinha em mente. E de todas as vezes que se preocupou em associar as pessoas, fosse para fins bem precisos, como o de montar guarda aos incêndios ou para defesa dos lobos, fosse ainda em confraternização de misteres, como os Perfeitos Amoladores ou os Iluminados Curtidores de Peles, assim como conseguia sempre reuni-los no bosque, outrora, em redor de uma árvore, de cima da qual ele predicava, assim também tudo rodeava de uma atmosfera de conspiração, de seita, de heresia; nessa atmosfera até mesmo os discursos passavam do particular ao geral, e de simples regras de um mister manual passava-se, como se nada fosse, aos projetos de instauração de uma república mundial e igualitária, de homens livres e justos.

Na maçonaria, portanto, Cosimo não fazia mais do que repetir o que tinha dito e feito nas outras sociedades secretas ou semissecretas em que tinha participado. E quando um certo Lorde Liverpuck, enviado pela Grande Loja de Londres para visitar os confrades do continente, apareceu em Ombrosa, na altura em que meu irmão era o mestre, ficou tão escandalizado com a sua falta de ortodoxia que escreveu para Londres dizendo que a maçonaria de Ombrosa devia ser de uma espécie totalmente nova, de rito escocês, propagada pelos

Stuart para fazer propaganda contra o trono de Hanôver, a fim de estabelecer a restauração jacobita.

Depois disto aconteceram os factos que já relatei, como os dois viajantes espanhóis que se apresentaram como sendo mações a Bartolomeo Cavagna. Convidados para uma reunião da Loja, acharam tudo normalíssimo, dizendo que era tal e qual o Oriente de Madrid. Foi isto mesmo que levantou as suspeitas de Cosimo, que bem sabia o quanto aquele ritual devia à sua invenção; e foi por isso também que se pôs a seguir os traços dos espiões, os desmascarou e triunfou do seu velho inimigo, o padre D. Sulpicio.

Portanto, sou da ideia de que estas mudanças de liturgia fossem uma necessidade que ele experimentava, porque de todos os misteres podia recolher símbolos à sua vontade, até mesmo de entre as corporações de pedreiros, ele que nunca quisera construir uma casa nem habitar entre quatro paredes...

XXVI
∾

Ombrosa era também uma região de vinhedos. Nunca lhe pus em relevo este aspeto, porque, seguindo Cosimo, tive de me ater sempre às plantas de alto porte.

Mas havia vastas encostas de vinhedos e, em agosto, sob a folhagem das alamedas a uva vermelha crescia em bagos de um suco denso, já da cor do vinho. Certas vinhas eram em latadas: digo isto até porque Cosimo ao envelhecer tornara-se tão pequeno e leve e tinha aprendido tão bem a arte de caminhar sem fazer peso que as traves das latadas eram o suficiente para o aguentar. Ele podia, portanto, passar por cima das vinhas, e assim caminhando, apoiando-se às grandes árvores de fruta que existiam à volta, podia até fazer muitos serviços, como a poda, de inverno, quando as vides estão nuas em volta do arame que as sustenta, ou então desbastar o folhame demasiado luxuriante de verão, ou enxotar os insetos, e depois, em setembro, a vindima.

No tempo da vindima vinham trabalhar para os vinhedos todos os habitantes de Ombrosa, e entre o verde viam-se as saias coloridas, garridas e vivas das raparigas e os barretes com borla muito característicos. Os homens carregavam às costas cestos cheios e iam despejá-los ao lagar; outros cestos, porém, levavam-nos os fiscais que vinham com os beleguins cobrar os tributos para os nobres do lugar, para o Governo da República de Génova, para o clero e outras décimas. Todos os anos aconteciam alguns litígios.

As questões das partes da colheita a distribuir por este e por aquele deram ocasião aos maiores protestos nos «cadernos das queixas» quando houve a revolução em França. Nestes cadernos escreveram-se também em Ombrosa muitas queixas quando foram experimentados, ainda que não servissem para nada. Tinha sido uma das ideias de Cosimo, que naquele tempo não tinha mais necessidade de assistir às reuniões da Loja para discutir com aqueles tolos dos mações. Instalava-se nas árvores da praça e era imediatamente rodeado por toda a gente das marinhas e dos campos, que o procurava para que ele lhes explicasse as notícias, porque ele recebia as gazetas pelo correio e, para mais, tinha certos amigos que lhe escreviam, entre eles o astrónomo Bailly, que depois se fez *maire* de Paris, e outros clubistas. Em qualquer altura havia sempre notícias frescas: o Necker e o jogo da pela, a Bastilha, Lafayette, com o cavalo branco, e o rei Luís vestido de lacaio. Cosimo explicava e vivia tudo, saltando de um ramo para outro, imitando Mirabeau na tribuna, Marat entre os jacobinos e, sobre outro ramo ainda, o rei Luís em Versalhes, pondo na cabeça o barrete vermelho para conter as mulheres que tinham vindo a pé desde Paris.

Para explicar em que consistiam os «cadernos das queixas» Cosimo disse: – Experimentemos fazer um. – Pegou num caderno de escola e pregou-o à árvore; todos ali vinham e escreviam no caderno as coisas de que tinham razão de queixa. Saíam coisas dos mais variados géneros: os pescadores queixavam-se do preço do peixe, os vinhateiros das décimas, os pastores dos limites das terras de pasto, os lenhadores dos bosques do domínio público e depois todos aqueles que tinham parentes nas galés e os que tinham sido açoitados por alguma infração à lei e os que tinham questões com os nobres por causa de mulheres: era um nunca-acabar. Cosimo pensou que o caderno, ainda que fosse um «caderno das queixas», não devia ser assim tão triste, e veio-lhe a ideia de pedir a cada um que escrevesse a coisa que mais lhe agradaria ter. E novamente cada um lá foi escrever o que mais lhe agradaria possuir: havia quem preferisse as fogaças, outros o caldo; um queria ter uma loura, outro preferia duas morenas; a este agradava dormir todo o dia, a outro colher cogumelos durante todo o ano; outros queriam uma carruagem com quatro cavalos; outro contentava-se com uma cabra, outro queria voltar a ver a mãe, que tinha morrido, outro pretendia encontrar os deuses do Olimpo; em suma, tudo o que existe de bom no Mundo era escrito naqueles cadernos, ou então desenhado, porque muitos não sabiam escrever, ou até mesmo pintado a cores. Até Cosimo lá escreveu um nome: Viola. O nome que, desde há tantos anos, escrevia em todo o lado.

Conseguiu um belo caderno, e Cosimo intitulou-o «Caderno das queixas e dos contentamentos». Mas quando ficou completamente cheio não havia assembleia nenhuma a quem o enviassem, por isso, por ali ficou, pregado à árvore e, com a chuva, foi amolecendo e começou a desfazer-se, visão que enchia a gente de Ombrosa de uma grande tristeza pela miséria presente, ao mesmo tempo que acendia nos espíritos ardentes desejos de revolta.

Em resumo: havia entre nós todas as condições que levaram à Revolução Francesa. Simplesmente não estávamos em França, e a revolução não se deu. Vivíamos num país onde se verificavam sempre as causas, mas nunca os efeitos.

Em Ombrosa, porém, sucederam-se também bons tempos. A guerra que o exército republicano travava desenrolava-se ali a dois passos. Massena em Collardente, Laharpe no Nervia, Mouret ao longo da fronteira, e Napoleão, que, por enquanto, era apenas general de artilharia. De modo que aqueles estrondos surdos que se ouviam chegar a Ombrosa, trazidos pelo vento a intervalos regulares, era ele em pessoa quem os provocava.

Em setembro preparava-se a vindima. Mas parecia contudo que se estivesse preparando qualquer coisa mais, qualquer coisa secreta e terrível.

Os conciliábulos tinham lugar em quase todas as portas da vila:

– A uva está madura!

– Madura! Já!

– Madura? Mais que madura! É já para colher!

– É já para pisar!

– Vamos todos! Tu, para onde vais este ano?

– Eu? Vou para as vinhas, do lado de lá da ponte. E tu? E tu?

– Eu vou para a do conde Pigna.

– Eu vou para a vinha do moinho.

– Viste quantos guardas há este ano? Parecem melros preparados para debicar as uvas!

– Pois sim, mas debicar não debicam eles este ano.

– Deixa lá. Se os melros são assim tantos, nós cá, pela nossa parte, somos todos caçadores!

– Mas, ainda assim, olha que ainda há quem não queira ser visto. Ainda há quem fuja.

– Como assim? Pode lá ser que este ano a vindima não agrade a toda a gente?

– Pois a nós até queriam expulsar-nos. Mas agora não, agora a uva está madura!

– Está madura!

No dia seguinte a vindima começou, silenciosa. Os vinhedos estavam cheios de gente, disposta em cadeia ao longo das fileiras de vinhas, mas nenhum canto se elevava de entre eles. Alguns chamamentos dispersos, gritos: – Ah, vocês também cá estão? Está madura! – um mover de grupos, uma escuridão, talvez até por nuvens no céu, que estava não completamente coberto, mas um pouco pesado, e, se alguma voz tentava começar uma canção, logo se interrompia a meio, porque o coro se recusava a acompanhá-la. Os homens carregavam às costas os cestos cheios de uvas, que iam despejar nos lagares. Anteriormente, era hábito proceder-se primeiro à distribuição das partes que competiam aos nobres, ao bispo e ao governo; mas este ano não acontecia assim, dava a impressão que todos se tivessem esquecido.

Os cobradores, que tinham vindo para recolher as décimas, estavam nervosos e já não sabiam que peixe pescar. Quanto mais o tempo passava, mais se notava que nada acontecia e mais se sentia que estava para acontecer qualquer coisa, e mais os beleguins compreendiam que tinham de se mexer, sem todavia compreenderem o que deveriam fazer.

Cosimo, com os seus passos de gato, caminhava por cima das latadas. Com uma tesoura nas mãos cortava um cacho aqui, outro acolá, sem ordem alguma, atirando-os depois aos vindimadores e às vindimadeiras que se encontravam por baixo dele, a todos dizendo qualquer coisa em voz baixa.

O chefe dos guardas não aguentou mais. Disse:

– Pois bem, vamos lá então ver essas décimas, não?

Mal tinha acabado de pronunciar estas palavras e já se tinha arrependido. Pelas vinhas passou um rugido surdo, misto de ribombo e de sopro avassalador; era um vindimador que assoprava num búzio daqueles que servem de buzina e espalhava pelo vale as notas de alarme. De todos os locais responderam-lhe sons idênticos, os vindimadores ergueram as suas trompas de concha, e até mesmo Cosimo, do alto da latada, soprava na sua.

Depois, por todos os vinhedos, nasceu uma canção; a princípio desunida, discordante, sem se compreender o que era. Mas depois as vozes encontraram um entendimento tácito, modularam-se, tomaram mais força e cantaram, como se se lançassem a um assalto. Homens e mulheres parados e semiescondidos entre as filas de vinhedos e as estacas, vides, cachos de uva, tudo parecia ter-se lançado em desenfreada correria; as uvas pareciam vindimar-se a si próprias, atirar-se para dentro dos lagares e pisarem-se. E o ar, as nuvens, o Sol, tudo parecia tornar-se em puro mosto, e começou então a perceber-se aquele canto, primeiro as notas da música e depois as palavras, que diziam: – *Ça ira! Ça ira! Ça ira!*[1]

Os jovens pisavam as uvas com os pés descalços e vermelhos do mosto – *Ça ira!* –, e as raparigas mergulhavam no verde as tesouras aguçadas como punhais, cortando os contorcidos pés dos cachos de uvas – *Ça ira!* –, e nuvens de moscardos voavam pelo ar sobre os cestos de uvas prontas para a prensa – *Ça ira!* –, e foi então que os esbirros retomaram o controlo e: – Alto lá! Silêncio! Basta de cantigas! Quem cantar leva um tiro! – e começaram a descarregar as espingardas para o ar.

---

[1] Isto vai! Isto vai!

Respondeu-lhes uma fuzilaria que dava a impressão de ser um regimento travando batalha sobre o alto da colina. Explodiam todas as espingardas de caça existentes em Ombrosa, e Cosimo, em cima de uma alta figueira, tocava à carga na concha que lhe servia de trompa. Então foi por todos os vinhedos um agitar de gente semelhante a um oceano encapelado. Já não era possível distinguir entre o que era vindima e o que era desordem: homens, uvas, mulheres, varas de videira, podadeiras, folhas, espingardas, cestos, cavalos, arames, punhos, cascos de mula, canelas, peitos, e tudo a cantar: – *Ça ira! Ça ira!*

– Tomem lá as décimas!

Aquilo acabou, por fim, com os esbirros e cobradores metidos de cabeça para baixo dentro dos lagares, com as pernas de fora, esperneando. Voltaram sem ter cobrado coisa alguma, sujos da cabeça ao pés de suco de uva, de bagos esmagados, de bagaço, de brulho, de peles de uva coladas às espingardas, aos casacos, aos bigodes.

A vindima continuou como uma festa, ficando todos convencidos de que tinham abolido de uma vez para sempre os privilégios feudais. Entretanto, nós outros, da nobreza e pequena nobreza, tínhamo-nos barricado nos nossos palácios, armados, dispostos a vender cara a nossa pele. (Na verdade, limitei-me apenas a não pôr um pé na rua, sobretudo para que os outros nobres não tivessem oportunidade de dizer que estava de acordo com aquele anticristo do meu irmão, com a reputação do pior instigador, jacobino e clubista de toda a região.) Mas, nesse dia, expulsos os cobradores de impostos e os guardas armados, não tocaram nem sequer num cabelo a quem quer que fosse.

Estavam todos em grande azáfama, preparando a festa. Fizeram também uma árvore da liberdade, para imitar a moda francesa; simplesmente, como não sabiam lá muito bem como se fazia uma árvore da liberdade e, além disso, havia na nossa região tantas árvores que resolveram que não valia a pena construírem uma de propósito. Assim, limitaram-se a enfeitar uma árvore autêntica, um olmo, com flores, cachos de uvas, festões e uma fita com os seguintes dizeres: *Vive la Grande Nation!* Em cima da árvore estava o meu irmão, com a faixa tricolor no barrete de pele de gato selvagem e procedia a uma conferência sobre Rousseau e Voltaire, de que não se conseguia ouvir nem uma única palavra, porque lá em baixo o povo executava danças de roda, dando as mãos e cantando: *Ça ira!*

A alegria durou pouco tempo, porém. Chegaram tropas em grande força: genoveses, para exigir o pagamento das décimas e garantir a neutralidade do território, austríacos, porque se tinha já espalhado a notícia de que os jacobinos de Ombrosa pretendiam proclamar a sua adesão à Grande Nação Universal, isto é, à República Francesa. Os revoltosos procuraram ainda resistir, levantaram algumas barricadas e fecharam as portas da cidade... Mas isso sim, teria sido preciso muito mais! As tropas entraram pela cidade adentro, vindas de todos os lados, estabeleceram postos de vigilância em todas as estradas do campo e todos aqueles com fama de agitadores foram enforcados, escapando apenas Cosimo e poucos mais que fugiram com ele.

O processo erguido contra revolucionários foi muito detalhado, mas os acusados conseguiram provar que afinal não tinham entrado em nada e que os verdadeiros chefes eram aqueles que tinham fugido. Deste modo, conseguiram ser todos libertos, tanto mais que com as tropas que continuavam a ocupar Ombrosa já não se receava que houvesse o perigo de novas desordens. Ficou lá também uma coluna auxiliar de austríacos para garantir que não haveria infiltrações possíveis do inimigo, e comandando essas tropas encontrava-se o nosso cunhado d'Estomac, o marido de Battista, emigrado de França com o séquito do conde da Provença.

Voltei a encontrar-me, pois, novamente a braços com a minha irmã Battista. Podeis imaginar com que prazer tivemos de a receber entre nós. Instalou-se em nossa casa com o marido, que era oficial, os cavalos e as tropas da ordenança. Ela passava os serões a descrever como tinham sido as últimas execuções capitais que haviam sido realizadas em Paris; assim, trazia consigo até um modelo em ponto pequeno de uma guilhotina, com uma lâmina verdadeira e afiada e, a fim de melhor ilustrar o triste fim que tinham tido todos os seus amigos e parentes feitos prisioneiros, decapitava na guilhotina lagartixas, minhocas e até mesmo ratos. Assim passávamos os serões em família. Cosimo, que passava os dias e noites escondido nas matas, tinha-se ocultado num bosque qualquer. Qual, era porém coisa que ninguém sabia.

XXVII

〇〇

Sobre as empresas por ele realizadas nos bosques durante a guerra Cosimo contou tantas histórias e a tal ponto inacreditáveis que escolher uma versão de preferência a qualquer outra é ousadia a que não me voto. Prefiro ceder a palavra ao próprio Cosimo, escrevendo fielmente algumas das histórias que ele contava:

No bosque aventuravam-se frequentemente patrulhas de exploradores dos diversos exércitos em luta. Do alto dos ramos, a cada passo que ouvia entre as silvas e moitas, eu apurava o ouvido para ver se, por alguma palavra murmurada, descobria se eram austríacos ou franceses.

Um tenentezinho austríaco, muito louro, comandava um dia uma patrulha de soldados em perfeito uniforme, com borla e rabicho, tricórnio e polainas, bandas brancas com virados, espingarda e baioneta, e fazia-a marchar em duas fileiras, procurando manter o alinhamento naqueles carreiros e atalhos escusos. Completamente ignorante da topografia do bosque, mas desejoso de cumprir à risca as ordens recebidas, o oficialzeco procedia segundo as linhas de marcha indicadas na sua carta, dando continuamente grandes narigadas nos troncos que se lhe deparavam pela frente, fazendo as tropas escorregar frequentemente em ravinas de margens de pedras lisas e ferir os olhos nos raminhos espinhosos do bosque, mas sempre muito cônscio da supremacia dos exércitos imperiais.

Eram soldados magníficos. Eu esperava-os já há um bocado, escondido em cima de um pinheiro. Tinha comigo uma pinha de meio quilo e deixei-a cair mesmo em cima da cabeça do último homem. O soldado agitou os braços, dobrou os joelhos e caiu entre os arbustos. Ninguém deu conta do acontecido; o pelotão continuou na sua marcha impecável.

Voltei a aproximar-me deles. Desta vez atirei um porco-espinho ao pescoço de um cabo. O cabo reclinou a cabeça e desfaleceu. Mas, então, o tenente observou o facto, mandou dois homens prepararem uma padiola e continuou no seu caminho.

A patrulha, parecendo que o fazia quase de propósito, embrenhava-se nas mais espessas matas do bosque. E, para onde quer que fossem, sempre novos percalços os esperavam. Tinha eu preparado um cartucho cheio de umas certas lagartas peludas, azuis, que faziam inchar a pele e causavam borbulhas de urticária a quem lhes tocasse; despejei-lhes em cima cerca de uma centena destas lagartas. O pelotão passou, desapareceu num trecho mais espesso do bosque, começou a coçar-se, com as mãos e o rosto cheio de bolhinhas rosadas, prosseguindo a sua marcha.

Maravilhosa tropa e magnífico oficial! Tudo no bosque lhes era tão estranho que não conseguiam distinguir o que nele houvesse de insólito e prosseguiam com os efetivos dizimados, mas sempre orgulhosos e indomáveis. Recorri então a uma família de gatos selvagens: fazia-os girar no ar presos pelo rabo, o que os assanhava até ao extremo, e depois lançava-lhes para cima. Seguiram-se muito rumores, especialmente da parte dos gatos, depois fez-se silêncio e paz. Os austríacos tratavam dos feridos. A patrulha, cheia de ligaduras, continuou a avançar.

«A única maneira, já estou a ver, é fazê-los prisioneiros», pensei para comigo mesmo, apressando-me a passar à frente deles, na intenção de encontrar uma patrulha francesa e preveni-la da aproximação do inimigo. Mas desde há tempos que os franceses não davam sinal de vida por aquelas bandas.

Foi então que, ao passar por uns certos locais húmidos, vi qualquer coisa a mexer. Parei, apurei o ouvido. Parecia-me ouvir uns pipios de pássaros que depois se foram transformando numa espécie de rosnadura continuada e consegui então distinguir algumas palavras:

– *Mais alors... cré-nom-de... foutez-moi-donc... tu m'emmer... quoi...*[1]

Semicerrando as pálpebras para melhor ver na penumbra que ali fazia, vi que aquela vegetação macia era composta sobretudo por cabeleiras fartas e espessas barbas e bigodes. Era um pelotão de hussardos franceses. Tendo-se impregnado de humidade durante a campanha de inverno, todas as barbas, cabelos e bigodes tinham florido na primavera, com musgos, fetos e cogumelos.

Comandava a patrulha o tenente Agrippa Papillon, de Ruão, poeta, voluntário no exército republicano. Convencido da geral bondade da natureza, não permitia que os soldados retirassem as agulhas de pinheiro, ouriços de castanhas, raminhos, folhas e caracóis que se lhes tinham agarrado aos pelos ao atravessarem o bosque. E a patrulha confundia-se já tanto com a natureza que a rodeava que foi mesmo necessário o meu olhar aguçado para conseguir descobri-la e diferenciá-la do meio ambiente.

Entre os seus soldados bivacados, o oficial-poeta, com longos cabelos anelados que lhe emolduravam o rosto magro sob o chapéu de abas largas, declamava aos bosques:

– Ó floresta! Ó noite! Eis-me em vosso poder! Um tenro ramo de avenca, enleado nos pés destes denodados soldados, será então suficiente para interromper o destino da França? Ó Valmy! Quanto estás longe, agora!

Avancei.

– *Pardon, citoyen.*[2]

– O quê? Quem vem lá?

– Um patriota destes bosques, cidadão oficial.

– Ah! Quem? Mas onde está?

– Mesmo diante de vós, em cima da árvore, cidadão oficial.

– Bem vejo! Quem vem lá? Um homem-pássaro, um filho das Harpias! Sereis talvez uma criatura mitológica?

---

[1] Mas então... que dia... deixem-me em... chateias... quê..
[2] Perdão, cidadão.

– Sou o cidadão Rondò, filho de seres humanos, asseguro-vos, e isto tanto pela parte de meu pai como pela de minha mãe, cidadão oficial. Minha mãe foi, na verdade, uma valorosa combatente no tempo da Guerra da Sucessão.

– Compreendo. Ó tempos, ó glória! Acredito em vós, cidadão, e estou ansioso por ouvir as notícias que, ao que parece, viestes comunicar-me.

– Comunico-vos que uma patrulha de soldados austríacos está a penetrar nas vossas linhas!

– Que dizeis? E a batalha! Soou a hora! Ó riacho, suave riacho, dentro em pouco as tuas mansas águas se tingirão de sangue! Depressa! Às armas!

Sob o comando do tenente-poeta, os hussardos começaram a reunir armas e roupas, mas moviam-se de tal maneira desorientados e fracos, caindo frequentemente, cuspindo, praguejando, que comecei a ficar preocupado com a sua eficiência militar.

– Cidadão oficial, tendes por acaso algum plano?

– Um plano? Evidentemente: marchar sobre o inimigo!

– Sim, mas como?

– Como? Em fileiras cerradas.

– Pois bem, se permitis que vos dê um conselho, eu, se fosse a vós, disporia os soldados dispersos pelo bosque, permitindo que a patrulha inimiga se perca por si mesma, infiltrando-se entre vós.

O tenente Papillon era um homem compreensivo, e não pôs objeções ao meu plano. Os hussardos, dispersos pelo bosque, mal se distinguiam dos tufos de verdura e o tenente austríaco era certamente o menos capaz de os diferençar do meio ambiente. A patrulha imperial marchava seguindo o itinerário marcado na mapa, com ordens bruscas de vez em quando, como: «esquerda, v'ver», ou «direita, v'ver!». Assim passaram mesmo nas barbas dos franceses sem repararem no que lhes estava a acontecer. Os hussardos, silenciosos, propagando só em seu redor ruídos naturais como o restolhar de folhas e bater de asas, dispuseram-se então numa manobra circundante. Do alto das árvores, eu ia-lhes assinalando com o pio da codorniz ou o grito da coruja a situação e as deslocações das tropas inimigas e os atalhos que deviam tomar para as surpreenderem. Os austríacos, ignorantes de tudo, tinham caído numa ratoeira.

– Alto lá! Em nome da liberdade, fraternidade e igualdade, declaro-vos a todos meus prisioneiros! – ouviram eles gritar subitamente do cimo de uma árvore, e apareceu-lhes então a sombra de um ser humano, brandindo nas mãos uma espingarda de cano comprido.

– *Urrah! Vive la Nation!* – e todos os tufos de verdura em volta revelaram-se então hussardos franceses, com o tenente Papillon no comando.

Soaram imprecações austríacas, mas antes que tivessem podido reagir foram imediatamente desarmados. O tenente austríaco, muito pálido, mas de cabeça levantada, entregou a espada ao seu colega inimigo.

Tornei-me um precioso colaborador do exército republicano, mas ainda assim preferia fazer as minhas guerrilhas sozinho, valendo-me do auxílio dos animais da floresta, como daquela vez em que pus em fuga uma coluna austríaca atirando-lhe para cima um enxame de vespas enfurecidas.

A minha fama tinha-se espalhado no campo austríaco, exagerada ao ponto de se dizer que o bosque pululava de jacobinos armados, escondidos em cima das árvores. Ao caminhar, as tropas reais e imperiais começaram também a apurar o ouvido: ao mais leve rumor de castanhas arrancadas por um ouriço ou ao mais subtil grito de esquilo já se imaginavam cercadas por jacobinos e mudavam de direção. Deste modo, provocando rumores e restolhadas apenas percetíveis, conseguia fazer desviar colunas de piemonteses e austríacos e conduzia-os para onde me apetecia.

Um dia encaminhei uma coluna para uma mata bastante espinhosa, e aí deixei que se perdesse. Na mata escondia-se uma família de javalis; expulsos dos montes onde soavam os canhões, os javalis desciam em grupos a refugiar-se nos bosques mais baixos. Os austríacos perdidos marchavam sem ver um palmo diante dos narizes, e de repente um grupo de javalis hirsutos ergueu-se-lhes sob os pés, soltando grunhidos lancinantes. Lançando-se de presas em riste, os javalis meteram-se por entre as pernas dos soldados, atirando-os ao ar e martirizando os caídos por terra com avalanchas de ataques e enfiando as suas presas nos ventres dos austríacos. O batalhão inteiro ficou destroçado. Empoleirado nas árvores com os meus companheiros, perseguimo-los com tiros. Os que conseguiram regressar ao campo contaram que um terramoto tinha subitamente surgido sob os seus pés num terreno espinhoso; outros referiram-se a uma batalha contra jacobinos saídos da terra, porque estes jacobinos outra coisa não eram que diabos, semi-homens, semianimais, que viviam ou em cima das árvores ou no meio dos tufos de verdura.

Disse que preferia fazer as minhas guerrilhas sozinho ou com aqueles poucos companheiros de Ombrosa que se tinham refugiado comigo nos bosques depois da vindima. Procurava ter poucas relações, apesar de tudo, com o exército francês, porque já se sabe como são os exércitos, que de todas as vezes que se movem só arranjam desastres. Mas tinha-me afeiçoado ao tenente Papillon, e estava um bocado preocupado com a sorte dele. De facto, no pelotão comandado pelo poeta a imobilidade da frente ameaçava ser-lhe fatal. Musgos e líquenes cresciam por baixo das fardas dos oficiais e por vezes até urzes e fetos; os passarinhos das sebes faziam-lhes ninhos nos chapéus e neles despontavam plantas que chegavam a florir; as botas, tão completamente cobertas de lama, confundiam-se com o próprio terreno: dir-se-ia que o pelotão inteiro ameaçava criar raízes. A condescendência do tenente Agrippa Papillon em relação à Natureza era tão grande que arriscava perder aquele punhado de valorosos soldados, transformando-os num amálgama animal e vegetal.

Era necessário despertá-los. Mas como? Tive uma ideia e apresentei-me ao tenente Papillon para lha propor. O poeta estava a declamar à Lua.

– Ó Lua! Redonda como uma boca de fogo, como uma bala de canhão que, exausta a provisão de pólvora, continua a sua lenta trajetória, rodando silenciosa pelos céus! Quando deflagrares, Lua, erguendo uma alta nuvem de pó e poeira, submergindo os exércitos inimigos e os tronos, e abrindo em mim uma brecha de glória no muro espesso da escassa consideração em que me tenho a mim e aos meus concidadãos! Ó Ruão! Ó Lua! Ó destino! Ó Convenção! Ó rãs! Ó crianças! Ó minha vida!

E eu:

– *Citoyen...*

Papillon, aborrecido por estarem sempre a interrompê-lo, disse, secamente:

– Sim?

– Queria dizer, cidadão oficial, que há um sistema de despertar os vossos homens do letargo em que se encontram e que se vai tornando já perigoso!

– Assim o quisesse o Céu, cidadão. Eu, como vedes, estou pronto para a ação. E qual seria esse sistema?

– As pulgas, cidadão oficial.

– Lamento desiludir-vos, cidadão. O exército republicano não tem pulgas. Morreram todas de inanição em consequência do cerco a que estivemos submetidos.

– Mas posso eu fornecê-las, cidadão oficial.

– Não sei se falais assim em vosso juízo perfeito ou se brincais. Em todo o caso, farei uma exposição da vossa sugestão aos comandos superiores, e depois logo se verá. Cidadão, quero agradecer-vos por tudo o que fazeis pela causa republicana! Ó glória! Ó Ruão! Ó pulgas!

– Ó Lua! – e afastou-se, desvairado.

Compreendi que tinha de agir por minha própria iniciativa. Provi--me de uma grande quantidade de pulgas e, de cima das árvores, apenas via um hussardo francês, atirava-lhe com a zarabatana uma pulga, procurando, com pontaria certeira, que esta se introduzisse no colarinho. Depois comecei a encher todos os arredores de pulgas, às mãos-cheias. Eram missões perigosas, porque, se tivesse sido apanhado em flagrante, de nada me teria valido a fama de patriota: ter--me-iam feito prisioneiro, ao mesmo tempo que me enviariam logo para França, onde me fariam guilhotinar como sendo um emissário de Pitt. Em vez disso, porém, a minha intervenção foi providencial: o prurido das pulgas reacendeu nos hussardos a chama do humano e provocou-lhes a civil necessidade de se coçarem, de se esfregarem, de catarem os piolhos e outros animais; atiravam fora as indumentárias cobertas de musgos, de fungos e até mesmo de aranhiços, lavavam--se, barbeavam-se, penteavam-se, em suma, retomavam consciência da sua humanidade individual e voltava-lhes o sentido da civilidade, de libertação na natureza rude. Mais ainda: parecia animá-los um novo estímulo de atividade, um zelo, uma combatividade há muito tempo esquecida. No momento de atacar, estavam perfeitamente preparados: os exércitos da república destroçavam completamente a resistência inimiga, venceram na frente e avançaram até às vitórias de Dego e de Millesimo...

XXVIII

൭൯

Battista e seu marido, o emigrado conde d'Estomac, fugiram de Ombrosa mesmo a tempo de não serem capturados pelo exército republicano. O povo de Ombrosa vivia numa alegria tão esfuziante que parecia até ter voltado aos dias da vindima. Ergueram a árvore da liberdade, desta vez mais conforme aos exemplos franceses, isto é, assemelhando-se um pouco mais a um pau de sebo. Cosimo, escusado será dizê-lo, trepou para cima dela, com o barrete frígio na cabeça; mas fartou-se rapidamente e deixou-a.

Em volta dos palácios dos nobres ainda houve grande gritaria e agitação. Havia quem gritasse:

– *Aristocratas, aristocratas, cá para fora, é pendurá-los nos candeeiros!*

A mim, por ser irmão do meu irmão e sempre termos sido nobres especiais, deixaram-me em paz; seguidamente, vieram depois a considerar-me até um patriota (de modo que, quando as coisas mudaram, tive também dificuldades).

Ergueram a *municipalité*; elegeram um *maire*, tudo à francesa; meu irmão foi nomeado para a junta provisória, se bem que muitos, tendo-o na conta de demente, não tivessem estado de acordo. Os do antigo regime limitavam-se a rir e a dizer que era tudo uma corja de loucos.

As sessões da junta realizavam-se no antigo palácio do governador genovês. Cosimo empoleirava-se numa alfarrobeira, à altura das janelas da sala, e seguia as discussões. Por vezes intervinha, falando e dando o seu voto. É sabido que os revolucionários são sempre os mais formalistas e conservadores: achavam aquilo ridículo, um sistema sem futuro, que diminuía o decoro da assembleia, e, quando em lugar da República oligárquica de Génova ergueram a República Liguriana, na nova administração não voltaram a eleger o meu irmão.

E dizer que, naquela época, Cosimo tinha escrito e difundido um *Projeto de Constituição para Cidade Republicana com Declaração dos Direitos dos Homens, das Mulheres, das Crianças, dos Animais Domésticos e Selvagens, Compreendendo Aves, Peixes e Insetos, e das Plantas, Sejam de Grande Porte Sejam Urtigas ou Ervas*. Era um trabalho esplêndido, que podia servir de orientação a todos os governantes; mas ninguém o tomou suficientemente em consideração, e continuou sendo letra morta.

Mas a maior parte do seu tempo passava-a Cosimo ainda no bosque, onde os sapadores do corpo de engenharia do exército francês abriam uma estrada para o transporte das peças de artilharia. Com as suas longas barbas, que lhes saíam por baixo dos aventais de coiro, os sapadores eram diferentes de todos os outros militares. Talvez isto se devesse em parte ao facto de atrás de si não trazerem uma tão grande tradição de desastres e estragos como as outras tropas; mas antes a satisfação de terem realizado coisas perenes e possuírem ainda a ambição de fazerem o melhor que podiam. Depois, tinham imensas coisas a contar: haviam atravessado nações de um lado a outro, haviam visto cercos e batalhas; alguns deles tinham presenciado até os grandes acontecimentos passados em Paris: assaltos à Bastilha e condenados à guilhotina. E Cosimo passava as noites a ouvir as histórias que eles contavam. Descansando as enxadas e as pás, sentavam-se em redor de uma fogueira, fumando cachimbos curtos e trocando recordações dos tempos passados.

De dia Cosimo ajudava os engenheiros a delinear o percurso da estrada. Ninguém mais do que ele estava em condições de o fazer: conhecia todos os locais por onde se poderia passar com menor desnível e menor perda de árvores. E tinha sempre em mente, para além das necessidades da artilharia francesa, as necessidades da população daquelas regiões sem estradas. Pelo menos que daquela passagem por ali de soldados pilha-galinhas ficasse alguma vantagem: uma estrada construída à custa deles.

Nessa altura as tropas ocupantes, principalmente desde que de republicanos se tinham transformado em imperiais, saíam pesadas a toda a gente. E todos iam desabafar com os patriotas:

– Ora vede o que fazem os vossos amigos!

E os patriotas abriam os braços, levantavam os olhos ao céu e respondiam:

– Ora! São soldados! Esperemos que isto passe!

Dos estábulos dos camponeses, os napoleónicos começaram a requisitar porcos, vacas e, por fim, até cabras. Quanto a impostos e décimas, tudo era agora pior do que antigamente. Ainda por cima estabeleceram-se postos de recrutamento. Mas isto de ir ser soldado foi coisa que, entre nós, nunca pegou e ninguém quis compreender: os jovens chamados para o serviço fugiam a refugiar-se nos bosques.

Cosimo ia fazendo o que podia para aliviar estes males: vigiava os animais no bosque quando os pequenos proprietários, receando mais confiscações, os enviavam para as matas; ou montava guarda aos transportes clandestinos de grão para o moinho ou de azeitonas para o lagar, de modo a impedir que viessem os napoleónicos e ficassem com uma parte; ou indicava aos jovens fugidos ao serviço militar certas cavernas no bosque onde podiam esconder-se a são e salvo. Em suma, procurava defender o povo das prepotências, mas ataques contra as tropas ocupantes foi coisa que nunca levou a efeito, se bem que já naquele tempo tivessem começado a armar-se, no bosque, grupos de «barbadinhos» que tornavam a vida difícil aos franceses. Cosimo, teimoso como era, nunca quis dar o braço a torcer e, como anteriormente tinha sido amigo dos franceses, continuava a pensar que lhes devia ser leal, ainda que muitas coisas tivessem mudado e a evolução tivesse sido totalmente diferente daquilo que se esperava. Depois, além disso, era necessário ter em conta que começava a ficar velho, e tanto de uma parte como de outra já não se dava a grandes esforços.

Napoleão foi a Milão fazer-se coroar, e depois fez umas viagens pela Itália. Em todas as cidades o acolhiam com grandes festas e levavam-no a ver as raridades e os monumentos. Em Ombrosa incluíram-lhe no programa também uma visita ao «patriota em cima das árvores», porque, como acontece quase sempre, na nossa região já ninguém achava Cosimo algo fora do natural, mas lá fora, especialmente no estrangeiro, falava-se muito dele.

Não se pode dizer que tenha sido um encontro às mil maravilhas. Tinha sido tudo preparado de antemão pela comissão municipal dos festejos para fazer boa figura. Escolheu-se uma bela árvore: queriam-no em cima de um carvalho, mas a árvore mais bem exposta era uma nogueira, de modo que esconderam a nogueira com umas folhas de carvalho, enfeitaram-na com nastros e fitas tricolores franceses e lombadas, borlas e festões. Fizeram o meu irmão instalar-se lá em cima, vestido de festa, mas com o característico barrete de pele de gato e um esquilo empoleirado no ombro.

Estava tudo marcado para as dez; havia um grande círculo de gente, mas, naturalmente, deram as onze e meia e Napoleão sem aparecer, com grande tormento de meu irmão, que ao ir para velho começara a sofrer da bexiga e de vez em quando tinha de se ir esconder atrás do tronco para urinar.

Veio o imperador, com o seu séquito de pessoas muito bem-postas e garridas. Era já meio-dia e Napoleão olhava por entre os ramos para ver Cosimo e o sol batia-lhe nos olhos. Começou a pronunciar imediatamente quatro frases de circunstância:

– *Je sais très bien que vous, citoyen...*[1] – e fazia pala com a mão – *... parmi les forêts...*[2] – e dava um saltinho para o lado, para evitar que o sol lhe batesse em cheio nos olhos –, *parmi les frondaisons de votre luxuriante...*[3] – e dava outro saltinho para o lado oposto porque Cosimo, com uma inclinação de assentimento, lhe tinha de novo deixado o sol a bater no rosto.

---

[1] Sei muito bem que o senhor, cidadão...
[2] ... entre as florestas...
[3] ... entre a frondosidade da vossa luxuriante...

Vendo a inquietação em que Bonaparte se agitava, Cosimo perguntou, muito cortesmente:

– Poderei fazer algo por vós, *mon empereur?*[1]

– Sim, sim – disse Napoleão –, desvie-se um pouco mais para cá, por favor, para não me dar o sol nos olhos, isso, assim, está bem, pronto, obrigado...

Depois calou-se, como que assaltado por um pensamento súbito e, voltando-se para o vice-rei Eugénio, disse-lhe:

– *Tout cela me rappelle quelque chose... Quelque chose que j'ai déjà vu...*[2]

Cosimo veio em seu auxílio:

– Não fostes vós, Majestade: foi Alexandre Magno.

– Ah, precisamente, é isso! – disse Napoleão. – O encontro entre Alexandre e Diógenes!

– *Vous n'oubliez jamais votre Plutarque, mon empereur*[3] – disse Beauharnais.

– Só que nessa altura – acrescentou Cosimo – era Alexandre a perguntar a Diógenes o que podia fazer por ele e Diógenes a pedir-lhe que se afastasse...

Napoleão fez estalar os nós dos dedos como se subitamente tivesse encontrado a frase de que até aí andara à procura. Assegurou-se, com uma vista de olhos, que os dignitários o estivessem a escutar e depois disse, na nossa língua:

– Se eu não fosse o imperador Napoleão, quereria ter sido o cidadão Cosimo di Rondò!

E voltou-se, afastando-se. O séquito afastou-se com ele, com um grande tinir de esporas.

Tudo acabou por ali. Ainda se teve esperanças que na semana seguinte chegasse a cruz da Legião de Honra atribuída a Cosimo. Mas não, nada. Claro que meu irmão não se lhe dava absolutamente nada receber a Legião de Honra ou não, mas teria dado com isso uma alegria à família.

---

[1] ... meu imperador?
[2] Tudo isso me lembra qualquer coisa... qualquer coisa que já vi...
[3] Jamais esqueceis Plutarco, meu imperador.

XXIX

Se já na terra a juventude é coisa que passa depressa, bem podeis imaginar como não será em cima das árvores, onde tudo está destinado a cair: folhas, frutos e até os ramos velhos. Cosimo estava velho. Tantos anos, com todas aquelas noites passadas ao frio, ao vento, à chuva, sob fracas proteções e sem nada acolhedor à sua volta, sem nunca ter tido uma casa, uma lareira, um prato de caldo quente... Cosimo era agora um velho mirrado, de pernas abauladas e braços compridos como os de um macaco, peludo, vestido com um gibão de pele com capuz, semelhante a um frade coberto de peles. O rosto curtido pelo sol, rugoso como a casca dos castanheiros, com olhos claros e redondos entre as rugas da pele.

No Beresina o exército de Napoleão fora derrotado, a esquadra inglesa desembarcara em Génova e nós passávamos os dias à espera de notícias dos acontecimentos. Cosimo já não aparecia em Ombrosa: vivia empoleirado num ramo de pinheiro no bosque sobranceiro à estrada por onde tinha passado a artilharia, por onde tinham passado os canhões para Marengo, e olhava para o Oriente, sobre o deserto batido, por onde agora passavam apenas os pastores com as suas cabras ou mulas carregadas de lenha. Que esperava ele? Já tinha visto Napoleão, sabia como acabara a Revolução, e nada mais havia a esperar senão o pior. E contudo permanecia ali, de olhos fixos na distância, como se de um momento para o outro pudesse ver surgir o exército imperial ainda coberto de neves russas e Bonaparte mon-

tado a cavalo, de queixo mergulhado no peito, febril, muito pálido...
Pararia sob o pinheiro (e atrás dele o som confuso dos passos, um
bater de espingardas no solo, os soldados exaustos, encostando-se
à berma da estrada, alguns com os pés ligados) e diria:

– Tínheis razão, cidadão Rondò: dá-me a constituição que tu
preparaste, dá-me então o teu conselho, que nem o Diretório nem
o Consulado quiseram atender: recomecemos desde o princípio,
reergueremos a árvore da liberdade, salvaremos a pátria universal!

Mas isto eram apenas sonhos, vãs esperanças alimentadas por
Cosimo.

Porém um dia viu avançar três figuras, percorrendo a estrada da
artilharia. Uma, a de um coxo, vinha apoiada a uma muleta, outra
trazia na cabeça um turbante de ligaduras, a terceira era a mais sã,
porque tinha apenas uma pala preta cobrindo-lhe um dos olhos. As
fardas rasgadas que traziam, os alamares feitos em tiras e pendendo
sobre o peito, o chapéu já sem o penacho, as polainas todas destro-
çadas em volta das pernas, pareciam ainda porém terem pertencido
a uniformes da guarda napoleónica.

Mas não traziam armas: ou melhor, um deles brandia uma bainha
de sabre vazia, outro trazia ao ombro um cano de espingarda como
se fosse um bastão para reger uma orquestra. E avançavam cantando:

– *De mon pays... De mon pays... De mon pays...* – como se fossem três
ébrios.

– Eh, forasteiros – gritou-lhes meu irmão –, quem sois vós?

– Olha que raça de pássaro! Que fazes tu aí em cima? Andas aos
pinhões, hem?

E um outro:

– Dá-nos alguns dos teus pinhões? Com a fome com que estamos
não te importas de nos dares alguns dos teus pinhões?

– E a sede! A sede com que ficámos de só termos neve para comer!

– Somos o Terceiro Regimento dos Hussardos!

– O Terceiro Regimento dos Hussardos completo!

– Todos os que escaparam!

– Três homens em trezentos: já não é pouco!

– Cá por mim, escapei e pus-me a salvo, e basta-me isso!

– Espera, espera, que ainda não salvaste a pele. Ainda não chegaste a casa!

– Vai para o diabo!

– Somos os vencedores de Austerlitz!

– E os lixados de Vilnius! Haja alegria!

– Diz-nos uma coisa, pássaro que falas, diz-nos onde é que há alguma taberna por estes lados!

– Esvaziámos as garrafas todas de meia Europa, mas não há meio de a sede passar!

– E porque fomos peneirados pelas balas da batalha, por mais vinho que se beba ele escorre pelos buracos!

– Onde tu foste peneirado sei eu!

– Uma taberna que venda fiado!

– Voltaremos doutra vez a pagar!

– Pague Napoleão!

– Prrr...

– Pague então o czar! Tem vindo atrás de nós, aproveitem para lhe apresentar as contas a ele!

Cosimo disse:

– Vinho por estes lados não há. Mas, se seguirdes mais para a frente, encontrareis um riacho onde podereis mitigar a vossa sede.

– Raios te partam, Deus queira que te afogues tu no maldito riacho, mocho!

– Se não tivéssemos perdido as espingardas no Vístula, já te tínhamos assado no espeto como um tordo!

– Espera: vamos lá a esse riacho para eu molhar os pés, que os tenho a arder...

– Cá por mim até podes lavar o traseiro...

Mas dirigiram-se todos três ao riacho, descalçaram-se, meteram os pés dentro de água, lavaram a cara e as ligaduras. O sabão forneceu-lhes Cosimo, porque, indo para velho, continuava sempre com a mania de ser higiénico, até porque de vez em quando tinha de prover a circunstâncias que na juventude não lhe aconteciam; assim, andava sempre com o sabão no bolso. A frescura da água acalmou um pouco a amargura dos três soldados. E, vencida esta amargura, voltava-lhes contudo a tristeza do estado em que se encontravam e suspiravam e gemiam; mas no meio daquela tristeza a água límpida era uma alegria que eles gozavam, cantando:

– *De mon pays... De mon pays...*[1]

Cosimo voltara ao seu posto de atalaia, à beira da estrada. Ouviu um galopar. Vinha chegando uma formação de cavaleiros, erguendo poeira sob as patas dos cavalos. Vestiam fardas nunca vistas; sob os pesados casacos mostravam cabeças louras, barbudas com olhos verdes e pequenos. Cosimo saudou-os com o chapéu:

– Que bom vento vos traz, cavaleiros?

Pararam.

– *Sdrastvuy!*[2] Diz-nos uma coisa, *batjuska*[3], quanto falta para chegarmos?

– *Sdrastvujte!*[4], soldados – disse Cosimo, que tinha aprendido um pouco de todas as línguas e até do russo. – *Kudà vam?*[5] Para chegar aonde?

– Para chegar até onde chega esta estrada...

– Bem, esta estrada chega a tantos sítios... Vós aonde ides?

– *V Pariž.*

– Bom, para Paris não é das mais cómodas...

– *Niet, nie Pariž. Vo Frantsiu, za Napoleonom. Kudà vedjòt eta doroga?*[6]

– Bem, a tantos lugares: Olivabassa, Sassocorto, Trappa...

– *Kak?*[7] A Aliviabassa? *Niet, niet.*[8]

– Bem, se se quiser até se pode chegar a Marselha...

– *V Marsel... da, da, Marsel... Frantsia...*[9]

– E que ides vós fazer a França?

– Napoleão veio fazer a guerra ao nosso czar, e agora é o nosso czar quem corre atrás de Napoleão.

– E de onde vindes?

---

[1] Do meu país... Do meu país...
[2] Bom dia!
[3] Paizinho.
[4] Viva!
[5] Para onde vão?
[6] Não, não Paris. Para França, atrás de Napoleão. Onde vai ter esta estrada?
[7] Como?
[8] Não, não.
[9] Marsel... Sim, sim, Marsel... França...

– *Iz Charkova. Iz Kieva. Iz Rostova.*[1]

– Então viram bonitos lugares! E gostam mais de estar aqui nas nossas terras ou na Rússia?

– Lugares bonitos, lugares feios, nós gostamos é da Rússia.

Um galope súbito, nova nuvem de poeira e um cavalo parou junto dos outros, montado por um oficial que gritou aos cossacos:

– *Von! Marš! Kto vam pozvolil ostanovitsja?*[2]

– *Do svidanja, batjuska!*[3] – despediram-se os cossacos de Cosimo. – *Nam porà...*[4] – e desapareceram.

O oficial ficara junto do pinheiro. Era alto, magro, com ar nobre e triste: erguera a cabeça descoberta para o céu cheio de nuvens.

– *Bonjour, monsieur* – disse ele a Cosimo –, *vous connaissez notre langue?*[5]

– *Da, gospodin ofitsèr*[6] – respondeu o meu irmão –, *mais pas mieux que vous le français, quand même.*[7]

– *Êtes-vous un habitant de ce pays? Étiez-vous ici pendant qu'il y avait Napoléon?*

– *Oui, monsieur l'officier.*

– *Comment ça allait-il?*

– *Vous savez, monsieur, les armées font toujours des dégâts, quelles que soient les idées qu'elles apportent.*

– *Oui, nous aussi nous faisons beaucoup de dégâts... mais nous n'apportons pas d'idées...*[8]

Estava melancólico e inquieto e, contudo, via-se que era um vencedor.

---

[1] De Carcóvia. De Kiev. De Rostov.
[2] Ide-vos! Toca a marchar! Quem vos autoriza a parar?
[3] Adeus, paizinho!
[4] É tempo de irmos...
[5] Bom dia, senhor, conhece a nossa língua?
[6] Sim, senhor oficial.
[7] Mas não melhor que o senhor o francês, vamos lá.
[8] O senhor é destes sítios? Esteve cá ao mesmo tempo que Napoleão?
    – Sim, senhor oficial.
    – O que é que se passou?
    – Sabe, senhor, os exércitos fazem sempre estragos, sejam quais forem os ideais que defendem.
    – Sim, nós também fazemos muitos estragos... mas não defendemos ideais...

Cosimo sentiu-se tomado de simpatia por ele e quis consolá-lo.

– *Vous avez vaincu!*

– *Oui. Nous avons bien combattu. Très bien. Mais peut-être...*[1]

Ouviram-se gritos, um restolhar e ruído de armas.

– *Kto tam?*[2] – perguntou o oficial. Voltaram os cossacos, arrastando por terra corpos seminus, empunhando qualquer coisa nas mãos, na esquerda (na direita um empunhava o sabre curvo desembainhado e... sim... manchado de sangue) e essa qualquer coisa eram as cabeças barbudas dos três hussardos.

– *Frantsuzy! Napoleon!*[3] Todos mortos!

O jovem oficial, com ordens secas, mandou-os levar aquilo dali. Voltou a falar a Cosimo:

– *Vous voyez... La guerre... Il y a plusieurs années que je fais le mieux que je puis une chose affreuse: la guerre... et tout cela pour des idéals que je ne saurais presque expliquer moi-méme...*[4]

– Também eu – respondeu Cosimo. – Vivo há muitos anos combatendo por ideais que não seria capaz de explicar nem sequer a mim próprio: *mais je fais une chose tout à fait bonne: je vis sur les arbres.*[5]

O oficial, de melancólico que estivera a princípio, tornara-se nervoso.

– *Alors* – disse –, *je dois m'en aller.* – Saudou militarmente. – *Adieu, monsieur... Quel est votre nom?*[6]

– *Le baron Cosme de Rondeau* – gritou-lhe Cosimo, porque ele já se afastava. – *Proscajte, gospodin... Et le votre?*[7]

– *Je suis le Prince Andréj...*[8] – e o galope do cavalo abafou o apelido do oficial.

---

[1] Os senhores venceram!
  – Sim. Combatemos bem, muito bem. Mas talvez...
[2] Quem está ali?
[3] Franceses! Napoleão!
[4] Como vê... A guerra... Há vários anos que faço o melhor que posso uma coisa horrível: a guerra... e tudo isso por ideais que nem mesmo saberia explicar a mim próprio...
[5] Mas faço uma coisa muito boa: vivo em cima das árvores...
[6] Então, tenho de me ir embora... Adeus, senhor... como se chama?
[7] – Barão Cosme de Rondeau... E o senhor?
[8] – Eu sou o príncipe Andréj...

XXX
∾

Ora eu não faço ideia que mais coisas nos trará ainda este século XIX, que já começou mal e parece continuar ainda pior. Pesa sobre a Europa a sombra da restauração; todos os renovadores – fossem eles jacobinos ou bonapartistas – foram destroçados; o absolutismo e os jesuítas ganham campo e influência novamente; os ideais da juventude, as luzes, as esperanças do nosso século XVIII, tudo desapareceu, tudo foi reduzido a meras cinzas.

Limito-me a confiar os meus pensamentos a este caderno, já que não saberia exprimi-los doutro modo; sempre fui um homem pausado, sem grandes impulsos ou manias, pai de família, nobre doméstico, iluminado nas ideias, obediente às leis. Os excessos da política nunca me foram particularmente gravosos e espero que assim continue sendo no futuro. Mas por dentro, quanta tristeza!

Antigamente era diferente, havia o meu irmão; dizia para comigo mesmo: «Já há um que pensa nesta família», e para mim tinha mais importância viver. O sinal de mudarem as coisas não foi, a meus olhos, nem a chegada dos austro-russos nem a anexação ao Piemonte nem os novos impostos, nem, que sei eu? Tantas outras coisas mais, mas o não mais ver nosso irmão Cosimo quando abria as janelas da nossa casa. Agora, que ele já não existe, parece-me que terei de pensar em tantas coisas, filosofia, política, história, sigo os artigos nas gazetas, leio livros, dou cabo da cabeça, mas não encontro em nada disto, livros, revistas, ideias, em tudo, enfim, o que ele sempre quis dizer nas suas palavras. Era outra coisa o que ele pretendia, qualquer coisa suficientemente vasta para que abraçasse tudo e não podia dizê-lo com palavras, mas, compreendo-o agora, vivendo como viveu. Somente sendo assim tão desapiedadamente ele próprio, como sempre foi até à morte, podia dar qualquer coisa a todos os homens.

Lembro-me quando ele adoeceu. Só reparámos porque ele mudou a sua enxerga de palha para a nogueira que ficava no meio da praça. Antigamente, sempre escondera da vista de todos os locais onde dormia, com uma espécie de instinto selvagem. Agora, porém, sentia necessidade de estar sempre à vista dos outros. Senti que o coração se me apertava: sempre tinha pensado para comigo que não lhe agradaria morrer sozinho, e aquilo era já talvez um sintoma da morte que se aproximava. Enviámos-lhe um médico, que subiu lá acima com uma escada; quando desceu fez uma careta e abriu os braços.

Subi eu, pela escada.

– Cosimo – comecei a dizer-lhe –, sessenta e cinco anos já lá vão passados, definitivamente passados. Como podes continuar aí em cima? Já disseste a todos aquilo que pretendias dizer, todos nós te compreendemos. A tua força de vontade foi uma força de vontade indómita e grande. Sempre a mantiveste até ao fim. Podes descer agora. Até mesmo para os que passam uma vida no mar chega uma idade em que ficam a viver em terra.

Mas qual! Fez-me sinal de que não, com um gesto. Já quase não falava. Levantava-se, de vez em quando, embrulhado até à cabeça num cobertor, e sentava-se num ramo, a gozar os raios de sol. Mais além não se adiantava. Havia uma velha do povo, uma santa mulher (talvez uma das suas antigas amantes, quem sabe?), que ia ajudá-lo a lavar-se e lhe levava gamelas de caldo quente. Tínhamos a escada de mão apoiada contra o tronco da nogueira, porque era necessário que houvesse alguém que subisse constantemente lá acima a ajudá-lo, até porque esperávamos que se decidisse, de um momento para o outro, a descer. (Esperavam os outros, eu, porém, já sabia perfeitamente como ele se obstinava em não descer.) Em seu redor, pela praça, havia sempre um círculo de pessoas que lhe faziam companhia, dirigindo-

-lhe até piadas de vez em quando, muito embora soubessem que ele perdera toda a vontade de falar e contar histórias.

Agravou-se o seu estado. Içámos uma cama para cima da árvore e conseguimos instalá-la lá, em equilíbrio; ele mudou-se, de boa vontade. Ficámos em parte com um certo remorso de não termos pensado mais cedo naquilo: para dizer a verdade, ele nunca recusara a comodidade; desde que permanecesse em cima das árvores, procurava gozar a vida o melhor que podia. Demo-nos pressa, então, em proporcionar-lhe outros confortos: duas esteiras para o proteger do vento, um baldaquino, uma mesinha de cabeceira. Melhorou um pouco e levámos-lhe lá para cima uma poltrona, prendendo-a fortemente aos ramos; passava agora os dias ali sentado, embrulhado até às orelhas nos seus cobertores.

Uma manhã, porém, não o vimos nem na cama nem na poltrona. Erguemos o olhar, atemorizados: tinha subido para o topo da árvore e estava encavalitado num ramo altíssimo, apenas com uma camisa vestida.

– Que fazes aí em cima?

Não respondeu. Estava semienregelado. Parecia ter conseguido chegar lá acima por milagre. Preparámos um enorme lençol, dos usados para recolher as azeitonas, e esticámo-lo por baixo da árvore, porque tínhamos receio que caísse.

Entretanto, o médico subiu à árvore; foi uma subida difícil, e foi preciso amarrar duas escadas uma à outra.

Desceu e disse:

– É melhor que suba o padre até junto dele.

Estávamos de acordo que fosse lá acima um tal D. Pericle, seu amigo, padre constitucional no tempo dos franceses, inscrito na Loja quando esta não era ainda proibida ao clero e recentemente reconduzido aos seus cargos da diocese, após muitas vicissitudes. Trepou lá acima com os paramentos e o cibório. Esteve lá um bocado. Pareciam ambos conspirar. Depois desceu.

– Tomou os sacramentos, D. Pericle?

– Não, não, mas disse que se sentia bem, disse que, por ele, se sentia bem. – Ninguém conseguiu arrancar-lhe mais palavra.

Os homens que seguravam o lençol estavam cansados. Cosimo continuava lá em cima, sem se mexer. Levantou-se vento, um vento suão. O topo da árvore ondulava e nós continuávamos prontos. Nisto, apareceu um balão no céu.

Certos aeronautas ingleses procediam a experiências com um balão nas nossas costas. Era um balão esplêndido, ornamentado com franjas, fitas e festões, tendo por baixo uma barquinha de vime; dentro, dois oficiais com dragonas e muito bem vestidos olhavam através de um binóculo a paisagem que os rodeava. Apontaram o óculo para a praça, observando o homem em cima da árvore, o lençol estendido, a multidão, estranhos aspetos de um mundo que lhes ficava lá muito em baixo. Até o próprio Cosimo tinha erguido a cabeça e olhava atentamente o aeróstato.

Eis que, porém, o balão foi apanhado num remoinho do vento suão: começou a correr, agitando-se como uma borboleta, afastando-se em direção ao mar. Os aeronautas, sem perderem o ânimo, apressaram-se a reduzir – ao que me pareceu – a pressão do aeróstato e, ao mesmo tempo, atiraram a âncora, procurando prendê-la a qualquer local. A âncora prateada descia vertiginosamente pelo céu, presa a uma longa corda e, seguindo a oblíqua trajetória do balão, passava por cima da praça, quase à altura da nogueira, de tal modo que temíamos seriamente que colhesse Cosimo. Mas não queríamos acreditar no que, no momento seguinte, os nossos olhos presenciaram.

No momento em que a corda com a âncora lhe passou perto, Cosimo, ainda que agonizante, deu um salto daqueles que lhe granjearam fama na sua juventude, agarrou-se à corda, com os pés sobre a âncora e o corpo encolhido, e assim o vimos afastar-se, voando, agarrado à corda do balão, fugindo em direção ao mar...

O balão, vencendo a distância do golfo, conseguiu aterrar depois na outra margem. Presa à corda vinha só a âncora. Os aeronautas, demasiado afadigados em procurar uma rota para o balão, não tinham dado conta de nada. Supôs-se que o velho moribundo desaparecera durante a travessia do golfo, caindo no meio do mar.

Assim desapareceu Cosimo, e nem tão-pouco nos deu a satisfação de voltar a terra mesmo morto. No túmulo da família há uma estrela e uma inscrição: «*Cosimo Piovasco di Rondò – Viveu sobre as árvores – Amou sempre a terra – Subiu para o Céu.*»

De vez em quando interrompo o meu trabalho e vou à janela. O céu esta completamente vazio e nós, os velhos de Ombrosa, habituados a viver sempre sob aquelas verdes cúpulas, temos uma certa dificuldade em olhar diretamente para o céu. Dir-se-ia que as árvores nunca mais cresceram após a partida do meu irmão ou desde que os homens foram tomados por aquela fúria destruidora. Além disso, a vegetação mudou: desapareceram os álamos, as faias, os robles: agora a África, a Austrália, as Américas e as Índias alongam até aqui os seus ramos e raízes. As árvores antigas refugiaram-se algures: sobre as colinas há ainda oliveiras e nos bosques dos montes pinheiros e castanheiros; junto à costa, porém, é uma Austrália vermelha de eucaliptos, elefantesca de *ficus*, de árvores de jardim enormes e solitárias, e tudo o resto são palmeiras, com os seus topos tufados e troncos nus, inóspitas árvores do deserto.

Ombrosa já não existe. Olhando o céu sombrio, pergunto a mim mesmo se alguma vez terá existido. Aquela pujança de ramos e folhas, bifurcações, penugens sem fim e o céu somente entrevisto a espaços irregulares e em retalhos talvez fosse assim só de propósito para que sob ele vivesse o meu irmão, com o seu ligeiro passo de esquilo; era um bordado feito de nada, assemelhando-se a este fio de tinta que sai da minha pena e que deixei correr livremente por páginas e páginas, cheio de riscos, emendas, traços nervosos, manchas, lacunas, e que por momentos se estende em grossas bagas muito claras, outras vezes se recolhe em sinais minúsculos e tímidos, como pequenas sementes, que se dobra sobre si mesmo ou se bifurca, ou ainda descreve partes de frases com contornos de folhas ou de nuvens e depois se encontra novamente, e novamente também volta a enredar-se e corre, corre, e continua correndo, torna-se mais espesso, cresce num último cacho insensato de palavras, ideias, sonhos, e termina.

10 de dezembro de 1956 – 26 de fevereiro de 1957